»Ich kann von zu Hause aus arbeiten. Ich bin jederzeit für die Kinder da und absolut flexibel. Außerdem verdiene ich was, und es macht mir Spaß.«

Andrea Schnidt ist mittlerweile Top-Sellerin im Internet und hat im Hobbykeller ihr Büro – aber das platzt schon fast aus allen Nähten. »Such dir doch lieber was Richtiges«, hatte Christoph, ihr Mann, vorgeschlagen. Aber der hat ja gut reden, der Herr Junior-Partner und seit neuestem besessener Jogger. Als würde die internationale Geschäftswelt auf sie warten! Außerdem hat sie auch so schon alle Hände voll zu tun, das ganz normale Chaos zu meistern – jetzt, wo noch ihr Vater mit dem Rollköfferchen in der Hand vor der Tür steht und bei ihnen einzieht und ihre Freundin Annabelle davon überzeugt ist, dass sie, Andrea, Jesus aus der Mehrzweckhalle in Eschborn verscheucht hat. Aber dass es sich mal auszahlen wird, alle afrikanischen Hauptstädte zu kennen, davon ist Andrea überzeugt!

Susanne Fröhlich, geboren 1962 in Frankfurt am Main, ist erfolgreiche Fernseh- und Rundfunkmoderatorin. Neben den Sachbuch-Bestsellern »Moppel-Ich«, »Runzel-Ich« und »Alles über meine Mutter« erschienen zuletzt ihre Romane »Familienpackung«, »Treuepunkte« und »Lieblingsstücke« und wurden zu riesigen Erfolgen. Susanne Fröhlich lebt mit Mann und den beiden Kindern im Taunus.

Unsere Adresse im Internet: *www.fischerverlage.de*

Susanne Fröhlich

Lieblingsstücke

Roman

Fischer Taschenbuch Verlag

Veröffentlicht im Fischer Taschenbuch Verlag,
einem Unternehmen der S. Fischer Verlag GmbH,
Frankfurt am Main, Oktober 2009

© S. Fischer Verlag GmbH, Frankfurt am Main 2008
Satz: Pinkuin Satz und Datentechnik, Berlin
Druck und Bindung: CPI – Clausen & Bosse, Leck
Printed in Germany
ISBN 978-3-596-17493-5

Dieses Buch ist für mein heißgeliebtes
»Speckfrettchen« – ich vermisse Dich sehr!
Und für Constanze, ohne die ich überhaupt nichts
schreiben kann. Dass Du meine Freundin bist,
ist wirklich ein großes Glück und Privileg.
Danke für alles.

Ein verheirateter Mann kann tun, was er will,
wenn seine Frau nichts dagegen hat.

George Bernard Shaw

1

»Jesus ist hier bei uns in Eschborn«, ruft die Stimme ekstatisch.

Jesus ist in Eschborn. Das wäre, wenn es tatsächlich stimmt, ein ziemlicher Knaller. Ich meine, ich möchte Jesus nicht zu nahe treten, aber warum um alles in der Welt sollte er nach Eschborn kommen? Ein Mann wie Jesus hat doch wirklich andere Möglichkeiten. Wozu ist er schließlich Jesus? Was nützt einem so eine Funktion, Beruf wäre wohl die unpassende Bezeichnung, wenn man dann doch in Eschborn rumhängen muss? Und noch dazu bei diesem Schmuddelwetter. Da wäre es doch bestimmt auf den Malediven oder den Seychellen netter. Wärmer allemal. Die Strände, die Palmen, das türkisfarbene Wasser, nette Cocktails, all das sollte Jesus ja wohl bekannt sein. Und ansonsten, falls ihm das Rumliegen am Strand nicht so gefällt, viele Männer langweilen sich da ja schnell mal, und Jesus ist ja nun eindeutig ein Mann, gibt es auch noch Städte wie New York, Rom, Venedig oder Paris. Internationale Metropolen. Und wenn es denn unbedingt Deutschland sein muss, würde ich an Jesus' Stelle doch lieber mal nach Berlin. Für Jesus würde sich der Wowereit sicherlich einen Abend frei nehmen. Dass Jesus' Wahl angeblich ausgerechnet auf Eschborn fällt, genauer gesagt aufs Gewerbegebiet Eschborn Süd, spricht entweder für seine Leidensfähigkeit (die ja weitreichend bekannt ist) oder auch nur dafür, dass er entweder keinen Geschmack oder keine Ahnung hat. Beides aber sollte man von Jesus doch erwarten können.

»Jesus ist in Eschborn und sagt uns hallo«, wiederholt

die Stimme noch aufgeregter die gewagte These, und weil das so dermaßen bekloppt ist und alle trotzdem so irrsinnig bewegt sind, nutze ich diesen Moment, nehme meine Tasche und meine Decke und verlasse so unauffällig wie möglich den zugigen kleinen Raum über der örtlichen Mehrzweckhalle. Vielleicht hat Jesus ja Lust mitzukommen. Ich kann mir nur sehr schwer vorstellen, dass er an dieser Veranstaltung hier Spaß hat. Ich jedenfalls nicht. Überhaupt nicht, und deshalb muss ich hier weg.

Annabelle kommt mir hinterher.

»Wo willst du denn hin?«, fragt sie entsetzt, »das Seminar geht doch noch den ganzen Tag!«

»Ich bitte dich«, sage ich, »was soll denn nach Jesus noch kommen?«, und hoffe, dass sie den Scherz kapiert. Tut sie aber nicht.

»Hast du ihn auch gesehen?«, will sie ernsthaft wissen, und ich weiß wirklich nicht, wie diese Frau meine Freundin sein kann.

So viel habe selbst ich verstanden. Beim Channeling spricht man durch andere. Also Jesus durch unsere Seminarleiterin Asmara. Deshalb kann man ihn auch definitiv nicht sehen, höchstens hören. Annabelle, meine Freundin, ist, unter uns gesagt, nicht das hellste Licht, aber dafür eine absolut hartnäckige Person. Immerhin hat sie mich zu diesem bescheuerten Seminar überredet. »Channeling mit Asmara« nennt sich diese dubiose Veranstaltung, zu der man nur eine warme Decke, etwas zu essen und die Teilnahmegebühr von zweihundertneunzig Euro mitbringen muss. Natürlich auch eine gewisse Empfangsbereitschaft. Um die geht es Asmara, der Channeling-Fachkraft, die nun ebenfalls vor die Halle tritt, wohl weniger.

»Hey Moment mal«, keift sie mich an, »was ist denn mit

dir los? Wo willst du denn hin? Du hast deine Teilnahmegebühr noch gar nicht bezahlt!«

Wie profan. Da hat sie gerade Jesus in sich selbst entdeckt, und anstatt mit ihm ein wenig zu plaudern – da gäbe es doch sicherlich Interessantes zu erfahren und, unter uns, auch jede Menge offene Fragen –, rennt sie mir hinterher und grämt sich um ihre zweihundertneunzig Euro. Als ob Jesus nicht wesentlich mehr wert ist. Wenn sie clever wäre, hätte sie die Zeitung angerufen. Die Taunuszeitung. Für Jesus wäre vielleicht sogar jemand von der Bildzeitung erschienen.

»Jetzt ist mir Jesus wegen dir entwischt!«, klagt sie mich nun auch noch an und macht ein bekümmertes Gesicht. »Jesus braucht absolute Aufmerksamkeit!«

Was soll man dagegen bloß sagen? Dass alle Männer absolute Aufmerksamkeit brauchen? Dass ich dachte, dass Jesus da drüber stehen würde und nicht so kleinlich wäre? Bevor ich anfange, mich zu rechtfertigen, gebe ich auf, stammle was von: »Ich war so überwältigt, musste nur mal eben an die frische Luft«, und fühle mich wie ein flüchtender Häftling, der kurz vor der ersehnten Freiheit von seinen Gefängniswärtern wieder aufgegriffen und hinter die Mauern zurückgeführt wird.

Wie ein Rind zur Schlachtbank lasse ich mich zurück in die Halle eskortieren. Mich empfängt allgemeines Schweigen. Es gibt freundliches Schweigen und böses Schweigen. Das hier ist eindeutig kein freundliches Schweigen. So viel ist sofort klar. Alle sind offensichtlich total sauer auf mich.

Eine kleine Frau mit wirrem Haar, die ein ganz klein wenig schielt, unterbricht die Stille.

»Du, Andrea, das war richtig mies von dir. Nur weil du noch nicht bereit bist zum Empfang. Jetzt hast du

Jesus vertrieben.« Zur Unterstützung ihrer Worte rollen ihre Augen noch mehr als sonst. Wie bei einem Flipper-Automaten. Sieht schlimm aus, hat aber durchaus etwas Faszinierendes. Ich kann meinen Blick kaum von ihren Augen lösen. Schon weil man krampfhaft versucht, nicht so auffällig hinzuschauen, glotzt man oft umso mehr. Zustimmendes Gemurmel in der Halle und wie immer, wenn einer den Mut hatte, etwas zu sagen, kommt der Rest auch gleich begeistert aus der Deckung. »Genau« und »Du tust mir irgendwie so was von leid« sind noch die harmlosen Kommentare.

Ich werde also von nun an die Frau sein, die Jesus vertrieben hat. Die Frau, die Jesus zum Schweigen gebracht hat. Ich bin der Judas der Gruppe.

»Soll ich gehen?«, biete ich reumütig an und hoffe inständig auf ein Ja. Scheiß auf die zweihundertneunzig Euro. Alle schauen auf unsere Channeling-Meisterin Asmara und sind gespannt auf ihre Entscheidung.

»Nein«, sagt sie mit großmütigem Unterton. »Gerade du, Andrea, brauchst dieses Seminar. Vielleicht solltest du sogar überlegen, noch ein Weiteres zu belegen. Dein Empfang ist total blockiert. Da wartet wahnsinnig viel Arbeit auf dich.«

Was für eine wunderbare Mitteilung. Mein Empfang ist blockiert, und es wartet Arbeit auf mich. Deswegen bin ich nun wirklich nicht hier. Arbeit habe ich zu Hause ausreichend. Christoph, mein Mann, wird sich kaputtlachen. Verhaltensauffällig geworden im Channeling-Seminar. Betragen mangelhaft. Na bravo. Das muss man erst mal schaffen. Vor allem war diese kleine persönliche Ansprache nur der Anfang. Den gesamten Nachmittag über bekomme ich immer wieder Hinweise, wie ich meinen Geist auf Empfang schalten kann. Wir machen diverse Übungen und versuchen, mit unseren spirituellen Führern zu kommunizieren. Es wird irre viel geatmet, und wir wälzen uns auf dem leicht staubigen Boden durch den muffigen Raum. Außerdem fassen wir uns ständig an den Händen, und die meisten Übungen werden bei geschlossenen Augen absolviert. Generell liegt mir Kommunikation sehr, hier habe ich arge Probleme. Aus mir will überhaupt niemand sprechen. Wahrscheinlich liegt es an meinen Vorbehalten. Oder meinem mangelnden Ego. Insgeheim frage ich mich selbst, warum jemand ausgerechnet mich als Medium wählen sollte.

Ist das hier nicht alles grauenvoller Humbug? Oder bin tatsächlich ich es, die einfach noch nicht reif genug dafür ist? Der die Empfangsebene abgeht? Egal, wie absurd einem etwas erscheint, ein Restzweifel bleibt doch immer. Besonders in dieser Situation. Wenn alle so überzeugt sind, nur man selbst nicht, besteht ja nun durchaus die Möglichkeit, dass man diejenige ist, die sich irrt. So borniert, dass ich mich für unfehlbar halte, bin ich nun auch nicht. Liegt es an meiner mangelnden Sensibilität? Tauche ich nicht tief genug in mein Selbst ein? Ist da einfach nichts in mir drin? Nur eine gigantische Leere, ein großes Nichts? Fehlen mir bestimmte Bewusstseinsebenen, und wenn ja, wo kriege ich sie her?

Während ich noch still vor mich hin grübele, schreit Annabelle auf. Ihre Oma hat ihr etwas mitgeteilt. Alle sind ganz aufgeregt, schließlich ist Annabelles Oma vor gut zehn Jahren gestorben.

»Es war ganz deutlich«, freut sie sich.

»Und?«, frage ich, »was hat sie dir gesagt?«

»Ich soll weniger Kohlenhydrate essen!«, teilt sie mir mit erheblichem Pathos in der Stimme mit.

»Du sollst weniger Kohlenhydrate essen?« Das ist ja wohl der größte Käse, den ich je gehört habe. Als hätten sich die Frauen damals schon mit Kohlenhydraten beschäftigt. Das zum einen. Zum anderen meldet man sich doch nicht aus dem Jenseits, um über Kohlenhydrate zu sprechen. Da gibt es doch wirklich Bedeutsameres. Annabelle sieht an meinem Gesicht, dass ich gewisse Zweifel habe.

»Glaubst du mir etwa nicht?«, zischt sie mich an, und wieder mal habe ich die ungeteilte Aufmerksamkeit des Saales.

»Na ja«, versuche ich meine Zweifel ein wenig abzumildern, »sagen wir mal so, ich finde das irgendwie komisch. Oder besser gesagt, seltsam.«

Jetzt wird Annabelle, die vorhin bei der Jesusnummer noch recht freundlich geblieben ist, zickig.

»Komisch, wieso komisch? Meine Oma sorgt sich um mich. Weil sie natürlich weiß, dass ich zu viel Weißbrot esse und ich deswegen auch oft zur Aggressivität neige. Da kümmert sich mal jemand um mich, und sofort machst du alles schlecht. Das finde ich echt blöd von dir. Du weißt ja sowieso immer alles besser.«

Jetzt habe ich nicht nur Jesus vergrätzt, sondern auch noch Annabelle. Und ihre Oma gleich mit. Eine tolle Bilanz. Und das Seminar ist noch nicht mal zu Ende. Mal schauen, wen ich noch alles vor den Kopf stoßen kann. Asmara versucht meinen Fehler auszubügeln. Sie lobt Annabelle und ist angeblich irre stolz auf ihr Talent. Die Kohlenhydratnachricht ist für sie absolut eindeutig.

»Du sollst dich mehr um deinen Körper kümmern, Annabelle, das ist das, was deine liebe Oma dir aus dem Jenseits mitteilen will. Die Kohlenhydrate sind ein Synonym.«

Annabelle nickt ehrfürchtig, obwohl sie hundertprozentig nicht weiß, was Synonym heißt. Dass Oma eventuell auch nur sagen wollte: »Gott, Annabelle Kind, was bist du fett geworden in den letzten zehn Jahren!«, und dafür eine höfliche Metapher gesucht hat, scheint Annabelle nicht in den Sinn zu kommen.

In diesem Stil geht es den ganzen Tag weiter. Als um einundzwanzig Uhr endlich Schluss ist und wir nach ein paar Ohm-Stöhn-Übungen von Asmara verabschiedet werden, bin ich total erledigt. Das viele Liegen und Atmen hat mich arg ermüdet. Ich bin nur froh, dass ich nicht noch vor versammelter Channeling-Schar eingeschlafen bin.

Annabelle ist seltsam spröde, als wir rauskommen. Sie, die einen sonst zur Begrüßung und beim Verabschieden herzt und küsst, als gäbe es kein Wiedersehen mehr, nickt mir nur kurz zu und geht dann zu ihrem Auto.

»Halt«, rufe ich, »Annabelle, wir sind doch zusammen gekommen!« Will die mich jetzt hier in Eschborn stehen lassen? Zur Strafe für meine Kohlenhydratskepsis? Werden Jesus und ich hier in dieser Muff-Gegend enden? Vielleicht noch in Gesellschaft von Annabelles Omi? Ich habe nach dem Abdrücken der Kursgebühr nicht mal mehr genug Geld, um mir ein Taxi zu leisten.

»Komm halt, ich fahr dich noch nach Hause«, scheint sie sich zu erinnern, und wir treten ziemlich schweigsam die Heimfahrt an. Mein kurzer Versuch, an ihre Vernunft zu appellieren, scheitert.

»Annabelle, warum sollte Jesus denn nach Eschborn kommen?«, frage ich nett und heiter, so als hätte es unseren kleinen Disput gar nicht gegeben, und knuffe sie dabei liebevoll in die Seite. Nach dem Motto: Wir zwei wissen doch ganz genau, dass das Quatsch ist. Sich gemeinsam über etwas lustig zu machen, kann enorm verbinden. Es dauert lange, bis sie antwortet.

»Andrea«, sagt sie sehr ruhig und für ihre Verhältnisse auch sehr ernsthaft, »der Dalai Lama war auch schon in Eschborn. Beim Roland Koch. Der wohnt da. Warum sollte Jesus dann nicht auch kommen?«

Ich bin sprachlos. Sitzt Jesus vielleicht mittlerweile schon im Wohnzimmer von Roland Koch und trinkt mit ihm ein Weinchen? Gemeinsam mit dem Dalai Lama?

Als wir vor unserem Haus ankommen, sehe ich, dass noch Licht im Wohnzimmer brennt.

»Hast du noch Lust auf einen Wein oder so?«, lade ich Annabelle ein. Zur Wiedergutmachung und ehrlich gesagt auch als moralische Unterstützung, wenn ich gleich auf Christoph treffe. Der war von meiner Seminarteilnahme nämlich überhaupt nicht begeistert. Nicht, weil ich dann den ganzen Tag unterwegs bin und er mich unsagbar vermisst, sondern vor allem wegen der zweihundertneunzig Euro.

»Für so einen Scheiß gibst du mein gutes Geld aus!«, hat er sich beschwert, und allein für diesen selten dämlichen und unverschämten Satz hätte ich am liebsten jedes Wochenende in den nächsten zehn Jahren ein teures Seminar gebucht. Schließlich ist Christoph, wenn es um ihn selbst geht, auch nicht direkt knickerig. Aber das ist selbstverständlich etwas völlig anderes.

Annabelle schüttelt den Kopf und lehnt meine Einladung ab: »Ne, heute nicht. Mir langt es. Tschüs.«

Ich habe die Autotür noch nicht richtig zugeschlagen, da braust sie schon weg. Die ist richtig angefressen. Da muss ich mir eine sehr gute Entschuldigung einfallen lassen, obwohl ich eigentlich gar kein richtiges Schuldgefühl habe.

Leider spielt das manchmal so gar keine Rolle. Außerdem ist Annabelle zwar nicht meine beste Freundin, aber doch eine wirklich treue Seele. Ich werde sie morgen früh anrufen und mich verbal in den Staub werfen. Nachtragend ist sie zum Glück nämlich nicht. Das bin leider nur ich. Ich weiß, dass es sich um keine besonders schöne Eigenschaft handelt, aber dieses Wissen allein hilft noch nicht. Angeblich ist zwar Selbsterkenntnis der erste Schritt zur Besserung, aber bei mir bleibt es bei diesem ersten Schritt. Ich weiß, dass es kleinkariert ist, nachtragend zu sein, bin es aber trotzdem. Nicht sehr erwachsen, aber leider kann ich nicht anders.

Christoph sitzt im Wohnzimmer, und die Glotze läuft. Keine große Überraschung. Entweder er arbeitet, oder er schaut fern. Er behauptet, es entspanne ihn. Ich glaube, es bewahrt ihn vor den Anstrengungen möglicher Kommunikation. Vor allem mit mir. Wenn der Fernseher läuft, hat man eine Tonkulisse und sitzt nicht da und muss nach unverfänglichen Themen suchen. Das klingt wahrscheinlich schlimmer als es ist. Unsere Ehe bewegt sich, würde ich sagen, auf etwa durchschnittlichem Niveau. Schulnotenmäßig zwischen zwei minus an guten und vier plus an schlechten Tagen. Es regnet keine Rosen, wir beteuern uns nicht stündlich unsere unbändige Liebe, aber ich glaube, generell mögen wir uns (bis auf einige Unarten von Christoph, aber dazu später in aller Ausführlichkeit mehr), und an den meisten Tagen würde ich ihn auch nochmal heiraten. Gut, außer an den Tagen, an denen ich ihn umbringen will.

»Na, wie war es?«, will er tatsächlich wissen. Bei der Frage wendet er seinen Blick sogar kurz vom Fernseher ab und zieht seine Augenbrauen ganz leicht nach oben. Wer ihn kennt, weiß, dass das ein Ausdruck von gewissem Spott ist. Das relativiert sein Interesse allerdings schon wieder etwas.

»Jesus war da. Ist aber wegen mir entwischt. Und Annabelles tote Oma. Die habe ich auch noch vertrieben«, antworte ich für meine Verhältnisse relativ knapp, und er guckt ein ganz klein wenig erstaunt. Aber so erstaunt, dass er mehr wissen will, ist er dann doch nicht, er schüttelt nur kurz, leicht angewidert und spöttisch den Kopf. Bevor er sich wieder seinem Lieblingsobjekt, dem Fernsehgerät, widmet, teilt er mir noch schnell mit, dass mein Vater angerufen hat.

»Er klang irgendwie komisch, hat das aber abgestritten. Er meldet sich morgen bei dir.«

Auch gut. So spannend, dass ich noch stundenlang über das bekloppte Seminar reden möchte, ist es auch wieder nicht gewesen. Und für die Kursgebühr möchte ich mich auch nicht schon wieder rechtfertigen müssen. Außerdem wartet im Keller noch massenweise Arbeit auf mich. Meinen Vater kann ich um diese Zeit eh nicht mehr zurückrufen. Punkt halb zehn gehen bei dem die Rollläden runter, und Papa geht schlafen. Seit Jahren schon. »Was glaubst du, warum ich noch so fit bin?«, reibt er mir oft genug unter die Nase. »Mein Körper bekommt ausreichend Schlaf. Das ist und bleibt das A und O. Schlaf ist das billigste Schönheitsmittel. Da kann keine Creme gegen anstinken. Guck dir deine Mutter an. Was glaubst du, warum die immer noch so aussieht? Weil sie genug schläft. Du solltest besser auch mal früher ins Bett gehen. So wie die Mutti und ich. Selbst deine Schwester Birgit macht das jetzt. Und ehrlich, Andrea, sie sieht jünger aus als du. Ist nicht böse gemeint.«

Fehlt noch, dass er sagt, ich solle es nicht persönlich nehmen. Ich hasse diesen Satz, der zu seinem Standardrepertoire gehört. Wie soll ich es denn sonst nehmen, wenn es um mein Aussehen geht? Aber in diesem Fall bin ich generös. Birgit war schon immer ein bisschen Papis Liebling, und sie sieht definitiv nicht jünger aus als ich. Allein ihre Krähenfüße! Mit diesem Wissen im Hinterkopf fällt es bedeutend leichter, großzügig zu sein.

Wäre Schlaf ein Produkt, mein Vater wäre der optimale Promoter. Anrufe nach halb zehn sind deshalb fast schon ein Sakrileg. Geburten und Todesfälle oder zumindest schwere Unfälle – dann ja, aber andere Gründe für Anrufe nach halb zehn sind undenkbar.

»Ich geh nochmal runter, ein paar Sachen erledigen«, sage ich zu Christoph, schnappe mir in der Küche ein Glas Wein und mache mich ab in den Keller.

Hier ist mein Büro. Also eigentlich ist es unser gemeinsames Büro. Christoph und ich teilen uns den so genannten Hobbyraum unseres Reihenhauses und nutzen ihn als Arbeitszimmer. Früher hießen diese Räume Partykeller. Meistens mit Theke und Barhockern und das Ganze in Eiche rustikal. Ziemlich spießig auf den ersten Blick, aber immerhin haben die damals noch Partys gefeiert.

Tolles Hobby: Arbeiten. Doch es gibt da draußen in der bunten Promi-Welt ja oft genug Leute, die behaupten, dass ihre Arbeit ihr größtes Hobby sei. Wer's glaubt, bitte schön!

Aber ehrlich gesagt, hat mein momentaner Job wirklich mal als eine Art Hobby begonnen. So vor etwa einem Jahr.

Ich hatte akuten Aufräumdrang. Eine Art Ausmistschub, der mich etwa halbjährig überkommt und von dem ich mittlerweile überzeugt bin, dass er eindeutig hormonell begründet sein muss. Anders kann ich mir den verrückten Drang nach Ordnung und Klarheit bei meinem Naturell nicht erklären. Es ist geradezu zwanghaft. Ich muss es tun. Also habe ich es getan. Sich dagegen zu wehren, führt ja zu nichts. Man soll seinem Körper geben, wonach er verlangt. Wenigstens ab und zu. Und solange es sich um solch harmlose Begierden wie Ausmisten handelt, kann man allemal großzügig sein und froh darüber, dass es den Körper stattdessen nicht nach Koks oder Heroin verlangt. Noch dazu ist die Sucht nach Chaosbeseitigung wesentlich preiswerter zu befriedigen und man muss sich ja heutzutage schon Kohlenhydrate und andere herrliche Dinge verkneifen.

Ich war also am Ausmisten. Besonders gut bin ich darin, Dinge von anderen auszusortieren. Also beispielsweise Kindersachen. Wenn ein Kinderzimmer aussieht wie eine Zweigstelle von »Toys r us« nach einem Hurrikan bin ich in meinem Element. Meine Hauptutensilien beim Ausmisten sind riesige blaue Müllsäcke – waren riesige Müllsäcke. Bis Heike, meine Freundin, mich gefragt hat, ob ich denn völlig bescheuert sei. Schließlich könne man all die Dinge doch noch prima verscherbeln. Ich sah mich schon auf dem Flohmarkt stehen, bei leichtem Nieselregen und zwei Grad, mit anschließender Blasenentzündung und geschätzten sieben Euro Profit.

»Quatsch«, hat mich Heike, meine älteste Freundin, belehrt. »Heutzutage geht das doch kinderleicht. Du setzt den Kram ins Internet, und das Geld kommt auf dein Konto. Mach ich ständig. Ist leicht und effektiv. Vertick deinen Kram doch bei eBay.« Natürlich wusste ich schon vor Heikes Anruf was eBay ist. Nämlich eine Art Internetauktionshaus, wo man etwas ersteigern und logischerweise auch versteigern kann. Ersteigert habe ich ab und an schon mal was. Meistens für viel zu viel Geld. Ich habe einen klitzekleinen Hang zur Raffgier, wenn ich mich mal für etwas entschieden habe, und sei es in einem Internetkaufhaus, dann will ich es auch haben. Ich kann mich schlimmer in etwas verbeißen als ein Terrier. Auch ein Charakterzug, an dem ich mal arbeiten könnte. Nachtragend und raffgierig – keine Eigenschaften, mit denen man sich sonderlich beliebt macht oder auf Partnersuchseiten als begehrenswerte Beute gilt. Aber zum Glück habe ich ja schon einen Partner und kann deshalb ganz offen zu meinen kleinen Fehlern stehen. Natürlich nicht vor Christoph – aber doch zumindest vor mir selbst.

Auf die Idee, etwas zu versteigern, war ich noch nicht gekommen. Ich hatte mich immer vor dem Aufwand gefürchtet.

»Ist doch gar kein Thema«, beruhigte mich Heike, »du machst ein Foto, schreibst einen malerischen Text, wartest auf die Angebote und dann verschickst du den Krempel nur noch. Und kassierst natürlich.«

Das klang sehr verlockend. Ich dachte mir, einen Versuch ist es allemal wert. Also hatte ich die Kinderzimmer durchforstet. Meinen ersten Versuch wollte ich mit einem wahren Objekt der Begierde unternehmen. Wenn ich mir schon all die Mühe mache, soll wenigstens was bei rumkommen, war mein Gedanke. Mein Einstieg sollte richtig erfolgreich sein.

Ich entschied mich für das alte Puppenhaus von Claudia. Schon aus Mitleid für das Teil. Es war seit Jahren nicht mehr bespielt worden und mittlerweile so staubig, dass es eine Art Milbenausflugsparadies geworden war. Dabei war es ein wirklich gutes Stück. Eines meiner Lieblingsstücke. Kein schäbiges Plastikteil, sondern ein stabiles klassisches Holzhaus. Mit niedlichen Gardinen aus richtig schönem rot-weiß kariertem Baumwollstoff und herrlichen winzig kleinen Holzmöbeln. Detailgetreue Doppelstockbetten, ein Holzklo – alles, was die Puppenmutti mag. Ein winziger Herd, kleine Schemelchen, eine Plüschcouch und passende filigrane Kissen. Alles, einfach entzückend. Ich hätte als Kind für ein solches Traumpuppenhaus getötet. Als ich es damals im Laden gefunden hatte, war ich dermaßen euphorisiert, dass ich wirklich jedes erhältliche Zubehörteilchen gekauft habe. Wie im Rausch. Für die Gesamtrechnung hätte ich eine Eigentumswohnung anzahlen können. Die Verkäuferin war so beglückt, dass sie wahrscheinlich erwogen hat, nach mir den Laden zu schließen, weil ich den Tagesumsatz gerettet hatte. Habe damals bei Christoph auch ein ganz klein wenig geschwindelt, was den Preis anging. Die Begeisterung unserer Tochter würde schließlich alles wettmachen. Für die lieben Kleinen sollte einem nichts zu teuer sein. Außerdem wird Geschmack in frühester Kindheit geprägt, und da sollte man nichts unversucht lassen, um die Kleinen auf den richtigen Weg zu führen. Dachte ich jedenfalls. Das war allerdings ein grober Irrtum. Claudia hatte Weihnachten ein Gesicht gezogen, als hätte sie versehentlich das Geschenk für ein anderes Kind ausgepackt oder als würde sie unter dem falschen Baum sitzen. Sie war, ehrlich gesagt, absolut sprachlos. Leider nicht vor Begeisterung, sondern vor Entsetzen. Gut, sie hatte sich ein Puppenhaus aus Vollplastik gewünscht. Irgend so ein Playmobilteil. Wir (also ehrlich gesagt ich) dachten, so ein Holzteil sei wesentlich hochwertiger (Christoph neigt nicht dazu, sich über Kindergeschenke allzu viel Gedanken zu machen), und man hat länger davon. Hat man bestimmt auch. Vor allem, wenn man, wie Claudia unsere Tochter, es kaum benutzt. Holz ist leider nicht so bunt wie Plastik. Vor allem hat es weniger rosa Anteile. Und es ist nun mal Holz. Ein eklatanter Fehler in unserem Fall. Wir haben fast das Doppelte ausgegeben (unglaublich, wie teuer kleine Holzklos sein können) und hatten dafür ein Kind, das bitterlich enttäuscht war. Das hat man dann von all der Pädagogik! Mir tat Claudia in dem Moment eigentlich leid, aber Weihnachten ist ja nun mal auch kein schnöder Bestellvorgang, bei dem genau das geliefert wird, was man sich wünscht. Ich weiß, wovon ich rede!

Schon deshalb war es die brillanteste Idee schlechthin, das Puppenhaus als erstes Versteigerungsobjekt auszuwählen. Vielleicht existierten da draußen, in der eBay-Gemeinde, ja Menschen, die solch ein Prachtpuppenhaus zu schätzen wussten. Es genügte ja, wenn es mehr Mütter wie mich gab. Bis ich alle Teile zusammengesucht hatte, vergingen Stunden. Zum Glück war wenigstens das Puppenhaus schnell gefunden. Im Keller. Sicherheitshalber hatte ich vorher nicht bei Claudia um Erlaubnis gefragt. Man kennt das ja von sich selbst. Auch wenn man etwas jahrelang keines Blickes mehr gewürdigt hat, entdeckt man plötzlich seine unbändige Liebe dafür und kann sich keinesfalls davon trennen, sobald es tatsächlich weg soll. Mir ist dieses Phänomen nicht fremd. Wenn ich Klamotten aussortiere und sich dann erstaunlicherweise jemand anderes dafür interessiert, fällt mir das Hergeben ungemein schwer. Manchen Frauen geht das sogar bei Männern so. Man trennt sich, weil man den Anblick kaum noch ertragen kann, nahezu allergisch auf den Kerl reagiert, und dann kommt da eine andere Frau, signalisiert Interesse, und schwups ist man selber unsicher. Offenbar muss ja doch was an dem Kerl dran sein, wenn ihn eine andere haben will. Hergeben ist generell eine schwierige Angelegenheit. Egal, worum es sich handelt!

Die Puppenhaus-Aktion musste also eine geheime Mission bleiben. Ich wühlte unzählige Kisten durch, und wäre Claudia in der Nähe gewesen, hätte ich mein Schweigen auch garantiert gebrochen. Schon aus Zorn. Wie konnte man seinen Krempel nur so wahllos verstreuen? Was zog ich da bloß für eine maßlose Schlampe groß? Wo sollte das bloß enden? Würde sie später Star in einer dieser Messy-Serien bei RTL 2? Oder eine der Frauen, die beim Frauentausch vor laufender Kamera von der Tauschmutti als Dreckschlampe beschimpft würde?

Puppenhöckerchen in der Lego-Kiste, der Esstisch im Playmobil-Zoo und zwischen etwa dreißig Barbies das Doppelstockbett. Mittendrin noch einige vergammelte Ostereier, die nach gar nichts mehr schmeckten (ja, ich gebe es zu, ich habe eines probiert!), und eine verschrumpelte Mandarine, die aussah wie eine Mandarinenmumie. Ekelhaft! Das Reliheft mit einer Arbeit, die ich noch nie gesehen hatte (3⁻), steckte im Barbie-Wohnmobil. Immerhin – perfekte Tarnung. Ein Versteck, auf das ich sonst wohl erst nach ihrem Auszug gestoßen wäre. Um internationalen Hygienestandards zu genügen, wären Op-Handschuhe und ein Mundschutz bei dieser Suche eigentlich das Minimum an Ausstattung gewesen. Und literweise Sagrotan. Schon, um akuter Ausschlaggefahr vorzubeugen. Das Ärgerliche an der Sache war vor allem, dass ich nicht mal über das Grauen, auf das ich gestoßen war, sprechen konnte. Sonst hätte ich ja den Grund der Wühlerei offenbaren müssen. Aber das Reliheftversteck wollte ich mir merken und es in den folgenden Tagen ganz zufällig entdecken. Nach dem Motto: Huch, was haben wir denn da? Die sollte sich auf was gefasst machen. Auch die Mandarine steckte ich schön wieder zwischen die Klamotten, die zu einer reichlich abgeliebten Babypuppe gehörten. Ein weiterer Trumpf für später. Hoffentlich vergaß ich sie dort nicht, und sie würde anfangen sich zu vermehren – durch Gasfäulnisbildung oder Ähnliches. Heutzutage war ja fast alles möglich. Irgendwann würde ich dieses Zimmer betreten wollen, und eine gigantische Mandarine mit zahlreichen Nachkommen und riesigen weißen netzartigen Fäden, die quer durchs Zimmer laufen, würde mir den Weg versperren und mich nach einer fiesen Explosion mit diesen weißen Fasern verschlingen. Trotz dieser Bedenken musste die Mandarine an Ort und Stelle bleiben. Nichts im Leben ist eben ohne Risiko.

Nach etwa zweieinhalb Stunden hatte ich alles, was noch übrig war vom ehemaligen Puppenhauszubehör, zusammengesucht. Ein Stuhl hatte leider keine Beine mehr, und das Klo blieb definitiv verschwunden. Ansonsten war alles in ziemlich gutem Zustand. Da sag nochmal einer, Qualität lohnt sich nicht. Jetzt musste ich nur noch ansprechende Fotos machen und einen schönen Text schreiben, und schon bald würde das Geld auf mein Konto fließen. Ein herrlicher Gedanke. Endlich würden sich die Kosten, post mortem sozusagen, amortisieren. Das wäre dann eigentlich nur fair, schon als Ausgleich für die damalige Weihnachtsschmach.

Die Puppenmöbel und ich hatten eine wunderbare Fotosession. Als ginge es um ein internationales Puppenmöbel-Casting, arrangierte und dekorierte ich die einzelnen Möbel auf Kissen. Selbstverständlich machte ich auch noch ein Gruppenbild. Haus und Möbel. Im Hintergrund eine unserer wenigen Grünpflanzen in gutem Zustand. Die Bilder sahen herzerweichend niedlich aus. Gut so, denn Heike hatte mir gesagt, dass Bilder, gute Bilder, die halbe Miete bei eBay seien und dass der, der keine Bilder zu seinen Artikeln veröffentlichte, sie sowieso gleich behalten konnte.

Das Texten machte mir erstaunlicherweise richtig Spaß. Mal ordentlich auf den Putz zu hauen, jegliche Bescheidenheit zu vergessen und in Adjektiven zu schwelgen. Heike hatte mir geraten, nicht zu professionell aufzutreten. Lieber ein bisschen schlichter und dafür grundehrlich. Glaubwürdigkeit sei das Zauberwort bei eBay.

Am Ende war ich äußerst zufrieden mit meinem schleimigen Text. Er war wirklich überhaupt gar nicht anspruchsvoll, aber dafür hätte selbst ich mir garantiert alles abgenommen.

Eines meiner Lieblingsstücke:
Gigantisches Puppenhaus, mehrstöckig, dekorativ und robust. Ein zauberhaftes, nostalgisches, aber dennoch zeitlos klassisches Puppenhaus, das nicht nur Kinderherzen höher schlagen lässt. Mit diesem Puppenhaus erfüllen sich Träume und das zu einem spektakulär günstigen Preis!!!
Jegliches Zubehör (unten gesondert aufgelistet), Mobiliar im Landhausstil, alles nur Vorstellbare (bis auf die Toilette) ist im Preis inbegriffen. Eine Super-Chance! Normalerweise kostet allein das Kinderzimmer mit Doppelstockbett, Nachttisch und kleiner Sitzecke über 20,– Euro! Das Puppenhaus hat fast keinerlei Gebrauchsspuren und wird auch in zwanzig Jahren noch absolut top-aktuell sein! Ich trenne mich nur schwer davon, aber unsere Tochter ist einfach aus dem

Puppenalter raus. Sie macht Abitur und will sich dann mit
dem Erlös eine Reise nach Afrika mitfinanzieren. Wir wün-
schen uns liebevolle Hände für das wirklich schöne Haus!
Viel Glück beim Ersteigern!!!

Das musste an Süßholzraspelei dann doch reichen. Dicker
auftragen ging ja kaum mehr. Okay, ein wenig geschwindelt war das alles schon. Aber richtig gelogen dann auch
wieder nicht. Jedenfalls war alles irgendwie im Bereich des
Möglichen. Claudia würde ja irgendwann hoffentlich ihr
Abitur machen, und ich hatte mich ja auch zeitlich nicht
festgelegt. Außerdem ging es die Leute ja nun auch echt
nichts an, wann genau das sein würde. Und vielleicht wollte sie dann tatsächlich nichts mehr als mal nach Afrika.
Konnte ja sein. Da das eine sehr weite Reise war, konnte
man gar nicht früh genug mit dem Sparen anfangen. Das
klang vor allem prima und auf jeden Fall wesentlich besser
als: »Unsere Tochter hatte nie Spaß an dem Holzteil. Sie
hat das Puppenhaus von Anfang an gehasst. Sie ist zwar
noch in einem Alter, in dem man noch wunderbar damit
spielen könnte, sie hat seine Existenz aber längst vergessen
und wird es mit Sicherheit nicht vermissen.«

Das Einstellen bei eBay funktionierte recht einfach.

»Sei mutig und biete die Sachen ab einem Euro an. Da
denken die Leute, sie könnten einen Riesenschnapper machen«, hatte mir Heike empfohlen, und da sie eine kluge
Person ist, hatte ich mich daran gehalten.

Dann hieß es abwarten. Sieben Tage, und dann würde
der Rubel rollen. In diesen sieben Tagen hatte ich Stunden
vor dem Computer verbracht. Bis endlich das erste Angebot
einging, verstrichen zwei Tage. Zwei Euro fünfzig! Ich gebe
zu, das hatte mich doch ein wenig nervös gemacht. Die Vor-

stellung, am Ende nur zwei Euro fünfzig für das Puppenhaus zu bekommen, war ernüchternd. Und irgendwie auch ein wenig beleidigend. Mit dieser Beschreibung und diesem Produkt – da sollte doch mehr drin sein. Ich musste mich schwer zügeln, um nicht jede Viertelstunde in den Keller zu rennen, um nachzuschauen, ob sich schon was getan hatte. Wenn man sich schon so bemüht, dann möchte man auch, dass es was bringt! Während man seine Zeit damit verbringt, das eigene Angebot zu beobachten, bleibt auch noch genug Zeit übrig, um ein bisschen bei eBay herumzustöbern. Um es kurz zu machen: Bis meine Sieben-Tage-Frist abgelaufen war, hatte ich einen Kaffeevollautomaten und eine angeblich original Prada-Handtasche ersteigert. Beides zusammen für fünfhundertziebzig Euro. Insgeheim war mir schon klar, dass mein, also besser gesagt, Claudias Puppenhaus nicht ganz so viel abwerfen würde. Schließlich hätte es dafür wenigstens auch von Prada und nicht aus Holz, sondern aus Gold sein müssen. Designerpuppenhäuser – das könnte eine Marktlücke sein. Gucci-Puppenhäuser oder Chanel-Häuschen. Warum baut die eigentlich keiner? Da draußen waren doch genug bekloppte Frauen. Und wenn das Puppenhaus der Tochter zum Handtäschchen der Mami passt, dann könnte das doch für Frauen, die schon alles haben, ein schlagendes Kaufargument sein. Oder auch Puppenhäuser, die wie die Originalhäuser, beziehungsweise die Villen der Leute aussehen. Von Stararchitekten nachgebaut. Puppenhauskinderzimmerchen, die bis aufs Kuscheltier identisch sind mit dem Kinderzimmer des verzogenen Nachwuchses. Musste ich mir unbedingt notieren. Ich führe nämlich diverse Listen. »Dinge, die ich dringend mal machen will«, »Dinge, die sich lohnen könnten«, »Dinge, die ich noch lernen muss« und meine

Lieblingsliste: »Leute, die mich mal können.« Eine Liste, die etwa so schnell wächst wie die Staatsverschuldung eines Entwicklungslands und auf der gewisse Leute sich nach und nach in die Poleposition vorarbeiten.

Ich bin nämlich nicht nur ein bisschen nachtragend und raffgierig, sondern auch noch einen kleinen Hauch rachsüchtig. Aber wie lautet das kluge Sprichwort? – Rache ist eine Speise, die kalt genossen werden muss. Deshalb habe ich auch meine feine kleine Liste angelegt, um selbst nach Jahren noch zu wissen, wer mich so schlimm verärgert hat, dass ich das auf keinen Fall ungesühnt auf mir sitzen lassen kann. Es gibt ja Leute, die halten, so wie in der Bibel empfohlen, auch noch die zweite Wange hin, wenn sie auf die erste was draufbekommen haben – ich bewundere diese Haltung sehr, so viel Großmut ist fantastisch –, mir würde ein solches Verhalten aber im Traum nicht einfallen. Weil ich leider auch ein wenig zur Vergesslichkeit neige, führe ich also diese Liste. Irgendwann, und wenn es in der Seniorenwohnanlage ist, werde ich die Zeit haben, sie abzuarbeiten, und niemand wird auch nur ahnen, wer sich da rächt, weil der Anlass schon Jahrzehnte zurückliegt. Raffinierte Taktik, finde ich, und vor allem werde ich so, im Gegensatz zu den anderen Alten in meinem Heim, noch schön was zu tun haben. Schließlich braucht der Mensch eine Aufgabe. Natürlich besteht bei dieser Taktik die Möglichkeit, dass ein Großteil der Leute, die auf meiner Liste stehen, schon tot sein wird, aber das ist ja dann schon Strafe genug.

Zurück zu meinen eBay-Einsteigerfahrungen. Ich hatte nicht erwartet, dass da draußen in der großen Welt der eBay-Anhänger so dermaßen viele begriffsstutzige Menschen waren. Trotz meiner ausführlichen Beschreibungen blieben anscheinend noch zahlreiche Fragen offen. Bei eBay hat man die Möglichkeit, dem Verkäufer Fragen zu stellen. Eine Funktion, über die man geteilter Meinung sein kann, vor allem, wenn man auf der Verkäuferseite steht, denn die Fragerei macht vor allem eins: Arbeit.

Dummerweise hatte ich, um mich besonders kundenfreundlich darzustellen, auch noch meine private E-Mail-Adresse angegeben. Und es kamen reichlich Mails. »Wie groß ist der Esstisch genau?«, »Kann man die Gardinen auch zuziehen?« und »Wohin will Ihre Tochter denn in Afrika?« waren nur einige der Fragen, die mir gestellt wurden. Wofür, um alles in der Welt, musste man wissen, wie groß der Puppenhaustisch genau war? Wollte die Familie etwa selbst dran sitzen? Die Neugier der Menschen kennt kaum Grenzen.

Warum interessiert sich jemand für die Reiseroute einer Abiturientin, die er nicht mal kennt? Ich hatte trotzdem geantwortet. Schon aus reiner Höflichkeit. »Ghana«, hatte ich geschrieben, »meine Tochter will quer durch die Sahara Richtung Ghana.« Ich dachte, damit sei die Neugier ausreichend befriedigt. Ich hatte sogar extra unseren Atlas zur Hilfe genommen, um mich nicht zu blamieren. Geographie ist eines der Gebiete, auf denen man sich meisterhaft blamieren kann. Stand auch auf einer meiner Listen: Hauptstädte lernen. Sofort hatte ich bei Ghana nachgeschaut. Die Hauptstadt war Accra. Ich dachte, nun würde man Ruhe geben. Aber Pustekuchen. Jetzt ging es um Details. Wie will sie reisen? Was ist mit den Impfungen? Hat sie genug Reiseliteratur? Und das alles von einer Frau, die nicht mal aufs Puppenhaus geboten hatte. Das zeigte ja nun eindeutig, wie viel Zeit und Neugier manche Leute hatten.

Interessant waren auch die Namen der Ebayer. Die Rei-

seroutenneugierige nannte sich Studienrätlerin. Das impli-
zierte Fachwissen. Ich hatte sofort Respekt. Einer Lehrerin
schrieb man nicht eben mal, dass sie das alles einen Dreck
anging, obwohl es genau so war. Allerdings, man fragt sich
schon, was eine Frau dazu treibt, E-Mails mit Wildfremden auszutauschen. War sie – garantiert eine pensionierte
Erdkundelehrerin mit extremem Mitteilungsdrang – so
einsam, dass sie ihre Zeit damit verbrachte, Reisepläne
von angeblichen Abiturientinnen zu hinterfragen? Sollte ich Mitleid haben und sie mal zu uns nach Hause einladen oder brauchte sie eher professionelle Hilfe? So oder
so, diese hartnäckige Person machte jede Menge Arbeit.
Ich nahm meinen Mut zusammen und trat in den Kom-
munikationsstreik. Ich bin nun wahrlich aus dem Alter
raus, in dem ich mich vor Lehrern fürchten müsste (tue
es aber insgeheim immer noch), und deshalb schrieb ich
ihr so freundlich, aber auch so bestimmt wie möglich, dass
die genauen Pläne nicht feststünden und ich leider sehr
beschäftigt sei. Ein verschlüsseltes Gehen-Sie-mir-bitte-
nicht-mehr-auf-den-Keks. Anscheinend war das die völlig
falsche Taktik gewesen. Studienrätlerin antwortete mit einem ausgefeilten Hilfsangebot. Wenn ich so wenig Zeit für
die große und wichtige Reise meiner Tochter hätte, würde
sie gerne gemeinsam mit der Reisenden die Planung übernehmen. Schließlich sei es mehr als schade, dass mir diese
erste große Reise meiner Tochter nicht am Herzen läge.
Besonders weil eine Reise wie diese ja auch einiges an Ri-
siken berge. Ich will ja niemandem zu nahe treten, aber
das grenzte schon an Wahnsinn. Und war, gelinde gesagt,
auch etwas übergriffig. Die tat ja gerade so, als hätte ich
mein Kind vernachlässigt. Obwohl die Reise ja nicht mehr
als ein Phantasiegespinst gewesen war, war ich doch etwas

beleidigt. Es gibt nur wenige Vorwürfe, die eine Mutter so treffen wie der, sich nicht ausreichend um ihr Kind zu kümmern. Selbst wenn objektiv nichts an den Vorwürfen dran ist, nagt so etwas extrem an Frauen. Wir haben das schlechte Gewissen von Geburt an. Schon deshalb hatte ich dieser Studienrätlerin nochmal geschrieben und einfach behauptet, die Reise wäre wegen dringender Familienprobleme abgesagt. Daraufhin war tatsächlich endlich Ruhe.

Als die sieben Tage Ersteigerungszeit abgelaufen waren, stand mein Puppenhaus (ich hatte mittlerweile so viel Zeit mit dem Ding verbracht, dass ich mit Fug und Recht »mein Puppenhaus« sagen konnte) bei einhundertsiebenunddreißig Euro fünfzig. Ich selbst hätte mit Sicherheit mehr dafür geboten, aber ein Blick auf ähnliche Offerten zeigte, dass meine schwülstige Beschreibung gefruchtet hatte. Die anderen Anbieter hatten deutlich weniger für ihre Häuser bekommen. Somit war das Ganze tatsächlich ein richtiger Erfolg. Wenn auch ein mühsamer. Bis ich das Geld auf meinem Konto hatte, vergingen weitere vier Tage.

Aber das Schlimmste an eBay ist das Verschicken der Ware. Vor allem, wenn es sich um ein Puppenhaus handelte, das nun beim besten Willen in kein handelsübliches Postpaket passte und die Verkäuferin, ich eben, sich schon schwer tat, ein durchschnittliches Weihnachtsgeschenk so zu verpacken, dass es nicht aussah, als habe ein Dreijähriger mit mangelnder Feinmotorik daran gearbeitet. Da die Käuferin, »Starwinnerin«, auch nicht um die Ecke, sondern mitten in der Lüneburger Heide lebte, konnte sie auch nicht eben mal vorbeikommen, um das Haus abzuholen. Das Ende vom Lied: Ich hatte jedes einzelne Puppenmöbelchen separat verpackt, in Folie eingeschlagen und etwa zweihundert Meter Tesafilm verbraucht. Das Puppenhaus hatte ich dann mit einem Paketdienst verschickt und den Rest in einem Megapäckchen. Ins Päckchen hatte ich eine Postkarte gelegt und geschrieben: »Danke, bald kann ich nach Afrika. Und Sie haben mir dabei geholfen.« Unterschrieben hatte ich mit »Claudia«. Schließlich wollte sie ja nach Afrika.

Nach all diesen Behauptungen war ich kurz davor, tatsächlich ihren Koffer zu packen. Man kann sich ja dermaßen in etwas reinsteigern, dass man am Ende fast selbst dran glaubt. Ich war kurz davor gewesen, das Kind gegen Gelbfieber impfen zu lassen.

Der Aufwand hatte sich gelohnt. Starwinnerin (auch ein eher seltsamer eBay-Name, der auf eine gewisse Egozentrik oder gar eine narzisstische Störung schließen ließ) war verzückt und gab mir eine bombastische Bewertung. Diese Bewertungen sind bei eBay äußerst wichtig. Wusste ich, wie das meiste zu diesem Thema, von Heike. Wer keine gescheiten Bewertungen hat, dem trauen die eBayer nicht. Wie so oft im Leben gilt auch hier: Je mehr – je besser. Ähnlich wie im Dschungelcamp gilt es auch bei eBay Sterne zu sammeln. Zum Glück muss man dafür aber hier keine Kakerlaken schlucken oder in Maden baden.

Obwohl ich es damals noch nicht ahnte – das Puppenhaus war mein Einstieg ins eBay-Geschäft. Schon allein deshalb, weil ich meine Klappe nicht halten konnte. Ich hatte überall rumerzählt, wie gewitzt ich gewesen war und wie erfolgreich ich das Puppenhaus verhökert hatte. Natürlich immer unter dem Siegel der Verschwiegenheit, schließlich sollte Claudia es ja nicht erfahren. Nachher hätte sie womöglich das Geld für sich beansprucht. Die kann in solchen Dingen sehr gewitzt sein und ist gerne mal auf ihren Vorteil bedacht. Nicht unbedingt sympathisch, aber fürs Leben doch ganz erfolgversprechend.

Ich hatte ja nicht ahnen können, was mein Geschwätz für Folgen haben würde. Zu Beginn war alles auch noch ganz harmlos. Die Erste war Tamara, meine Nachbarin aus dem Reihenhäuschen gegenüber.

»Du, Andrea, ich würde so gerne auch mal was bei eBay verkaufen, aber ich kann das irgendwie nicht. Mit diesen Fotos und dann noch was schreiben, also das ist alles so kompliziert. Ich schaffe das nicht. Und du, du hast das so super gemacht. Kannst du mir nicht auch mal was verkaufen?«

Ich war geschmeichelt. Tamara ist sonst keine der Frauen, die mit Komplimenten um sich schmeißen. Außer es handelt sich um ihren angeblich hochbegabten Sohn Emil. Da ist sie extrem großzügig mit Lob, so großzügig, dass es schon an Verherrlichung grenzt. Ansonsten beißt die sich eher die Zunge ab, als etwas Nettes über andere zu sagen.

Insofern war ich auch einigermaßen verdattert gewesen und hatte in einem Anfall von Sich-extrem-geschmeichelt-Fühlen »Ja, klar, sehr gerne«, gesagt. Tamara hatte sich überschwänglich bedankt und schon eine Viertelstunde später mit einem Schwung Klamotten überm Arm vor meiner Tür gestanden. Da war es für einen Rückzug definitiv zu spät gewesen. Also hatten wir die Sachen gemeinsam sortiert. Eine komplizierte Angelegenheit, denn Tamara hatte zu jedem Teil einen kleinen Vortrag gehalten. Warum gerade dieses Kleidungsstück, obwohl es nicht direkt ein Designerteil war, doch von irrem Wert war. Sie hatte ein Gesicht gezogen, als müsste sie sich die Kleidungsstücke direkt aus dem Herzen reißen oder eine ihrer Nieren zum Verkauf anbieten. Ziemlich unverständlich, denn die

Teile waren nur eins: schön bunt. Wäre eine nette Auswahl für Farbenblinde oder Depressive gewesen. Ansonsten ist es mit knallbunten Sachen eher schwierig. Die meisten Frauen greifen intuitiv eher zu Schwarz. Auch Tamara. Ich hatte sie noch nie in dieser mintfarbenen Strickjacke gesehen, die jetzt hier vor mir lag. Strickpatchwork. Ein Albtraum in allen erdenklichen Mintschattierungen. Als hätte jemand eine Wollfabrik aus den Siebzigern geplündert und aus allen Mintresten irgendwas zusammengeklöppelt.

»Ein absolut besonderes Stück«, sagte Tamara schwärmerisch und blickte versonnen auf ihr Strickmonster. So viel Ekstase zu zerstören kostete einen gewissen Mut, den ich dummerweise nicht aufbrachte.

»Ja, durchaus«, hatte ich etwas verhalten geantwortet, schließlich konnte man wirklich sagen, dass diese Strickjacke besonders war, besonders hässlich nämlich, »ist aber nicht jedermanns Sache.«

Ich hatte gehofft, sie würde die nett verpackte Botschaft kapieren. Hatte sie aber nicht.

»Ja, da wird ja ordentlich was rüberkommen«, hatte sie gelacht und mich dann mit dem Krempel stehen gelassen. »Danke. Schon mal im Voraus. Finde ich toll, dass du das machst. Aber du hast ja gesagt, dass dir das Freude macht, diese Versteigerei. Also viel Spaß.«

Und mit diesen Worten war sie durch die Tür. Schlau gemacht, das musste ich ihr lassen. Sie machte gerade so, als hätte sie mir einen Gefallen getan. Das hatte man davon, wenn man übertrieb und nicht gut nein sagen konnte. Nein-sagen-üben musste dringend auf meine Liste: »Dinge, die ich noch lernen muss.« Direkt unter die Hauptstädte der Welt. Ghana – Accra.

Kaum war sie weg gewesen, hatte ich den Klamottenberg einer genaueren Musterung unterzogen. Eine absolute Farbhölle. Zur mintgrünen Strickjacke kam ein neonpinkes Top, für dessen Betrachtung das Tragen einer Sonnenbrille nötig war, eine gelbe Weste und zwei Pullover, einer türkis mit Lochmuster und einer orange. Herrliche Klamotten, um im fiesen Herbstnebel sicher über die Straße zu kommen oder als Aushilfsglühwürmchen zu arbeiten. Leider war nicht ein einziges Teil von irgendeinem Designer. Ein Schildchen mit Escada, Prada, Dolce und Gabbana, Armani, Missoni, Hermes, Etro oder was auch immer sicherte ein gewisses weibliches Interesse und hätte mir meine Verkaufsargumentation extrem erleichtert.

Egal, wie scheußlich etwas ist, steht ein Designername drin, fangen bestimmte Frauen an zu sabbern. Ich kenne dieses Phänomen leider ansatzweise auch von mir selbst. Es ist ein Gefühl von sozialem Aufstieg, ein solches Designerteilchen an sich zu spüren. Wir brauchen gar nicht darüber zu reden, dass das doof ist. Albern geradezu. Das wissen wir alle und können doch nicht über unseren Schatten springen.

Und weil dieses Phänomen existiert, war mir klar, dass diese Farbschocker von Tamara schwer verkäuflich sein würden. Am liebsten hätte ich den Kram einfach wieder vor ihrer Tür abgeladen und gesagt: »Ich habe es mir anders überlegt. Das Zeug ist so dermaßen hässlich, bei mir stand schon die Stilpolizei vor der Haustür, bring es zum nächsten Altkleidercontainer und sei froh, wenn der es nicht wieder ausspuckt. Auch ein Container hat noch einen Rest an Anspruch und Würde.« Dafür hätte man allerdings einen gewissen Mut aufbringen müssen. Wer Tamara kennt, weiß, dass das in diesem bestimmten Fall schwer war. Tamara hat eine gewisse Dominanz. Und ich bin ein Schisser.

Eine ungünstige Paarung. Vor allem für mich. Außerdem – man wächst ja mit der Herausforderung. Ich beschloss, es zu probieren, und hatte mir die Lage damit schöngeredet, dass dieser Verkauf eine echte Herausforderung war. Wer das schaffte, konnte alles verticken.

Wenn niemand den Farbgau hätte haben wollen, wofür ich vollstes Verständnis gehabt hätte, dann hätte ich immer noch mit Fug und Recht behaupten können, alles versucht zu haben.

Als Erstes hatte ich einen Text geschrieben:

»So kommt der Frühling jetzt schon zu Ihnen.

Sie sind das ewige Schwarz leid? Sie wollen gute Laune ausstrahlen oder Ihre düstere Garderobe einfach nur ein wenig aufmotzen? Wer diese Oberteile trägt, signalisiert Fröhlichkeit und Individualität.

Statt Johanniskraut – ein paar frische Farben. Stechen Sie aus der Masse raus, beweisen Sie Individualität und Modemut. Damit wird man bestimmt nicht übersehen! Diese Farben erregen garantiert Aufmerksamkeit, und wer die Modeschauen in Paris und Mailand gesehen hat, weiß, dass ohne gewagte Farbtupfer im nächsten Jahr nichts läuft!

Mir sind diese wunderschönen Teile, echte Lieblingsstücke (siehe Fotos), leider zu klein geworden. Ich habe damit immer für Furore gesorgt und hoffe, dass Sie genauso viel Freude daran haben werden!

»Papier ist geduldig« ist ein Spruch, den ich natürlich, wie alle Populärweisheiten, von meinem Vater kenne. Bisher habe ich diese Aussage milde belächelt, jetzt erst wird mir die Bedeutung klar. Mit dem Text war ich total zufrieden. Besonders gelungen fand ich die Stelle mit den Modeschauen. So was machte immer Eindruck. Wer wollte nicht endlich mal Trendsetterin sein?

Ich hoffte, dass Tamara meine eBay-Prosa nicht lesen würde. Mit der Passage »mir sind die Teile leider zu klein« hätte sie garantiert ein Problem gehabt. Aber schließlich sollte man schon begründen, warum man etwas, was angeblich so fabelhaft war, nicht mehr behalten wollte. Davon mal abgesehen, hätte sie auch wirklich nicht mehr reingepasst. Tamara ist nicht richtig dick, aber im besten Sinne drall.

Das wirkliche Problem waren allerdings die Fotos. Bei allen herrlichen Umschreibungen – wer diese Teile sah, würde denken, dass nur eine Wahnsinnige im LSD-Rausch sie verfasst haben konnte. Aber gut, die Welt da draußen war voll mit Verrückten, und die Kleidungsstücke sahen ja auch aus, als wären sie die Folge eines Einkaufs unter LSD-Einfluss. Das Schlauste wären natürlich Schwarz-Weiß Fotos gewesen, aber wer hätte mir geglaubt, dass meine Kamera so alt war, dass sie keine Farbbilder machte?

Außerdem, irgendwo im eBay-Universum musste doch eine sein, die einen so beschissenen Geschmack hatte, dass sie sich erbarmen würde. Und wenn nicht, hatte ich mein Bestes gegeben, und Tamara bekam den Kram zurück und konnte einen Stand auf der Jahrestagung der Farbenblinden machen.

Ich dekorierte alles auf Schwarz. Auf meinem schwarzen Satinbetttuch, das ich sowieso nie benutze. Hatte ich mal gekauft, weil in einer Frauenzeitschrift stand, dass Bettwäsche ein Zeichen sei und Schwarz für verrucht stehe. Verrucht und aufregend. »Ziehen Sie die Bettwäsche auf, und Ihr Schlafzimmer wird zu einer wahren Lasterhöhle.« Bei mir hatte es nicht funktioniert. Christoph meinte, er fühle sich wie in einer Gruft oder wahlweise wie in einem billigen Softpornostreifen. Beides schafft nicht unbedingt eine leidenschaftliche Atmosphäre. Außerdem knistert Satinbettwäsche, und ein Frotteeschlafanzug passt auch nicht wirklich dazu. So ist das oft. Eine kleine Veränderung zieht einen Rattenschwanz an Folgeveränderungen nach sich. Das hatte mich genervt. Nur wegen der Bettwäsche noch ein Negligé anzuschaffen ging dann doch zu weit. Trotzdem – jetzt zahlte sich meine Ich-hebe-es-mal-auf-denn-irgendwann-kann-man-es-sicher-mal-brauchen-und-es-ist-ja-noch-völlig-in-Ordnung-Mentalität aus. Auf dem Schwarz knallten die Farben richtig schön raus. Verbergen konnte ich sie eh nicht. Also ab in die Farboffensive.

Nur so viel – es hatte funktioniert. Nach zwei Tagen kamen die ersten Gebote. Zwei Bieterinnen lieferten sich eine richtiggehende Schlacht. Nach sieben Tagen gewann Filmtussi gegen Buntspecht und erhielt mit einhundert-fünfundsiebzig Euro den Zuschlag. Unglaublich. Das waren fünfunddreißig Euro pro Teil. Ich kann mir nicht vorstellen, dass diese Scheußlichkeiten jemals so viel gekostet hatten. Vor allem waren fast alle Teile zu mehr als 50 % aus Polyacryl. Das hieß, man müffelte blitzschnell schlimmer als ein toter Iltis und durfte sich außerdem nicht in der Nähe einer offenen Feuerstelle aufhalten. Das Schöne an dieser Auktion war: Weder Buntspecht noch Filmtussi hatten irgendwelche Fragen. Die Klamotten waren anscheinend so aussagekräftig, dass sich jede Frage erübrigte. Nur ich war etwas ratlos. Was wollte eine Person namens Filmtussi mit diesen Klamotten? Als ich ihr per E-Mail zur gewonnenen Auktion gratulierte, hatte ich nachgefragt. Die Antwort war überraschend und doch so naheliegend. Filmtussi war Ausstatterin. Film- und Fernsehausstatterin. Und demnächst würden Tamaras Klamotten in einer Retroshow rund um die Achtziger bei Pro Sieben auftauchen. Das erklärte einiges. Ich hatte sie noch gebeten, mir Bescheid zu geben, wann »meine« Klamotten (auch ein wenig peinlich, dass Menschen dachten, ich hätte diesen Krempel angehabt) ihren großen Auftritt haben würden. Und sie hatte es mir versprochen. Großartig. Tamara war nicht ganz so begeistert gewesen wie ich.

»Ich hatte mir doch noch ein wenig mehr erhofft«, aber als ich ihr das Geld überreichte, hat sie sich immerhin zu einem Danke durchgerungen. Dass ihre Kleidung es ins Fernsehen schaffen würde, hatte ich ihr allerdings verschwiegen. Bei Fernsehen denken die Leute immer, es müsste Geld regnen. Da ich mal eine Weile als Redaktionsassistentin gearbeitet habe, weiß ich um diesen Mythos. Es regnet Geld, aber leider trifft dieser Regen nur wenige sehr Auserwählte und ansonsten wird gespart, dass die Schwarte kracht. Auch das weiß ich, denn schließlich hatte man damals sogar mich eingespart.

Dass ich Tamaras gesammelte Geschmacklosigkeiten so gut verkloppt hatte, sprach sich in Windeseile rum. In den Tagen danach klingelte die halbe Nachbarschaft und brachte mir diverse Gegenstände zum Versteigern. Innerhalb von drei Wochen hatte ich gemerkt, dass mein neues Hobby in wahre Arbeit ausgeartet war. Und eine Definition von Arbeit ist doch wohl, dass man dafür entlohnt wird. Da hatte es bei mir Klick gemacht. Eine Art Initialzündung. Warum nicht mit dem Verkaufen Geld verdienen? Ich erspare anderen die Arbeit und partizipiere dafür am Verkaufspreis, arbeite also quasi auf Provisionsbasis. Ich beschloss, es mit 25 % zu versuchen. Bei Freunden konnte ich ja noch über einen kleinen Nachlass, einen Freundschaftsrabatt nachdenken. Ein Viertel des Gewinns, nach Abzug der eBay-Kosten, erschien mir fair. Ich meine, wenn man sich schon müht, sollte ja dabei auch was rumkommen. Als mein Plan feststand, hatte ich mit Christoph gesprochen und ihm mitgeteilt, dass ich mich selbständig machen wollte. Als Profi-Verkäuferin bei eBay. Er hatte mich angeschaut, als hätte ich ihm gesagt, ich würde ab sofort illegal Langhaargoldhamster züchten. »Was soll denn das?«, hatte er mit halboffenem Mund gefragt. Selbstverständlich war ich auf diese Art Frage ausreichend vorbereitet. Nach jahrelangem Zusammenleben ahnt man, was der Partner so zu sagen hat. Auch wenn man immer wieder hofft, etwas Überraschendes zu hören. Also hatte ich ihm die vermeintlichen Vorteile meines neuen Betätigungsfeldes aufgezählt.

»Ich kann von zu Hause aus arbeiten. Ich bin jederzeit für die Kinder da und absolut flexibel. Außerdem verdiene ich was, und es macht mir Spaß. Bestimmt mehr Spaß als mein letzter Job.«

Das war ein messerscharf kalkulierter Seitenhieb, denn meinen letzten Job hatte ich in Christophs Kanzlei. Am Empfang. An und für sich keine üble Arbeit, aber wenn der eigene Mann einen wie eine Angestellte behandelt und sich selbst aufführt wie der Kaiser Franz der Juristenbranche, dann vergeht einem der Spaß sehr schnell. Ich hatte das Gefühl, dass er mit jedem Tag mehr und mehr den Respekt vor mir verlor. Kein Bitte und kein Danke, und sein Verhalten setzte sich zu Hause nahtlos fort. Eine Rolle prägt, das muss man einfach wissen. Er hatte so einen latenten Kommandoton. »Wo bleibt mein Kaffee?«, war einer der Standardsätze. Vor allen Mitarbeitern der Kanzlei so behandelt zu werden, hatte mich rasend gemacht. Mord,

Scheidung oder Kündigung waren die Alternativen gewesen. Ich hatte mich für die Kündigung entschieden, schon weil Christoph die Problematik einfach nicht verstehen wollte. »Du übertreibst doch maßlos, Andrea. Hier muss es nun mal schnell gehen, das hat rein gar nichts mit dir zu tun. Keiner flötet hier den ganzen Tag rum. Und natürlich gibt es eine klare Hierarchie. Ich kann dich ja nicht anders behandeln, nur weil du meine Frau bist.«

Wieso eigentlich nicht? Natürlich sollte er mich anders behandeln, eben weil ich seine Frau bin. Davon mal abgesehen sollte man überhaupt niemanden so behandeln. Und dass er durchaus auch rumflöten kann, das konnte ich auch täglich erleben. Mit allen Frauen in der Kanzlei außer mit mir. Dabei kann man ja wohl erwarten, dass für mich als Ehefrau mindestens mal dieselben Regeln gelten wie für alle anderen auch. Mir ging es so wie den armen Lehrerkindern, die grundsätzlich strenger behandelt werden als die anderen Schüler, schon um dem Vorwurf der eventuellen Bevorzugung entgegenzuwirken. Möglicherweise war alles auch gar nicht so schlimm und ich nur ein wenig empfindlich. Ich tue mich mit Anweisungen sowieso schwer, und wenn sie von Christoph kommen, gleich doppelt. Er ist einfach keine Autoritätsperson für mich. Warum auch? Er ist mein Mann. Das schließt sich, jedenfalls für mich, definitiv aus.

Obwohl ich, wie ich fand, sehr geschickt argumentiert hatte, war Christoph von meiner brillanten Geschäftsidee nicht überzeugt. »Such dir doch lieber was Richtiges«, hatte er vorgeschlagen. Als hätte die internationale Geschäftswelt auf eine wie mich gewartet. Wäre schön, ist aber nicht wirklich realitätsnah.

Ich bin gelernte Speditionskauffrau, habe als Redaktionsassistentin und am Empfang einer Kanzlei gearbeitet. Zwischendrin zwei Kinder bekommen. Das spricht für eine gewisse Vielfältigkeit, qualifiziert mich aber leider nicht als Aufsichtsratsvorsitzende oder Neurochirurgin. Beides Posten, an denen ich durchaus Interesse hätte. Zum einen aus monetären Gründen und zum anderen aus purer Neugierde. Außerdem habe ich schöne Augen, und solche Augen kommen besonders gut zur Geltung, wenn man so ein flottes OP-Häubchen und einen Mundschutz trägt. Auch der Gedanke, dass mir Menschen für immer dankbar sein würden, gefällt mir. Wie viele Mütter, habe ich da ein kleines Defizit. Dankbarkeit kann man in dieser Rolle nur selten erwarten.

Natürlich hätte ich es noch einmal bei einer Zeitarbeitsfirma versuchen können. Aber eigentlich widerstrebte mir allein der Gedanke daran.

»Nein«, lehnte ich deshalb ab, »ich bin mir sicher, dass ich schon das Richtige gefunden habe. Ich will selbstbestimmt arbeiten.«

Christoph ist kein besonders hartnäckiger Mensch. Seinen Vorrat an Hartnäckigkeit verbraucht er vor Gericht und beim Joggen. Nach den Jahren mit mir ahnte er vermutlich auch, dass jegliche Gegenwehr mich nur noch mehr angestachelt hätte. Das war bei mir schon immer so. Je mehr Gegenwind ich verspüre, umso mehr will ich etwas. Gerade wenn alle anderen finden, es wäre Unsinn. Da kann ich fast schon kindisch werden. Manche nennen es Trotz – ich nenne es Selbstbewusstsein und Beharrlichkeit.

»Morgen fange ich an«, schaffte ich Tatsachen, »ich brauche nur das halbe Büro und ansonsten wirst du von meiner Tätigkeit kaum etwas mitbekommen. Du wirst noch dankbar sein für meine Idee.«

Christoph zog eine Fluppe, murmelte etwas wie: »Du wirst schon sehen, was du davon hast. Tu, was du nicht lassen kannst, aber jammere mich später nicht voll«, und zog sich seine Joggingschuhe an. »Ich muss jetzt laufen, die große Runde.« Laufen ist Christophs Leidenschaft. Er war schon immer wieder mal gerannt, aber seit er die magische Vierzig überschritten hatte, bekam das ehemalige Hobby manische Züge. Er läuft wie ein Irrer. Und das nicht einfach nach dem Lustprinzip, sondern nach ausgeklügelten Trainingsplänen von sogenannten Laufgurus. Ich hatte schon mal sanft nachgefragt, ob er da vor irgendwas davonlief. Hatte meine Freundin Sabine vermutet. Eine These, die ich ganz einleuchtend fand. Christoph hatte mich angeschaut, als hätte er gerade eben von einer sehr schlimmen Krankheit erfahren. Mit Bestürzung.

»Natürlich nicht«, hatte er nur geantwortet, »ich trainiere. Für den New-York-Marathon. Das weißt du doch.« Mich hatte die Antwort nicht weiter verwundert. Christoph ist jegliches Psychologisieren fremd. Dabei liegt die Lösung für den Sportwahn bei Männern in einem ganz bestimmten Alter auf der Hand. Es ist ein letztes Aufbäumen. Auswirkung der männlichen Wechseljahre. Sich nochmal beweisen. Großes leisten. Es den Jungspunden richtig zeigen. Zeigen, dass man noch lange nicht zum alten Eisen gehört. Bei Christoph kam hinzu, dass er, der leptosome Typ, der bis vor vier Jahren nicht mal ahnte, was Körperfett war, ordentlich Hüftgold entwickelt hatte. Eine Tatsache, die mich überhaupt nicht störte, jedenfalls nicht, solange er seine Füße sehen konnte und ohne Kran aus dem Bett kam, also eine einigermaßen normale Figur hatte. Im Gegenteil, sein Speckring entlastete mich. Führte zu Entspannung an der Gewichtshysteriefront. Man fühlt sich selbst besser. Vor allem, wenn man wie ich immer ein bisschen kämpfen muss. Und mit dem Alter wird das Gerangel um eine freundliche Zahl auf der Waage auch nicht leichter. Im Gegenteil. Der Speck wird von Jahr zu Jahr anhänglicher. Sucht beharrlich unsere Nähe, so wie Mark Medlock die von Dieter Bohlen. Meiner ist so aufdringlich, dass es schon an Belästigung grenzt. Ich habe mich schon öfters gefragt, ob ich eine Art Wirt bin und der Speck symbiotisch mit mir lebt. Mich also zum Überleben braucht. Ein kleiner Knackpunkt an dieser Theorie ist die Einseitigkeit der Beziehung. Soweit ich mich an meinen Biologieunterricht erinnere, profitieren bei diesem Modell aber eigentlich beide Seiten. Bis heute konnte mir der Speck allerdings noch keine Auskunft darüber geben, was ich jetzt eigentlich von ihm habe.

Ist man umgeben von Menschen mit übermenschlicher Disziplin, die sich einen Hauch Nudeln auf ihren Teller tun, garniert mit Spurenelementen von Hackfleischsauce, und dann stundenlang daran herumkauen, während man selbst gerade die zweite große Portion mit ordentlich viel Sauce und Käse reinschaufelt und sich dabei schon aufs Tiramisu freut, kann man schnell in eine Krise stürzen. An der Seite eines weiteren »guten Essers«, wie meine Schwiegermutter Inge freundlich das Phänomen Vielfraß umschreibt, fällt die Problemverdrängung erheblich leichter. Leider hatte Christoph mittlerweile bemerkt, dass da an seinen Hüften was dranhing, was früher nicht da war. Das hatte zu einer gewissen Panik geführt. Wer wie ich schon immer ein paar Reserven hatte, den konnte ein zusätzliches Pfündchen hier oder da nicht so verstören. Man kennt das Grunddilemma und befindet sich in einer Art Endlosschleife. Nicht so allerdings mein Mann. Er war kurz davor, sich

die Love Handles, so nennen die Amis liebevoll ihren Hüft-
speck, absaugen zu lassen. Als ich ihm Genaueres über den
Vorgang erzählte, hatte er die Idee aber dann sofort wieder
verworfen. Christoph ekelt sich schnell. Er wäre als Kan-
didat fürs Dschungelcamp eine absolute Fehlbesetzung.
Allein die Schilderung, wie seine Hüften dann mit dicken
Kanülen durchstoßen werden und das Fett wie bei einem
feisten Stück Spickbraten aus ihm rauswabert, eine gelbe
zähe dickflüssige Masse, hatte ihn sofort dazu gebracht,
den Gedanken ad acta zu legen. Vor allem meine Information, dass man nach der Fettabsaugung noch wochenlang
eine Art Mieder tragen musste, hatte ihn richtiggehend
abgestoßen. Lecker ist so eine Fettabsaugung ja wirklich
nicht. Ich kannte mich übrigens nur so gut aus, weil man
diesen Eingriff ja nahezu täglich auf irgendwelchen Pri-
vatsendern vorgeführt bekam. So detailliert, dass man den
Eindruck hatte, mit dem nötigen Werkzeug könnte man
es locker selbst machen. Und, weil ich ehrlich gesagt doch
auch schon das eine oder andere Mal daran gedacht hatte,
mich so meiner kleinen Reserven zu entledigen. Aber, wie
schon erwähnt, ich bin ein Schisser. Und statt Speck dann
eine Dellenlandschaft zu haben, ist auch nicht verlockend.
Im Gegensatz zu mir kann sich Christoph ein kollegiales
und freundschaftliches Miteinander mit seinen niedlichen
Hüftringen nicht vorstellen. Als Erstes hatte er deshalb beschlossen, eine Diät zu machen. Seine allererste. Männer
und Diät. Ein weites Feld. Auch Christoph hatte mitbekommen, dass Obst und Gemüse sowie Salat diättauglich
waren. Dass aber in einem kleinen Stück Leberkäse mehr
Fett steckt als in einem riesigen Putenschnitzel, fand er allerdings unlogisch.

»Wie soll das denn gehen?«, hatte er mich mürrisch gefragt. So als würde ich bestimmen, welches Lebensmittel fettig und kalorienreich war und aus reiner Gehässigkeit dabei alle seine Lieblingsspeisen auswählen. Wäre ja schön, wenn ich in der Hinsicht was zu sagen hätte, ist aber nicht so. Wenn dem nämlich so wäre, dann wäre Sellerie extrem kalorienreich, eine Fettbombe sozusagen, und Mousse au Chocolat eine Top-Empfehlung auf den Listen der Diätgurus. Christoph hatte sich mit seiner Diät nicht besonders wohlgefühlt und deshalb irgendwann beschlossen, auf Hardcore-Sport umzusteigen. Seitdem rennt er, als wollte er auf seine alten Tage noch die Olympiaqualifikation schaffen.

Das Büro sieht entsetzlich aus. Ich hätte meinen Wein oben bei Christoph trinken und mich dann schnell ins Bett verziehen sollen. Alkohol rein und Decke über den Kopf. Die bewährte Vogel-Strauß-Taktik. Abtauchen und so die Berge im Keller vergessen.

Es stapelt sich dort nämlich ein wenig. Das war ein Aspekt, den ich zu Beginn meiner eBay-Karriere nicht bedacht hatte. Die Logistik. All der Kram, den mir teilweise wildfremde Menschen zum Versteigern bringen, nimmt immensen Platz ein. Dazu habe ich einen Mördervorrat an Paketen und Päckchen in allen erdenklichen Größen. Es macht nämlich keinen Sinn, mit jedem kleinen Päckchen einzeln zur Post zu dackeln, Schlange zu stehen, nur um dann das passende Porto zu ergattern. Gut vorbereitet zu sein, spart viel Zeit. Und die braucht man für dieses Geschäft. Einen Artikel bei eBay im Auge zu behalten ist nicht das Problem. Hat man aber eine ganze Produktpalette, quasi einen Gemischtwarenladen, im Angebot, ist die Lage schon anders. Ich hätte zu Beginn nie gedacht, dass das so mühsam sein würde. Vor allem, weil genaue Buchführung nicht unbedingt zu meinen Hobbys gehört. Ich dachte, ich könnte mir merken, wer was vorbeigebracht hat und wann welche Auktion ausläuft.

Relativ schnell habe ich gemerkt, dass das ein Irrtum ist. Mein Hirn hat nur begrenzte Kapazitäten. Das ist keine schöne Erkenntnis, aber manchmal muss man sich der Wahrheit stellen. Schließlich sind in meinem Gehirn schon die Stundenpläne der Kinder, die Geburtstage der kompletten Sippe, die Lieblingsgerichte meiner Familie und seit neustem auch die afrikanischen Hauptstädte abgespeichert. Hauptstädte zu lernen hat sich zu einer kleinen Obsession entwickelt. Da Afrika der Kontinent mit den meisten Ländern ist, habe ich mir erst mal Afrika vorgenommen. Der Rest der Welt muss warten. Abends vor dem Fernseher lerne ich parallel und habe das Gefühl, etwas für meinen Kopf zu tun.

Christoph findet das kurios. »Unnötiges Wissen. Wozu soll das gut sein? Wenn ich eine Hauptstadt nicht kenne, schlage ich nach. Im Alltag sind afrikanische Hauptstädte nicht relevant.«

Na und. Gerade das gefällt mir an den Hauptstädten. Das ist etwas, was ich nur für mich mache. Keine Gefälligkeit für irgendwen. Eine Art Geheimtraining. Ein sehr individuelles Hobby eben. Nicht so gewöhnlich. Und ob es sinnvoller ist, die Bundesligatabelle auswendig aufsagen zu können, oder wie Freundinnen von mir nächtelang Sudoku zu lösen, ist ja wohl auch mehr als fraglich. Ganz tief drinnen bin ich übrigens davon überzeugt, dass sich auch diese Marotte irgendwann auszahlen wird. Und das nicht nur, weil mein Hirn durchs Training sicher sehr viel besser durchblutet wird und ich deshalb eine Art Immunschutz gegen Alzheimer entwickeln werde. Ich sehe mich schon bei Günther Jauch als genialen Telefonjoker, der wie aus der Pistole geschossen die Hauptstadt von Lesotho weiß. Maseru. Wie Masern nur mit U. Ich muss mir zum Lernen Brücken bauen, nur so speichert mein Gehirn die Information. Die Gedächtnisforschung sagt, dass je abstruser die Bilder im Kopf sind, umso eher das Gelernte hängen bleibt. Bei mir trifft das voll zu. Ich blättere in Atlanten und pauke, als hätte ich demnächst eine Hauptstädteprüfung, von der mein weiteres Leben abhängt. Zusätzlich habe ich mir Kassetten besprochen. Mit dem kleinen Kassettenrekorder meines Sohnes, der praktischerweise ein Mikrofon hat. Lernerfolge stellen sich eher ein, wenn man alle Sinne anspricht. Da man Hauptstädte eindeutig nicht erriechen kann (jedenfalls dann nicht, wenn man nicht vor Ort ist), gucke ich sie mir an, schreibe sie auf und höre mich mit meinen Kassetten selbst ab. Optimal wäre es natürlich, abends beim Einschlafen die Kassetten laufen zu lassen, damit das Hauptstadtwissen in mein Unterbewusstsein eindringen kann, aber diese Idee scheitert an Christophs Veto.

Jetzt allerdings gilt es, hier unten in meinem eBay-Chaos wieder so etwas wie Form reinzubringen. Ich habe mittlerweile nicht nur Kunden aus unserem beschaulichen Vorort, sondern auch aus Frankfurt. Zum Teil echte Stammkunden. Darauf bin ich ziemlich stolz. Leider herrscht dadurch hier vormittags inzwischen ein dermaßenes Kommen und Gehen, dass man denken könnte, es gäbe was umsonst. Vormittags, montags bis donnerstags ist Abgabezeit. Immer zwischen halb elf und eins.

Am Anfang meiner Karriere habe ich keinerlei zeitliche Begrenzungen gemacht und mit jedem, der kam, noch gemütlich einen Kaffee getrunken und geplaudert. Das hat allerdings zu gewissen innerfamiliären Spannungen geführt. Wenn während des Abendessens irgendwelche Kerle mit Küchenmaschinen oder Bücherkartons vor der Tür standen und ich sie auch noch auf ein Wurstbrot eingeladen habe, hat das Christoph nicht wirklich gefallen. Dabei gehört Kundenpflege nun mal zum Geschäft. Selbst das Argument, dass er seinen Kopf abends auch noch oft genug in Akten steckt, hat ihn nicht überzeugen können.

»Bei allem Geschäftssinn, Andrea«, hat er sich beschwert, »ein kleines bisschen Zeit für die Familie sollte doch übrig bleiben.«

Ich habe nur »danke, gleichfalls« gesagt, und da hat er doch glatt gesagt, man könne wohl kaum seine und meine Arbeit vergleichen. Schließlich säßen seine Mandanten abends nicht hier rum und würden seine Lieblingssalami aufessen. Ein Argument, dem ich mich nicht ganz verschließen konnte. Deshalb habe ich Öffnungszeiten eingeführt. Das erleichtert die Arbeitsabläufe tatsächlich um einiges.

Dann habe ich noch eine Art Beschreibungszettel entworfen. Abgabedatum, Artikel und Wunscherlös. Dazu natürlich Angaben zum Besitzer, Telefonnummer und Kontodaten. Mit diesem Papier habe ich auch gleichzeitig eine Art Vertrag. Die Kunden unterschreiben, dass ich für sie etwas versteigere und dafür 25 % des Erlöses behalte. »Keine Garantie für einen Mindesterlös« steht außerdem groß- und fettgedruckt auf meinem ausgeklügelten Papier. Ich kann schon ein kleiner Fuchs sein. Und schließlich bin ich Anwaltsgattin und weiß, wie schnell heutzutage Menschen vor Gericht gehen. Man muss sich für alle Eventualitäten wappnen. Seitdem geht vieles leichter.

Nur das Platzproblem bleibt. Obwohl ich Teile der Garage mitbenutze. Für das wirklich sperrige Zeug. Wie zum Beispiel für das Surfboard von unserem Nachbarn Friedhelm. Was Christoph extrem stinkt. Sein Auto, so profan das auch ist, steht ihm nahe.

»Jedenfalls näher als das blöde alte Surfbrett von Friedhelm«, hat er geknurrt, als ich ein paar blöde Bemerkungen über seine tiefe Beziehung zu einem Gegenstand gemacht habe.

»Gut«, habe ich eingelenkt, »dann kriegst du die Garage und ich den Keller. Wenn ich den ganzen Kellerraum habe und du deinen Krempel in die Garage räumst, brauche ich auch keinen zusätzlichen Stauraum in der Garage. Dann kann sogar Friedhelms Surfbrett in den Keller.«

»Heißt das, ich soll in der Garage arbeiten?«, hat er fassungslos zurückgefragt.

»Ich glaube, ja«, war meine schlichte Antwort. Ich habe die Bemerkung runtergeschluckt, dass er ja dann ganz nah bei seinem kleinen Liebling, seinem BMW, wäre, wo die zwei sich doch so prächtig verstehen. Er hat sich einfach geweigert.

»Ohne Heizung, ohne Computer, ohne Internet. Wie soll denn das gehen?«, hat er sich beschwert, mit einem Blick, als hätte ich ihn mitten im sibirischen Winter ohne Kleidung nackt auf die Straße gestellt, um zu sehen, wie schnell so ein europäischer Mann zu einer Eisskulptur wird. Oder als würde er mich in den nächsten Sekunden einweisen lassen. Die Gründe, weswegen Christoph meinen Vorschlag ablehnte, waren genau die Gründe, die mich regelrecht für meine Idee begeisterten. In der Garage würden die Abend- und Wochenendarbeitseinheiten sicherlich um einiges kürzer ausfallen. Wenn es schön kühl ist und man im Neonlicht sitzt, begrenzt man seine häusliche Zusatzarbeit sicherlich auf ein Minimum. Und die Computerfrage wäre durch die Anschaffung eines Laptops nun durchaus lösbar.

»Wir kaufen einen Laptop und einen kleinen Heizlüfter«, schlage ich vor. Man soll sich offensichtlichen Problemen ja nicht verweigern. Ich bin ja durchaus bereit, auf Christophs Zicken einzugehen. Und dass ich das Internet in meinem Bereich nun wirklich mehr brauche als er, sollte ja nicht mal der Erwähnung bedürfen. Um die Sache etwas abzukürzen – er war nicht bereit, auf meinen Vorschlag einzugehen.

»Du tickst ja wohl nicht mehr richtig«, war sein wenig sachliches Argument. Wir haben uns schließlich darauf geeinigt, dass ich nur den hinteren Teil der Garage »vollmülle«, wie er es nennt, und genau so viel Platz lasse, dass er seinen Wagen noch parken kann. Damit es nicht zu grenzüberschreitenden Handlungen kommt, hat er den Garagenboden markiert. Mit Klebeband! Wer hier nicht mehr richtig tickt, ist damit ja wohl klar bewiesen.

So oder so, stelle ich jetzt hier unten in meinem kleinen Büro fest, das Platzproblem bleibt. Eigentlich müsste ich mir eine kleine Lagerhalle mit angrenzendem Büroraum mieten. Aber das sind Zusatzkosten, die ich scheue. Vor allem wäre damit der Hauptvorteil meiner Arbeit zunichte gemacht. Schließlich ist es ja ein großes Plus, dass ich von zu Hause aus arbeiten kann. Es ist spät, und ich vertage die Aufräumerei und das Nachdenken auf morgen. Nichts wie ins Bett.

Ich schlafe und träume von gigantischen Päckchen, die mir Jesus höchstpersönlich um die Ohren haut. Ein unguter Traum, vor allem weil er bei seiner groben Unfreundlichkeit auch noch von einer älteren Dame, ich vermute Anabelles Oma, angefeuert wird. Dieses Seminar verfolgt mich bis in den Schlaf. Sollte an dem Quatsch doch was dran sein? Ist jetzt auch noch Jesus sauer auf mich? Wird es morgen in unserer Reihenhaussiedlung Heuschrecken regnen, oder greift er heutzutage auf andere Maßnahmen zurück? War das überhaupt Jesus mit den Heuschrecken? Oder doch Gott höchstpersönlich?

2

Am nächsten Morgen Standardprogramm. Frühstück machen, Brote schmieren, das kann ich inzwischen wie im Schlaf. Noch eine kleine Ranzenkontrolle, die obligatorischen Schmatzer und weg sind meine Kinder. Christoph ist heute schon ganz früh aus dem Haus. Er hat um neun Uhr einen großen Gerichtstermin und wollte vorher nochmal in die Kanzlei. Mit anderen Worten: Das Haus gehört mir. Ich genieße diese Zeit, diese kleine Ruhephase, bis um halb elf die ersten Kunden auflaufen. Ich lege meine Hauptstadtkassette ein (ich höre sie nie, wenn jemand dabei ist, wäre mir doch ein bisschen peinlich), mache mir einen schönen Kaffee und setze mich erst mal hin. Bevor ich den Keller betrete, muss ich mir eine Art Masterplan machen. Kaum habe ich Zettel und Papier vor mir liegen, klingelt es. Dabei ist es noch nicht mal acht Uhr. Wer kann denn da nicht lesen? Ist das so schwer? Zehn Uhr dreißig. Nicht acht Uhr. Am liebsten würde ich gar nicht erst aufmachen. Es klingelt hartnäckig weiter. Ich gebe auf, schließlich könnte es auch der hübsche Kerl von den Stadtwerken oder irgendeine Nachbarin sein. Oder ein Bote mit herrlichen Blumengebinden für mich. War nur ein Witz. Wer sollte mir schon Blumen schicken? Ich habe nicht mal Geburtstag, und Blumen zwischendrin gehören nicht zu Christophs Gewohnheiten. Was nicht heißen soll, dass er nicht doch ab und zu mal was mitbringt. Meist Pralinen, die er selbst von glücklichen Mandanten geschenkt bekommen hat.

Ich liege komplett falsch mit meinen Vermutungen. Es ist mein Vater. Ungewöhnlich. Mein Vater ist nicht der

Typ, der einfach so mal auf einen Kaffee vorbeischaut. Er hat kein Päckchen im Arm, dafür einen kleinen Trolley neben sich.

»Moin, Papa, schön dich zu sehen, soll ich dir was versteigern?«, frage ich freundlich.

Er schüttelt den Kopf und murmelt nur ein knappes »Guten Morgen«. Mein Vater ist nicht geschwätzig, das bisschen Reden erledigt meine Mutter im Normalfall für ihn mit, aber so wortkarg ist er eigentlich auch nicht. Außerdem sieht er irgendwie seltsam aus. Verändert. Mein Vater hat sonst so was Aufrechtes, aber heute Morgen sieht er aus wie ein Baum, der seit Wochen keinen Tropfen Wasser gesehen hat. Kümmerlich geradezu. Vertrocknet und eingefallen. Ich weiß, dass das Alter in Schüben über uns kommt, aber das muss ja ein wirklich heftiger Schub gewesen sein. Ich bekomme direkt Angst. Hat er eine grauenvolle Krankheit und will mir auf dem Weg ins Krankenhaus nur schnell Bescheid sagen? Oder ist etwas Furchtbares mit meiner Mutter passiert, und er hat sich nicht getraut, mich per Telefon zu informieren?

»Komm doch erst mal rein«, sage ich und schiebe ihn mit seinem Trolley ins Haus. Er guckt erstaunt. Wahrscheinlich weil quer durchs Haus in voller Lautstärke die Stimme seiner Tochter schallt. »Niger – Niamey, Nigeria – Abuja.« Meine Hauptstädte.

»Moment, Papa«, rufe ich und drücke genau bei Ruanda und Kigali die Austaste des Rekorders. Ich glaube nicht, dass mein Vater gekommen ist, um sich in Sachen afrikanische Hauptstädte fortzubilden. Er schlurft zum Sofa und lässt sich reinfallen. Wie ein Hutzelmännchen. Er erinnert mich an so ein Zwetschgenmännchen, wie es sie immer auf dem Frankfurter Weihnachtsmarkt gibt, aus Dörrpflaumen. Die sehen extrem mitleiderregend aus, aber mein Vater kann mühelos mithalten. Wie kann das passieren? Vor allem mit einem Mann, der bisher mit den Adjektiven stattlich und aufrecht eigentlich sehr gut charakterisiert werden konnte.

»Willst du einen Kaffee?«, frage ich, um die offensichtliche Misere nicht direkt anzusprechen.

»Nein, Andrea. Das fehlt meinem Blutdruck gerade noch. Ein Wasser wäre gut. Und also, ja ähm, eigentlich wollte ich dich fragen, ob ich eine Weile hier wohnen kann?«, stammelt er mit gebrochener Stimme. Mein Vater will bei mir wohnen? Hat ihn meine Mutter rausgeschmissen? Hat er sein Zimmer nicht aufgeräumt oder im Gästeklo nicht gelüftet oder irgendeine, für meine Mutter vergleichbar, schreckliche Tat begangen? Um erst mal Luft zu schnappen, hole ich ihm sein Wasser.

»So, Papa«, sage ich mit ganz ruhiger Stimme und in einer Tonlage, die ich im Ernstfall auch bei den Kindern verwende, »natürlich kannst du hier wohnen, aber es wäre gut, du würdest mir die Geschichte von Anfang an erzählen. Du hast doch ein Zuhause, Papa. Was also ist eigentlich los?«

Er streicht sich über den Kopf und stöhnt. Es muss irgendwas sein, was ihm furchtbar unangenehm ist. Oder peinlich. Er ziert sich richtiggehend.

»Danke, Andrea, dass ich hier wohnen darf. Das ist gut. Sonst wäre ich ins Hotel. Aber hier ist es natürlich besser.«

Also das halte ich für einen Trugschluss. Aber in seinem momentanen Zustand sollte man ihn vielleicht nicht allzu ernst nehmen. Wenn ich die Wahl hätte, würde ich immer ins Hotel gehen. Nicht, dass mir unser Haus nicht gefällt, aber mit einem Hotel ist es wahrlich nicht zu vergleichen.

Man soll ja versuchen, auf dem Boden der Tatsachen zu bleiben. Nicht nur was die Ausstattung, sondern vor allem was die Anzahl der Servicekräfte angeht.

»Kann ich dann auf mein Zimmer?«, fragt mein Vater, der wohl kurz vergessen hat, dass ich nicht die Rezeptionistin bin und das hier auch kein Hotel. Das sieht mir ganz nach einem Fluchtreflex aus. Anscheinend will er sich um jede Begründung für seinen spontanen Einzug bei mir drücken. Ganz so leicht kann ich es ihm dann doch nicht machen.

»Soll ich mal die Mama anrufen?«, frage ich freundlich. »Die sorgt sich doch bestimmt.« Das ist zweifellos übertrieben, meine Mutter neigt, im Gegensatz zu den meisten Müttern weltweit, nicht zu großer Besorgnis. Und da mein Vater eindeutig volljährig ist und meine Mutter ihr Leben sowieso größtenteils auf dem Golfplatz verbringt, hat sie wahrscheinlich noch nicht mal bemerkt, dass mein Vater nicht zu Hause ist.

»Auf keinen Fall«, begehrt mein Vater auf, und ich habe zum ersten Mal, seit er mein Haus betreten hat, das Gefühl, es kommt wieder Leben in den Mann. Anscheinend auch Blut, denn er hat einen knallroten Kopf. Seine Adern am Hals schwellen richtig an, treten hervor. »Die nicht. Gerade die! Die soll gar nicht wissen, wo ich bin. Das geht die gar nichts an.«

Da habe ich eindeutig das Wespennest gefunden. Den sogenannten wunden Punkt. Es hat also mit meiner Mutter zu tun.

»Bist du irgendwie krank?«, nähere ich mich dem nächsten, möglichen Problemfeld.

»Nein«, brummelt mein Vater, »wenn hier überhaupt jemand krank ist, dann wohl eher deine Mutter.« Das klingt nicht nach etwas Lebensbedrohendem, sonst wäre mein Vater kaum so bösartig.

»Papa, was ist los? Habt ihr Streit?«, hake ich nochmal nach. Alte Therapeutenregel. Nicht locker lassen. Beharrlich nachfragen.

»Deine Mutter hat einen anderen. Die betrügt mich. Mich!«

Das ist ja nun ein absoluter Knaller. Meine Mutter hat ein Verhältnis. Ich hätte mir viel vorstellen können, aber diese Variante wäre mir nicht in den Sinn gekommen.

»Bist du dir sicher? Man kann sich da schnell täuschen«, frage ich. Schon aus eigener Erfahrung weiß ich, dass man sich schnell in Dinge reinsteigern kann, aus denen man dann nur sehr schwer wieder rauskommt. Vor meinem geistigen Auge taucht kurz Christophs Arbeitskollegin Belle-Michelle auf, mit der ich ihm vor einiger Zeit eine Affäre unterstellt hatte.

»Ich bin doch nicht blöd«, blafft mich mein Vater an. »Sie hat gestanden«, beendet er seine Ausführungen. Jetzt wird es Zeit für Detailangaben.

»Was genau gestanden? Kannst du ein bisschen konkreter werden?«, insistiere ich. Völlig umsonst. Mein Vater hat, wie man in bestimmten Kreisen sagt, total dichtgemacht.

»Ich will da nicht drüber reden. Sie betrügt mich. Fertig. Mehr musst du nicht wissen, Andrea. Das ist Privatsache. Meine Sache.«

Da erkenne ich doch endlich meinen Vater wieder. Er ist, wie viele Männer seiner Generation, nicht besonders mitteilsam, wenn es um Emotionen und Privates geht. Und bei persönlichen Niederlagen, welcher Art auch immer, schon gar nicht.

»Ich will jetzt auf mein Zimmer«, zieht er einen verbalen

Schlussstrich unter unsere Unterhaltung. Gerade jetzt, wo es spannend wird. Das ist ja wie im Fernsehen. Wenn an der aufregendsten Stelle die Werbung kommt und man wie ein kleiner Lemming vor der Glotze sitzen bleibt, um nur ja nicht zu verpassen wie es weitergeht.

»Papa, ich muss erst mal nachdenken, wo du schlafen kannst. Wir haben gar kein Gästezimmer. Nur unser Büro, und da ist es etwas voll.«

Etwas voll war eine niedliche Untertreibung. Zwischen all den Päckchen, Papieren und den zahlreichen Versteigerungsobjekten ist für ein Bett weiß Gott kein Platz mehr. Man kann kaum ein Kopfkissen unterbringen. Unser Haus ist ein Reihenmittelhaus. Ich will mich nicht beschweren – man kann nicht von beengten Wohnverhältnissen sprechen –, aber überflüssige, leerstehende Räume haben wir keine. Also muss mein Vater in eines der Kinderzimmer, was wiederum bedeutet, dass ein Kind sein Zimmer räumen muss. Das wird mit Sicherheit für Begeisterungsstürme sorgen. Vor allem, weil die zwei, Mark und Claudia, sich dann ja erst einmal ein Zimmer teilen müssen. Ich finde das nicht wirklich tragisch, schließlich habe ich meine gesamte Kindheit mit meiner älteren Schwester in einem Zimmer verbracht. Und keines meiner Kinder ist annähernd so nervig wie meine Schwester.

Überhaupt meine Schwester. Wieso sitzt mein Vater hier bei mir auf der Couch? Was ist denn mit seinem Lieblingskind, der perfekten Birgit? Ich weiß, dass man, wenn ich über meine Schwester spreche, immer einen Hauch von latenter Verbitterung raushört. Es ist wirklich nur noch ein Hauch, aber ich kann ihn einfach nicht unterdrücken. Aufzuwachsen mit einer Schwester wie Birgit ist etwas, das Spuren hinterlässt. Weil meine Schwester so wunderbar ist. So wunderbar aussieht. Und ihr Leben so wunderbar im Griff hat. Sie steht auf einem schönen Sockel und hat es sich dort auch recht gemütlich gemacht. Meinem kleinen Bruder Stefan macht das nichts aus. Wieso auch? Er ist der ersehnte Stammhalter und muss sich schließlich nicht an Wunder-Birgit abarbeiten.

»Papa«, entschließe ich mich, nachzufragen, »was ist eigentlich mit Birgit? Die hat doch viel mehr Platz?« Hat sie wirklich, die gute Mrs. Wunderbar. Sogar ein größeres Haus. Ein Reiheneckhaus nämlich. Ich merke, wie der Sozialneid in mir aufsteigt. Ich ermahne mich schnell selbst. ›Andrea, es ist deine Schwester!‹ ›Aber sie hat das größere Haus‹, piesackt eine böse kleine Stimme in mir. Mein Vater scheint die Frage komplett misszuverstehen.

»Willst du mich nicht hier haben?«, kommt sein Konter, und ich kann schon ein leichtes Eingeschnappt-Sein raushören. Er erhebt sich vom Sofa und will in Richtung Tür gehen. Mein Vater ist schnell beleidigt und legt dann auch schon mal gerne den Hörer während des Telefonierens auf. Ich gehe auf ihn zu, lege ihm meine Hand auf die Schulter und rede beruhigend auf ihn ein.

»Ich freue mich, Papa, also nicht über die Sache an sich, das mit der Mama und so«, ich gehe absichtlich nicht in die Details, man muss ja in Wunden nicht noch rumpulen, »aber darüber, dass du zu mir gekommen bist. Ich habe mich nur ein ganz klein bisschen gewundert.«

»Bei Birgit geht es nicht«, antwortet er und zerstört so meine kurze Freude darüber, einmal im Leben erste Vater-Wahl gewesen zu sein. »Am Wochenende kommt ein Kollege vom Kurt und da muss die Birgit das Zimmer vorbereiten. Ist ja klar, sie macht das ja immer so nett. ›Sonst natürlich gerne, Papa‹, hat sie gesagt.«

Ein Kollege von Ätz-Kurt, meinem Schwager, kommt am Wochenende. Da ist ihr auf die Schnelle aber auch keine dolle Ausrede eingefallen. Wer's glaubt, wird selig. Und bis zum Wochenende muss sie das Zimmer richten. Lachhaft. Das kann man nur Menschen erzählen, die noch nie ein Zimmer gerichtet haben. Sie wird es ja für den Kollegen nicht neu tapezieren oder Wände einreißen und neuen Teppich verlegen. Staub saugen, Bett beziehen und ein paar Blümchen in einer Vase dekorieren, dürfte ja für Wunder-Birgit keine Wochenbeschäftigung sein. Birgit ist bestimmt so eine, die für den Gast noch eine kleine Praline aufs Kopfkissen drapiert. Und auf so einen Käse fällt mein Vater rein. Wie naiv Männer sein können. Die sehen einfach nur das, was sie auch sehen wollen, und können den Rest geschickt ausblenden. Alles in allem, typisch Birgit: Immer groß tönen und dann, wenn es gilt, kneifen.

Inzwischen ist es fast neun Uhr und ich habe nichts von all dem geschafft, was für heute morgen auf dem Plan stand. In eineinhalb Stunden werden die ersten Kunden klingeln, mein Vater braucht ein Zimmer, und ich weiß eigentlich nur, dass meine Mutter angeblich ein Verhältnis hat. Zu gerne wüsste ich mit wem. Komisch, dass mich nicht mal Birgit angerufen hat? Hätte sie ja mal machen können. Wenn Papa heute morgen schon bei ihr war, wäre das doch allemal drin gewesen. Ich hätte angerufen. Das ist der Unterschied. Aber vielleicht wollte sie mich nicht vorwarnen. Damit ich Papa nicht wieder zu ihr schicke. Die Annahme verweigere und das Paket zum Absender zurückschicke. Der ist wirklich alles zuzutrauen. Aber diesmal hat sie einen Fehler gemacht. Papa wird noch froh sein, bei seiner Nummer zwei untergeschlupft zu sein. Vielleicht wird das mein innerfamiliärer Aufstieg. Ein ganz neues Ranking. Er wird mir meine Fürsorge auf ewig danken und irgendwann, wenn er wieder klarer denken kann, auch kapieren, dass ihn sein Liebling Birgit schnöde abgewiesen hat. Diese kleine morgendliche Entscheidung wird sie spätestens bei der Testamentseröffnung bitter bereuen.

»Papa, ich mache dir gleich Marks Zimmer zurecht, der kann dann solange bei Claudia schlafen. Ist alles kein Problem. Mach ich gerne für dich.«

»Na gut«, lenkt er gnädig ein, gerade so, als hätte ich einen Riesenfehler gemacht und er all seinen Großmut zusammengenommen und mir verziehen.

»Willst du mir in der Zeit nicht mal erzählen, was da genau los war mit Mama und dir? Was sagt denn Mama überhaupt?«, verlange ich quasi als Gegenleistung ein wenig mehr an Information.

»Die sagt, ich soll's nicht persönlich nehmen«, brummt er und guckt so grimmig, dass ich das Gefühl bekomme, irgendwas sehr Schlimmes verbrochen zu haben.

»Ich soll's nicht persönlich nehmen. Unverschämt von der«, legt er nochmal nach.

Er soll es nicht persönlich nehmen. Das ist wahrhaftig ziemlich frech von meiner Mutter. Vor allem, weil der Satz ein Standardsatz aus dem Repertoire meines Vaters ist. Mit den eigenen Waffen geschlagen zu werden, ist doppelt hart. Und wie bitte soll man es nicht persönlich nehmen, wenn man betrogen wird? Ich konnte den Spruch nie leiden, aber hier wird doch wirklich ganz offensichtlich, wie albern er ist. Er bedeutet ja nicht mehr als: »Ich verpasse dir einen, aber du darfst nicht mal sauer sein.« Wahrscheinlich ist der Satz sogar nett gemeint. Macht die Sache aber auch nicht besser.

»Papa, jetzt rede nicht dauernd drumherum. Ich werde

es doch eh erfahren. Sag mir, was passiert ist, und lass diese kryptischen Andeutungen«, schlage ich einen etwas strengeren Ton an. Einen Ton, den mein Vater von meiner Mutter nach all den Jahren des Ehelebens kennen sollte und auf den so konditionierte Ehemänner im Normalfall fast in pawlowscher Manier reagieren. Es funktioniert tatsächlich.

Mein Vater zuckt mit den Schultern und sagt: »Bitte, wie du meinst. Deine Mutter war mit Fred im Bett. Gott zieht an einer Hand, der Teufel an beiden Beinen«, beendet er seine kargen Ausführungen mit einem für ihn typischen Zitat. Wilhelm Busch. Der ist mir im Moment aber eher egal. Fred ist der Mann, um den es hier augenscheinlich geht. Jetzt habe ich zwar einen Namen, bin aber eigentlich noch immer nicht weiter. Welcher Fred? Ich kenne den engeren Freundes- und Bekanntenkreis meiner Eltern, an den Namen Fred kann ich mich aber in diesem Zusammenhang nicht erinnern. Der einzige Fred, den ich kenne, ist Fred Feuerstein. Und um den wird es wohl kaum gehen.

»Papa, geht es auch ein bisschen ausführlicher? Fred und weiter?«

»Der Nachname tut ja nichts zur Sache«, antwortet mein Vater, »ich habe ihn beim Rasenmähen in unserem Garten erwischt.«

Die Geschichte wird ja immer fantastischer. Beim Rasenmähen. Dass Männer mit ihrem Rasen empfindlich sind, habe ich schon gehört, obwohl mein Mann von diesem An-meinen-Rasen-darf-nur-ich-Virus leider nicht befallen ist, aber dass, wenn ein fremder Mann den Rasen mäht, es gleich als Fremdgehen und Betrug angesehen wird, ist mir dann doch neu. Und bei aller Zuneigung zum eigenen Rasen – das ist dann doch ein wenig übertrieben.

»Papa, es wird ein Gärtner sein. Vielleicht hat Mutter jemanden für den Garten kommen lassen.«

So schnell kann man Missverständnisse klären. Man muss nur miteinander reden, denke ich und spüre eine gewisse Erleichterung. Mein Vater lacht kurz auf. Kein schönes, freundliches Lachen. Es klingt verächtlich.

»Gärtner, von wegen. Der Fred ist der Chef-Greenkeeper aus dem Golfclub. Da hat ihn die Erika wohl aufgelesen.«

Was um alles in der Welt ist denn ein Greenkeeper?

Als könnte er meine Gedanken lesen, redet Papa weiter: »Greenkeeper sind die, die sich um das Grün auf den Golfplätzen kümmern. Damit alles schön gepflegt aussieht. Die mähen und verlegen die Löcher. Und was sie sonst noch verlegen, ist mir leider erst jetzt klar geworden.«

Hat da mein Vater soeben eine Art schlüpfrige Bemerkung gemacht? Schlüpfrige Bemerkungen mag ich nicht besonders, wenn sie aber vom eigenen Vater kommen, sind sie jedoch noch schlimmer – nämlich hochgradig peinlich.

»Bleib sachlich, Papa«, gebe ich Hilfestellung.

»Bin ich doch«, verteidigt er sich direkt, »der Fred war bei uns am Mähen, und da habe ich gleich geahnt, dass da was nicht stimmt. Der mäht doch nicht aus Lust und Laune unseren Rasen. Im Leben tun die meisten nix für lau, wieso sollte Fred da eine Ausnahme sein?«

»Vielleicht hat Mama ihn bezahlt?«, versuche ich wieder, die Lage zu entspannen.

»Das hat sie auch. Sie war mit ihm im Bett!«, schnaubt mein Vater. »Woher willst du das denn wissen?«, verhöre ich ihn weiter.

»Andrea, sie hat es gesagt. Sie hat es direkt zugegeben. Sie hatten Sex. Zweimal.«

Während mein Vater das sagt, wird seine Stimme wieder brüchiger, und er fängt an, leise zu schniefen. O mein Gott! Er wird gleich weinen. Man sieht es schon an seinen Augenwinkeln. Feucht. Bitte, nur das nicht.

»Papa, beruhige dich, dafür muss es doch eine Erklärung geben. Das kann ich mir so gar nicht vorstellen.«

Kleine Notlüge. Denn eigentlich kann ich mir bei meiner Mutter fast alles vorstellen. Gut, so weit wäre ich gedanklich nie gegangen. Meine Eltern und Sex, das ist etwas, was ich bisher immer erfolgreich ausblenden konnte. Papa sieht den Schrecken in meinem Gesicht.

»Du wolltest es unbedingt wissen, Andrea.«

Da hat er durchaus recht. Nur was stelle ich mit diesem Wissen jetzt an? Schicke ich die beiden zur Paartherapie? Rufe ich erst mal meine Mutter an und bitte sie zum gemeinsamen Gespräch? Halte ich mich einfach raus und tue so, als wüsste ich von nichts? Schwierig.

»Was meint denn Birgit?«, frage ich und hoffe, er sagt gleich mit ganz viel Pathos in der Stimme, dass er sich nur mir anvertraut hat. »Die sagt, wir sollen uns wieder vertragen«, seufzt mein Vater und wischt sich verstohlen eine Träne von der Wange. Also unter diesen Umständen hätte mich Birgit wirklich geradezu anrufen müssen! Mich auf diese Misere vorbereiten. Blöde Kuh. Und der Ratschlag »Vertragt euch wieder« mag ja bei kleinen Kindern ab und an funktionieren, ist in diesem Fall aber wohl ziemlich dämlich. Schließlich geht es bei meinen Eltern ja um etwas mehr als um irgendeinen profanen Streit wegen einer Puppe. Obwohl im weitesten Sinn geht es ja tatsächlich um eine Puppe. Eine etwas ältere Puppe allerdings. Nämlich meine Mutter Erika. Sobald mein Vater auf seinem Zimmer ist, werde ich sie anrufen. Erstens soll man ja beide Seiten hören, und zweitens kann ich mir immer noch nicht vorstellen, dass meine Mutter wirklich den Greenkeeper des Golfclubs vernascht hat. Und dass sie das vor allem auch noch zugibt. Meine Mutter neigt eigentlich nicht zu Geständnissen. »Wieso auch«, würde sie sagen, »ich mache ja keine Fehler.«

Ich lasse meinen Vater auf der Couch sitzen und mache mich daran, Marks Zimmer in ein einigermaßen passables Gästezimmer zu verwandeln. Mark hat ein Hochbett. Habe ich überhaupt nicht bedacht. Mein Vater im Hochbett? Geht das?

Ich rufe runter: »Papa, kannst du in einem Hochbett schlafen?«

Er ruft zurück: »Mir ganz egal. Hauptsache ich habe ein Bett.«

Selbst einem Mann wie ihm scheint klar zu sein, dass er sich in einer Position befindet, in der man nicht allzu viele Ansprüche stellen kann. Vor allem, nachdem ihm selbst seine Birgit einen Korb gegeben hat. Es wundert mich, dass er nicht auch noch meinen Bruder Stefan vor mir gefragt hat. Oder irgendwelche Menschen auf der Straße. Aber Stefan wohnt in einer WG, und das hat meinen Vater wahrscheinlich abgeschreckt. Ich muss auch dringend Stefan anrufen. Das Beste wird sein, wir treffen uns heute Abend, um über die Lage nachzudenken. Wenn Christoph hier ist, kann der sich ja um meinen Vater kümmern. Oh, Christoph, den muss ich ja auch noch informieren. Ob ihm gefällt, dass mein Vater bei uns einzieht? Egal, was er davon hält, ich kann meinen Vater ja schlecht in die Obdachlosigkeit abschieben, und außerdem mag er meinen Vater. Sagt er jedenfalls immer. Ob das im täglichen Zusammenleben auch noch gilt, weiß ich nicht, aber es wird sich schon zeigen.

Ich schmeiße alles, was bei Mark auf dem Boden rumliegt, in den Schrank, beziehe das Hochbett frisch und hoffe im Stillen, dass mein Vater weniger pingelig ist als meine Mutter.

»Papa, dein Zimmer ist soweit gerichtet. Du kannst rein, wenn du willst. Ich staubsauge später noch.«

Mit diesen Worten hole ich ihn von der Wohnzimmercouch. Er sitzt da noch ganz genauso, wie ich ihn eben zurückgelassen habe. Faszinierend. Fast wie im Wachsfigurenkabinett.

»Papa, du kannst hoch, wenn du willst. Du kannst aber auch gerne hier sitzen bleiben. Fühl dich einfach wie zu Hause. Essen ist in der Küche, und wenn du telefonieren willst, tu dir keinen Zwang an.«

»Wen sollte ich denn schon anrufen?«, jammert mein Vater.

Ich wüsste, wen ich anrufen würde. Meine Freundinnen natürlich. Zu allererst Heike und Sabine. Auch mein Vater hat Freunde, aber alles, was seine Sozialkontakte angeht, hat meine Mutter gemanagt. Wie in den meisten Familien. Mein Vater ist seit Jahren nur auf eine Person fixiert. Auf meine Mutter. Das wird ihm jetzt zum Verhängnis. Obwohl er daran eindeutig eine Mitschuld trägt, tut er mir leid.

»Soll ich jemanden für dich anrufen?«, biete ich freundlich an.

»Um allen zu erzählen, dass man mir bei vollem Bewusstsein die Eier abgeschnitten und mir Hörner aufgesetzt hat?«, wird er patzig, und ich bin aufs Neue sehr überrascht über die Ausdrucksweise meines Vaters. Geht es ihm vielleicht weniger um die Tatsache an sich, sondern mehr um den vermeintlichen Ehrverlust? Sieht ganz danach aus.

»Das renkt sich doch bestimmt wieder ein, Papa. Ihr seid schon so lange verheiratet, da kann das doch mal passieren«, probiere ich die Vertragt-euch-Variante von Birgit.

»Das verzeih ich der nie«, erstickt mein Vater jegliche Harmoniegedanken im Keim. »Und wenn sie angekrochen kommt – niemals.«

Das klingt nicht nach Happyend, sondern eher so, als müssten sich meine Kinder die nächsten Jahre ein Zimmer teilen.

»Papa, du musst dich erst einmal beruhigen. Das war bestimmt nur ein Ausrutscher. So was kann doch jedem passieren.«

Schade, dass meine Mutter mich nicht hören kann. Wie ich mich für die in die Bresche werfe, obwohl ich mir nicht mal sicher bin, ob sie das Gleiche für mich tun würde. Meine Mutter hat sich bei kleineren Streitereien schon häufiger auf Christophs Seite geschlagen. Was mich jedes Mal sehr gekränkt hat.

»Blut ist dicker als Wasser, du bist meine Mutter, du musst zu mir halten, das ist ein Naturgesetz«, habe ich ihr einmal vorgehalten, aber sie war reichlich ungerührt.

»Ich halte zu dem, der recht hat«, hat sie damals entgegnet, und schon deshalb finde ich mein heutiges Verhalten extrem selbstlos und sehr erwachsen. Gerade so, als wäre ich die Mutter.

»Ich gehe dann mal hoch«, teilt mir mein Vater mit, und ich zeige ihm »sein« Zimmer. Wirklich begeistert sieht er nicht aus. Er guckt gerade so, als hätte er unser Haus vorher noch nie gesehen und erwartet, dass hier oben großzügige Gemächer zur Verfügung stehen. Er beäugt das Hochbett und knottert »Ich bin doch kein Affe«, fügt sich dann aber doch in sein Schicksal. Zum Glück. Denn bei aller Vaterliebe, mein Schlafzimmer gehört mir, und ich kann mir auch nicht vorstellen, dass Christoph begeistert wäre, wenn er meinen Vater in unserem Bett vorfinden würde. Kluge Menschen – und mein Vater ist durchaus ein kluger Mensch, jedenfalls bisher gewesen – merken, wenn sie keine andere Wahl haben. Er zieht sich seine Schuhe aus und krabbelt direkt hoch in sein neues Domizil. Sieht tatsächlich reichlich komisch aus. Ein bisschen wie beim Bund. In voller Montur im Bett. So, als müsse er jederzeit einsatzbereit sein.

»Andrea, ich ruhe mich jetzt aus. Ich schlafe ein bisschen«, verweist er mich freundlich, aber bestimmt des Raumes.

Perfekt, denn es ist gleich zehn, und spätestens in einer halben Stunde stehen die ersten Kunden vor meiner Tür. Außerdem will ich schnell Stefan und eventuell, falls ich den Mut aufbringe, auch noch meine Mutter anrufen.

Dass mein Vater sich wie ein verängstigtes Tierjunges in eine Höhle zurückzieht, um in aller Ruhe seine Blessuren zu lecken, kann ich sehr gut verstehen. Dieses Verhalten habe ich anscheinend von ihm geerbt. Wenn das Grauen über einem zusammenschlägt – Augen zu und erst einmal eine Runde schlafen. Danach ist das Grauen zwar nicht weg, aber man hat es immerhin eine Weile nicht gesehen. Viele halten das für grundfalsch und nennen es Verdrängung, aber ich finde, wenn es hilft, dann sollte man es ruhig so machen.

Ich haste die Treppe nach unten und schnappe mir das Telefon. Als Erstes versuche ich, meinen Bruder zu erreichen. Dann kann der sich ja mit Birgit in Verbindung setzen, ich sehe nämlich nicht ein, warum ich sie jetzt anrufen soll. Die kann ja selbst anrufen, wenn sie was wissen will. Scheint ihr aber relativ egal zu sein. Dann ist es mir auch egal, was sie dazu zu sagen hat. Auf Stefans Handy erreiche ich nur die Mailbox. Und auf dem Festnetz den Anrufbeantworter. Ich hinterlasse auf beiden Nachrichten.

»Melde dich. Es geht um Papa. Und Mama. Es ist wichtig.« Mehr Information muss nicht sein. Erstens wird es seine Neugier wecken und zweitens geht es seine Mitbewohner ja nichts an, wenn meine Mutter fremdgeht. Wenn die zwei sich tatsächlich wieder versöhnen sollten, muss mein Vater dann ja nicht für jeden der Mann sein, der von seiner Frau betrogen wurde. So was spricht sich nämlich in rasendem Tempo rum, und irgendwann fragt einen selbst die Frau an der Supermarktkasse, wie man denn mit »dieser« Sache klarkommt. Da kann man sich dann gleich selbst in ein Transparent wickeln, die Stadt plakatieren oder ein Leuchtschild an die Stirn tackern.

Als Nächstes versuche ich es bei Christoph.

»Ist doch bei Gericht, der Herr Gemahl«, erinnert mich die Sekretärin.

»Er soll mich bitte mal anrufen«, hinterlasse ich auch hier einen Rückrufwunsch, habe insgeheim aber wenig Hoffnung, dass er sich melden wird. Wenn Christoph in seine Akten vertieft ist, vergisst er alles.

Birgit würde ich jetzt bestimmt erreichen. Muss man nicht auch mal über seinen Schatten springen können? An die Sache und nicht an kleine Befindlichkeiten denken? Man muss, aber ich bringe es nicht fertig. Eine Stunde gebe ich ihr noch, um sich bei mir zu melden. Wenn sie dann nicht angerufen hat, kann die was erleben. Sich so aus der Verantwortung zu stehlen. Und wie ich Birgit kenne, wird sie, wenn alles doch noch gut ausgeht, es dann sogar noch schaffen, sich die Lorbeeren zu sichern. In solchen Dingen macht ihr so schnell niemand was vor.

Ich nehme meinen Mut zusammen und rufe bei meiner Mutter an. Eine bessere Ausgangsposition für ein Gespräch hatte ich noch nie. Ein wunderbarer Rollentausch bahnt sich an. Ich mache Vorwürfe, und sie muss sich verteidigen. Eine ungewohnte, aber durchaus verlockende Perspektive. Besetzt. Mist. Mit wem die wohl telefoniert? Mit ihrem Rasen-Fred? Säuseln die sich Schweinereien in ihre alten Öhrchen, während mein armer Vater oben still in die Bob-der-Baumeister-Bettwäsche weint? Das wäre ziemlich dreist und auch reichlich gefühlskalt.

Dann halt doch Birgit. Ich muss jetzt einfach mit irgendwem reden. Zur Not sogar mit Birgit. Auch bei ihr besetzt. Da haben wir es doch schon. Diese ausgefuchste Person. Schiebt mir das Opfer unter und plaudert eine Runde mit der Täterin. Überlegt wahrscheinlich gerade, auf wessen Seite sie sich am schlausten stellt. Ich will versuchen, einigermaßen neutral zu bleiben. Wie eine Mediatorin etwa. Das sind diese Beziehungsvermittler. Obwohl das wahrscheinlich schwierig wird, besonders wenn man das Opfer beherbergt. Das wirkt schnell parteiisch. Ich drücke die Wiederwahltaste. Immer noch besetzt. Kein Wunder. Wenn meine Schwester mal am Reden ist, kennt die kein Ende.

Am liebsten würde ich mich ins Auto setzen und schnell zu meiner Mutter fahren. Einkreisen, Flucht verhindern, Täter stellen. Aber ich kann so kurz vor halb elf nicht einfach aus dem Haus. Wenn jemand vorbeikommt, um mir Ware zu bringen und dann auf meinen verstörten Vater trifft, ist das wohl kaum geschäftsfördernd. Außerdem habe ich reichlich zu tun und brauche diese Stunden, bevor die Kinder hier wieder einlaufen, um wenigstens das Nötigste zu erledigen. Ich werfe noch schnell einen Blick in Marks Zimmer, um nach meinem Vater zu sehen, und bin froh, dass er tief und fest zu schlafen scheint. Er sieht anrührend aus, ist richtig eingekuschelt in die Bettdecke und gibt zarte Geräusche von sich. Immerhin – er kann schlafen. Das ist doch schon mal was. Ich schließe sanft die Tür und gehe in den Keller.

Schritt eins: beendete Auktionen suchen, meine Käufer anmailen, Zahlungsmodalitäten klären. Schritt zwei: Konto überprüfen, nachschauen, wer wofür schon gezahlt hat und dann die entsprechende Ware finden, verpacken und zur Post bringen. Und dann Schritt drei: das Geld für den Auftraggeber, meinen direkten Kunden, abheben oder überweisen. Das klingt nicht weiter schwierig, ist es aber in meinem Fall schon. Obwohl ich theoretisch durchaus weiß, wie Buchhaltung funktioniert, ich bin immerhin gelernte Speditionskauffrau, mache ich mir trotzdem nichts draus. Mir gefällt an meiner Tätigkeit bis heute das Textschreiben am besten. Damit allein ist es aber leider nicht getan. Im Gegenteil. Das Texten ist nur ein winziger Bestandteil des Geschäfts, und ich habe den ganzen übrigen Teil komplett unterschätzt. Im Prinzip bräuchte ich einfach mal eine Woche, um die gesamte Logistik und Buchführung auf Vordermann zu bringen. Mindestens. Solange ich diese Zeit nicht investiere, bin ich eigentlich immer etwas im Verzug, denn ständig kommt neue Ware rein. Wenn ich aber die Annahme stoppe, könnte ich neue Kunden vergraulen. Dieser Teufelskreis führt zu gewissen Panikhandlungen. Eine Lösung wäre natürlich Personal. Eine Sekretärin oder noch besser ein schnuckeliger Sekretär.

Das aber ist leider nicht drin. So viel wirft mein Geschäft nicht ab.

Ein weiteres Problem bei diesem Job ist meine eigene Gier. Manche, zum Glück nicht wahnsinnig viele, Auktionsstücke sind so wunderbar, dass ich es nicht übers Herz bringe, sie herzugeben. Mit anderen Worten: Die Kunden bringen sie zu mir, ich sage, dass ich sie versteigere, in Wirklichkeit behalte ich sie aber für mich. Jetzt ist es raus. Ich weiß, ich weiß, das ist absurd, weil es ja eigentlich darum geht, mit dem Verkauf Geld zu verdienen und nicht Geld auszugeben. Völlig kontraproduktiv. Vor allem wollen die Kunden so oder so ihr Geld. An diesem unangenehmen Teil des Geschäfts komme ich nicht vorbei. Also tue ich auch so, als würde ich die Sachen versteigern, überlege mir einen annähernd realistischen Kaufpreis, der sogar fast immer ein wenig über dem vom Verkäufer erwarteten Mindesterlös liegt, und bezahle. Ist das jetzt trotzdem eine Form von Betrug? Wahrscheinlich ja. Andererseits wollen die Verkäufer ja nicht mehr als eine bestimmte Summe für ihren Gegenstand. Und die bekommen sie ja auch. Insofern kann es ihnen doch wurscht sein, ob ich kaufe oder irgendein Hansel in der eBay-Welt. Geld ist Geld, und von wem es kommt, dürfte ja keine Rolle spielen. Eigentlich müsste es doch sogar sehr schön für sie sein, zu wissen, dass ich mich höchstpersönlich erbarme, ihren verstoßenen Sachen ein neues Zuhause biete. Natürlich, wenn man es ganz ehrlich betrachtet, wäre es möglich, dass durch die Versteigerei mehr Geld reinkommt als durch meinen Einkauf. So bescheuert, dass ich bei mir selbst etwas ersteigere, bin ich nämlich nicht. Aber immerhin fällt so auch keine eBay-Gebühr an. Das wäre ja nun auch wirklich dreist. Schließlich bin ich ja nicht eBay. Und durch meine 25 % Provision spare ich bei jedem Spontankauf nicht nur Zeit und Arbeit mit Beschreiben, Einstellen und dem ganzen Drum und Dran, sondern auch ein Viertel des Einkaufspreises. Ich ahne schon, dass diese Kalkulation schwer nachvollziehbar ist, deshalb ein Beispiel:

Iris – eine meiner besten Kundinnen, eine sehr reich verheiratete Frau, Mitte vierzig – hat mir ein Diana-von-Fürstenberg-Kleid gebracht. Das sind diese sehr angesagten Wickelkleider, die neu um die vierhundert Euro kosten. Ein Preis, der bisher verhindert hat, dass so ein Wickelkleid und ich eine herrliche Beziehung eingehen konnten. Das Modell von Iris war noch dazu ein besonders schönes Modell. Dunkles Grün mit sattem Türkis, das klingt schräg, sieht aber umwerfend aus. Genau eine Woche zuvor hatte ich dieses Prachtexemplar bei einem Schaufensterbummel in Frankfurt gesehen und mich gewundert, wer so viel Geld für ein Kleid, das nicht mal ein Abendkleid ist, ausgibt. Die Antwort steht vor mir: Iris.

Iris trägt Größe 38. Das ist ein wenig ärgerlich, denn ich bin mittlerweile eher eine Größe-40-Frau. Untenrum sogar eher eine 42. Aber so ein Wickelkleid ist in dieser Hinsicht erstaunlich flexibel. Man kann es dann eben nicht ganz so eng wickeln. Als mir Iris das Kleid gebracht hat, war ich fassungslos.

»Das ist doch so gut wie neu, Iris. Und aus der aktuellen Kollektion. Warum behältst du es denn nicht? Da ist doch nichts dran«, habe ich gefragt.

Sie hat die Schultern gezuckt und gesagt: »Ich habe noch vier andere von denen. Ich brauche das hier nicht. Eigentlich mag ich auch das Grün nicht so.«

Da stellt sich doch die Frage, warum sie es gekauft hat, wenn sie das Grün gar nicht mag. Aber die Frage nach dem Warum stellt sich bei Iris eigentlich andauernd. Bei den Mengen, die sie hier anschleppt, hat man manchmal das Gefühl, sie würde in ihrem Leben nichts anderes tun, als exzessiv einzukaufen. Ich muss zugeben, das klingt schon etwas sinnfrei und ziemlich dekadent, hat mich aber trotzdem neidisch gemacht. Shoppen ganz nach Lust und Laune. Wann immer man will und was immer man will. Iris ist schlauer, als man auf den ersten Blick denkt. Sie ahnte, was in meinem Kopf vorging.

»Das hat mir mein Mann, der Fritz, gekauft. Wenn der mitkommt beim Einkaufen, dann schlägt der immer voll zu. Der macht sich einfach gerne wichtig bei den Verkäuferinnen und liebt es, wenn die voller Neid und Bewunderung auf ihn gucken. ›Wir nehmen alle Fummel‹, ruft er gerne.«

Fritz ist der Mann von Iris. Er macht in Immobilien, so viel habe ich inzwischen rausgefunden. Scheint sich ja zu lohnen. Obwohl mir dieser Mann suspekt ist. Ganze Wagenladungen von Klamotten zu kaufen, nur damit die Verkäuferinnen beeindruckt sind, erscheint mir behandlungsbedürftig. Aber das schöne Wickelkleid konnte da ja nichts dafür. Ich betrachtete es voller Inbrunst. Ich musste mich schwer beherrschen, um es nicht an mich zu reißen und es auf der Stelle anzuprobieren. Wahrscheinlich hätte es Iris nicht mal gestört, aber ich denke, es würde mich in wenig professionellem Licht dastehen lassen. Schließlich bin ich nicht die Freundin von Iris, sondern in erster Linie eine Geschäftspartnerin. Also verkniff ich mir das Anprobieren, bis sie zur Tür raus war. Dann gab es kein Halten mehr. Ich wusste, ich musste dieses Kleid haben, obwohl es ein bis zwei Größen größer sicherlich besser gepasst hätte. Wickelkleider offenbaren viel Dekolleté –

wenn sie nicht richtig gut zugehen, noch viel mehr. Mit ein bisschen Geschick würde man bis zu meinem Bauchnabel gucken können. Und beim Gehen klaffte auch untenrum ein bisschen was. Aber im Still-Stehen war das Kleid unschlagbar. Und Türkis bringt meine Augen so herrlich zum Strahlen. Iris hatte mir gesagt, dass sie auf jeden Fall mindestens hundertzwanzig Euro für das nahezu neue Kleid haben wollte. Da kam mir die Idee: Ich kaufe das Kleid. Hundertzwanzig Euro, abzüglich meiner Provision von 25 % waren nur noch neunzig Euro. Und für neunzig Euro würde ich in diesem Leben nie wieder einen echten Fürstenberg-Fummel kriegen.

Natürlich habe ich mir das Ganze mental ein bisschen schöngerechnet, und wenn ich das Kleid bei eBay angeboten hätte, wäre bestimmt mehr drin gewesen, aber eine Frau wie Iris würde das verschmerzen können. Und schlussendlich: Was sie nicht weiß, macht sie nicht heiß. Als ich ihr nach einer Woche die neunzig Euro in die Hand gedrückt habe, hatte ich ein ungutes Gefühl und ein verdammt schlechtes Gewissen. Aber Iris scheint nichts gemerkt zu haben. Im Gegenteil, sie hat sich artig bedankt, gesagt, dass sie auf keinen Fall eine Abrechnung braucht, »Nichts Schriftliches, bitte«, und versprochen, dass sie in nächster Zeit häufiger kommen würde.

»Ich habe so viel Kram, ich weiß gar nicht wohin damit.«

Da war mein Gewissen sofort ein bisschen beruhigt.

Und Iris war ganz offensichtlich zufrieden mit »meiner Leistung«, denn sie steht inzwischen etwa zweimal die Woche auf der Matte und bringt mir Sachen. Kleidung, Handtaschen, Schuhe. Ihr Haushalt birgt mehr Überraschungen als das Wunder-Täschchen von Mary Poppins. Zu Beginn dachte ich, Iris sei eine ausgesprochen verwöhnte Ziege, die in ihrem Leben noch keinen Handschlag getan hat und vor lauter Langeweile nicht mehr weiß, was sie außer Einkaufen und Körperpflege tun soll. Heute, wo wir uns besser kennen, weiß ich, Iris ist eine verwöhnte Ziege, aber – auch verwöhnte Ziegen können nett sein. Und verdammt clever.

In guten Monaten verdiene ich als Top-Sellerin etwa tausend Euro durch meine Auktionen. Dafür muss ich allerdings viertausend Euro Umsatz machen, und bei all dem Kleinscheiß, der hier bei mir landet (leider haben nicht alle Kunden so herrliche Ware wie Iris), ist das eine Menge Arbeit. Von den tausend Euro gehen Monat für Monat wegen meiner Privateinkäufe etwa vierhundert direkt weiter an Iris. Also bleiben im Endeffekt sechshundert Euro übrig. Netto. Ich gebe zu – ich habe noch kein Gewerbe angemeldet. Es ist ja auch eigentlich kein richtiges Geschäft, sondern eher ein Hobby, das eine gewisse Eigendynamik entwickelt hat. Und ein bisschen was darf man ja auch verdienen, ohne gleich Steuern zu zahlen. Ich ahne jedoch, dass sechshundert Euro ein bisschen zu viel bisschen sind. In manchen Monaten ist es aber durchaus auch weniger. Und durchs Ehegattensplitting hätte ich dann auch noch eine so miese Steuerklasse, dass aus dem Bisschen ganz schnell nahezu Nichts würde.

Christoph, den ich mal so nebenbei darauf angesprochen habe, war dafür, dass ich zum Gewerbeamt gehe.

»Melde dein Geschäft an, dann kannst du in aller Ruhe schlafen. Man wird schneller zum Betrüger als du denkst.«

Ich dachte an mein Wickelkleid und wusste genau, was er meinte.

Ich lege meine Kassette ein, und während ich mich durch Päckchenstapel wühle, prasseln die Hauptstädte auf mich ein. Nach jedem Land habe ich bei der Aufnahme eine kleine Pause gemacht, gerade lang genug, um die Hauptstadt zu nennen. Dann kommt die Hauptstadt vom Band, und ich kann direkt kontrollieren, ob ich richtig liege. Algerien – Algier, Angola – Luanda, Benin – Porto Novo, Botswana – Gaborone, Burkina Faso – Ouagadougou (meine Lieblingshauptstadt – ein Vokalregen sondergleichen), Burundi – Bujumbura, Kamerun – Yaunde, Kapverdische Inseln – Praia, Komoren – Moroni, Kongo – Brazzaville, Demokratische Republik Kongo – Kinshasa, Elfenbeinküste – Yamoussoukro.

Bei Yamoussoukro (die Afrikaner scheinen die Kombi von o und u zu lieben) klingelt das Telefon. Birgit. Sie erspart sich jegliche Vorreden und jegliche Entschuldigungen. Wahrscheinlich hat sie noch nicht mal irgendein Unrechtsbewusstsein. Die kann sich ihre kleine Welt besser zurechtbiegen als Uri Geller in seinen guten Tagen die Gabeln.

»Andrea, Morgen, ist Papa bei dir?«

»Morgen, Birgit«, antworte ich, um zunächst Zeit zu gewinnen. Soll ich ihr die Wahrheit sagen? Dass er oben in Marks Hochbett liegt und einen kleinen Vormittagsschlaf hält? Hat sie nach ihrem Verhalten einen Anspruch auf detaillierte und wahrheitsgetreue Informationen? Eindeutig nein. Während ich noch hin- und hergerissen bin, redet sie schon weiter.

»Andrea, bist du eingeschlafen? Ich will wissen, ob Papa bei dir ist.«

Meine Güte, die hat einen Ton am Leib, damit könnte sie sofort in jeder Kaserne anfangen. Den sollte sie mal bei

Kurt, ihrem Ehemann, zum Einsatz bringen, aber da traut sie sich nicht.

»Nein, Birgit«, wage ich einen kleinen Scherz, »ich habe ihn mit seinem Trolley auf der Straße stehen lassen. Wahrscheinlich zieht er jetzt wie damals Maria und Josef durch die Straßen, um eine Herberge zu finden. Nur dass er nicht mal mehr seine Maria hat.«

Birgits Humorzentrum ist nur mäßig ausgeprägt.

»Ich habe deine Anspielung verstanden. Aber bei mir ging es nun wirklich nicht. Lass also deine blöden Witzchen und verhalte dich mal erwachsen. Er ist also bei dir?«

Ich möchte auflegen. Aber wenn ich auflege, bleibt mir zwar der kleine Triumph, es Birgit gezeigt zu haben, aber dafür erfahre ich natürlich auch nicht, was meine Mutter zu ihrer Verteidigung gesagt hat.

»Natürlich ist Papa hier. Wo soll er denn sonst sein? Viel mehr Kinder, bei denen er um Asyl bitten kann, hat er ja nicht. Und dass er wohl kaum in Stefans WG Unterschlupf sucht, dürfte dir ja wohl klar sein. Er war übrigens ziemlich traurig, dass du seine Aufnahme verweigert hast.«

Ein winziger verbaler Kinnhaken. Schließlich muss sie ja nicht wissen, dass unser Vater für seine abweisende ältere Tochter auch noch volles Verständnis hat.

»Gut«, befindet die große Schwester, »dann hol ihn mir mal ans Telefon.«

Ein Alphatier, wie sie eines ist, kommuniziert nun mal am liebsten mit anderen Alphatierchen. Und im normalen Leben, ohne krasse Demütigungen und Greenkeeper-Fred, ist mein Vater mindestens genauso ein Alphatierchen wie Birgit. Kein so offensichtliches allerdings. Mein

Vater hat eher eine Art stille Dominanz und lässt meine Mutter gerne in dem Glauben, dass sie bestimmt, wo es langgeht. In Wirklichkeit ist es aber genau umgekehrt. Meine Mutter redet, mein Vater bestimmt. Jedenfalls war das bisher so.

»Er kann nicht ans Telefon. Er schläft«, sage ich, so ruhig wie eben möglich, zu Birgit, »du musst also leider mit mir vorlieb nehmen.«

»Oh, da ist aber jemand richtig beleidigt«, bemerkt meine Schwester trocken, »nimm dich mal zusammen, hier geht es nämlich mal nicht um dich.«

Gut retourniert. Eine Situation wie beim Tennis. Man hat einen irrsinnig guten Aufschlag, freut sich noch über den Schlag und ist auf die Antwort, einen schnellen Schmetterball, nicht vorbereitet. Mal nicht um dich! Das ist dermaßen dreist, dass es mir fast die Sprache verschlägt. Es geht so gut wie nie um mich!

»Hast du mit Mama gesprochen?«, verlange zur Abwechslung mal ich ein paar Infos.

»Ja«, sagt Birgit nur.

»Geht es auch ein wenig genauer?«

»Sie konnte nicht frei reden, dieser Fred war da«, ist Birgits Antwort.

Meine Güte, man kann wirklich sagen, meine Mutter verschwendet keine Zeit. Kaum ist mein Vater zur Tür raus, ist schon der andere da. In unserem Elternhaus! Das ist doch echt reichlich abgebrüht. Schlafen die beiden jetzt etwa auch im Ehebettchen? Isst dieser Fred von Papas Tellerchen und trägt er vielleicht schon seinen Bademantel? Was werden die Nachbarn dazu sagen? Geht es nicht auch eine Nummer diskreter?

»Was ist denn mit der los?«, frage ich nochmal nach.

»Es muss irgendwas Hormonelles sein, anders kann ich mir das nicht erklären. Sie hat aber gesagt, heute Abend könnte sie mit mir sprechen.«

Das ist aber gnädig von Ehebrecher-Mama. Bisher hatte ich immer noch die kleine Hoffnung, das ganze Theater könnte ein gigantisches Missverständnis sein, aber diese Hoffnung löst sich soeben in Luft auf. Wenn der Kerl, dieser Rasenfreak, schon bei ihr eingezogen ist, schafft das eine völlig neue Situation. Keine besonders erfreuliche.

»Was machen wir jetzt?«, frage ich tatsächlich Birgit um Rat.

»Ich fahre heute Abend hin. Dann sehen wir weiter.«

War ja klar – kein »Wir fahren«, sondern ein »Ich fahre«.

»Sollten wir nicht besser alle zusammen, also wir drei, du, Stefan und ich, mal mit ihr reden?«

»Ich weiß nicht so recht«, schwankt Birgit, »vielleicht ist das ungünstig. Drei gegen eine. Das sieht dann wie so eine Front aus. Eine Mauer. Vielleicht bleibst du besser bei Papa, und Stefan ist wohl eh nicht der Richtige für so was. Der kriegt ja selbst keine gescheite Beziehung auf die Reihe.«

Zack, mit einem Satz auch noch dem Bruder einen mitgegeben. Dass jemand Single ist, heißt ja noch lange nicht, dass er keine Ahnung hat. Eventuell hat er sogar wesentlich mehr Ahnung und ist schon deshalb Single, weil er weiß, dass eine Partnerschaft per se nicht glückbringend ist. Außerdem hatte Stefan schon diverse Beziehungen und kennt sich auch mit Trennungen sehr gut aus. Birgit lenkt nach einer kurzen Pause ein.

»Gut, Andrea, dann fahren eben wir beide. Aber Stefan nicht. Der kann sich ja solange um Papa kümmern.«

Das klingt doch schon vernünftiger, ist vielleicht nicht ganz fair Stefan gegenüber, aber manchmal erfordert das Leben kleine Opfer. Und es ist mir lieber, das Opfer heißt Stefan und nicht Andrea. »Okay, abgemacht, Birgit. Treffen wir uns um acht Uhr bei Mama.«

Bei mir klingelt es. An der Haustür. Aber unser Gespräch ist sowieso zu Ende. Ich würge Birgit, die noch herzliche Grüße an Papa ausrichten lässt, ab und sage einfach: »Also bis dann. Tschüs.«

Da bin ich aber mal sehr gespannt, ob sich Birgit an unsere Verabredung hält. Sie kommt nämlich gerne mal ein halbes Stündchen früher, um ein wenig Exklusivwissen zu erhalten. Raffiniert. Aber das wird mir heute nicht passieren. Ich fahre einfach schon um halb acht hin und tue so, als wären wir um halb verabredet gewesen. Man kann sich ja durchaus mal irren. Die schlage ich ab jetzt mit ihren eigenen Waffen. Das wollen wir doch mal sehen! Vor allem diesmal. Schließlich habe ich einen ordentlichen Trumpf oben in der Bob-der-Baumeister-Bettwäsche liegen und keinerlei Hemmungen, ihn auch auszuspielen. Wenn der ausgeschlafen hat, werde ich nochmal versuchen, was aus ihm rauszukriegen.

Ich gehe zur Haustür. Es ist kurz nach halb elf, und mal wieder steht eine perfekt zurechtgemachte Iris vor meiner Tür. Diese Iris-Frauen schaffen es, ohne auch nur ein Wort zu verlieren, dass man sich selbst irgendwie sofort unzulänglich fühlt.

»Hallo, Andrea«, begrüßt sie mich herzlich.

Seit einigen Monaten sind wir per du – kein Wunder, ich sehe sie fast mehr als meinen eigenen Mann.

»Willst du einen Kaffee?«, frage ich meine beste Kundin, die mittlerweile eine Freundin geworden ist, weil ich erstens selbst noch einen brauchen könnte und das zweitens ja auch zur Kundenpflege gehört.

»Gerne«, strahlt sie. »Schwarz wie immer, keine Milch, keinen Zucker.«

»Wozu auch, Sie sind wahrlich süß genug«, höre ich eine Stimme von der Treppe.

Mein Vater scheint von den Toten auferstanden zu sein und lehnt so lässig wie möglich am Treppengeländer. Hat der eben tatsächlich diese abgegriffene Bemerkung gemacht? Süß genug! Peinlich. Was will der denn jetzt hier? Als mein Vater Iris gegenübertritt, strafft er sich unweigerlich, streckt sich und grinst sie an.

»Hallo, ich bin der Franz. Der Vater von Andrea!«

Sie zirpt direkt zurück: »Der Vater, das kann ja nicht sein. Ich dachte schon, Sie wären der Hausfreund.«

Komplimente können noch so profan sein, sie werden meistens gerne genommen. So auch in diesem Fall. Beide strahlen von einem Ohr zum anderen. Unglaublich! Mein Vater, eben noch ein kümmerliches Hutzelmännchen in Depri-Stimmung, flirtet. Zwar etwas unbeholfen, wie jemand, der ein wenig aus der Übung ist, aber er flirtet. Wie schnell so was gehen kann. Schon erstaunlich. Eine nette Bemerkung, und er blüht auf. Dass derselbe Mann noch vor zwei Stunden hier auf der Couch lag und Tränen in den Augen hatte, unvorstellbar.

»Krieg ich auch einen Kaffee, Andrea?«, fragt er dann auch noch. Hat der nicht vorhin gesagt, sein Blutdruck erlaube keinen Kaffee? Ich will ihn vor Iris nicht bloßstellen (Blutdruckbemerkungen machen nicht unbedingt jünger) und denke, er ist alt genug, um zu wissen, was er will. Immerhin ist mein Vater einundsiebzig. Wenn er einen Kaffee will, bekommt er einen.

»Setzen wir uns doch«, sagt mein Vater zu Iris und deutet auf die Couch. Er scheint sich schon ziemlich zu Hause zu fühlen.

»Was verschlägt denn eine Frau wie Sie hier raus?«, geht sein Geplänkel weiter.

In dieser, auf den ersten Blick harmlosen Frage steckt eine winzige Spitze, die aber, außer mir, anscheinend niemand bemerkt. Iris lacht schon wieder, gerade so, als hätte mein Vater einen gewaltigen Witz gemacht. Ich bringe den Kaffee und beschließe, die Turteltäubchen sich selbst zu überlassen. Iris schüttelt ihre blondgesträhnte Mähne, und mein Vater starrt sie begeistert an. Natürlich würde ich mich aus Neugier gerne dazusetzen, aber mein Keller ruft, und als ich die beiden frage, ob es ihnen was ausmacht, wenn ich sie eine Weile alleine lasse, kommt keinerlei Gegenwehr. Mein Vater wirkt eher erleichtert. Vielleicht schämt er sich, vor seiner Tochter so rumzubalzen.

In meinem Büro suche ich schnell die Abrechnungen für Iris raus und mache mir Arbeitslisten. Was heute dringend erledigt werden muss. In der Zeit könnte ich wahrscheinlich schon einen Teil abarbeiten, aber Listen schaffen Struktur. Es klingelt schon wieder.

»Ich gehe schon«, ruft mein Vater und macht sich nützlich.

Einen Moment später steht Annabelle im Keller. Meine Channeling-Annabelle. Mist, ich habe heute Morgen, durch die ganzen Verwicklungen, völlig vergessen, sie anzurufen. Die ist nach gestern Abend bestimmt immer noch sauer. Ich nehme sie zur Begrüßung in den Arm und leiste sofort Abbitte, komme also jeglichem Vorwurf zuvor.

»Es tut mir leid, ich bin manchmal schrecklich ignorant, entschuldige«, sage ich. Kleine Lüge, ich finde mich eigentlich nicht besonders ignorant, aber Freundschaften verlangen ab und an eben Opfer. Auch Annabelle kenne ich durch meine eBay-Geschäfte. Wir haben uns, so wie Iris und ich, angefreundet. Annabelle ist das, was man gemeinhin als guten Mensch bezeichnet. Ihr würde man bedenkenlos einen kranken angefahrenen Igel oder auch die Kinder überlassen. Annabelle ist nur ein wenig Esoterikbesessen. Sie glaubt an die heilende Kraft der Steine und daran, dass Krankheiten eine Botschaft haben. Ich bin da, genau wie beim Channeling, eher skeptisch, sie weiß das und glaubt, es läge daran, dass ich zumache. Mich nicht einlassen will. Noch nicht wirklich bereit bin. Dabei will ich durchaus. Auch ich bin, so wie die meisten Menschen, natürlich immerzu auf der Suche nach dem großen Sinn des Lebens, aber durch meinen turbulenten Alltag widme ich dieser Suche nicht allzu viel Zeit. Trotz meiner generellen Bereitschaft habe ich allerdings erhebliche Probleme, zu erkennen, welche Rolle da ein paar Steine spielen könnten. Annabelle hat, und das ist ihre leicht nervige Seite, etwas Missionarisches. Eine Eigenschaft, die mir insgesamt unangenehm ist. Kann man die Menschen nicht einfach in Ruhe lassen? Warum darf nicht jeder, solange es sich im Bereich des Legalen bewegt, nach seiner Fasson glücklich werden? Warum müssen auf einmal alle stillen oder joggen oder kein Weißbrot mehr essen? Darf der Mensch nicht wenigstens im Kleinen noch eigene Entscheidungen treffen? Irgendwann ist es soweit, dass man nur noch heimlich Baguette essen darf! Annabelle scheint zum Glück ein bisschen besänftigt.

»Na, da bin ich aber froh, Andrea«, entgegnet sie mir. »Ich habe echt schlecht geschlafen heute Nacht. Und mich wegen Jesus und vor allem meiner Oma auch ganz schön geärgert. Aber natürlich nehme ich deine Entschuldigung an.«

Uff – durchgekommen. Hätte mich auch sehr gewundert, wenn Annabelle jetzt rumgezickt hätte. Das ist das Gute an Gutmenschen. Sie sind sehr gut im Verzeihen. Ich gebe ehrlich zu, ich selbst hätte mich noch ein wenig mehr bitten lassen, aber Annabelle zeigt wahre Größe.

»Hast du was für mich, oder bist du nur so da?«, beende ich das, für mich eher unangenehme, Thema mit einer Frage.

»Na ja«, antwortet sie ein wenig verhalten, »ich finde, also nach gestern und so, du bist mir noch was schuldig.«

In Gedanken nehme ich alles zurück, was ich über Annabelle und ihren Großmut gedacht habe. Von wegen Verzeihen.

»Und was bin ich dir schuldig? Deine Oma oder was?«, will ich wissen.

Okay, das könnte man jetzt gefühllos nennen, aber so schlimm war mein Verhalten gestern nun auch nicht. Und umgekehrt könnte man sie auch dafür haftbar machen, dass sie mich überhaupt zu diesen Wahnsinnigen geschleppt hat. Also genau genommen sind wir quitt. Ich bin mitgegangen, um ihr einen Gefallen zu tun, und habe mich da vielleicht nicht optimal benommen. Ein eindeutiges Unentschieden.

»Annabelle, rück raus damit«, werde ich ungeduldig, »ich muss dringend noch zwei Texte schreiben und Abrechnungen machen. Außerdem hockt da oben mein Vater, eine emotionale Zeitbombe, mit Iris auf dem Sofa und redet sich wahrscheinlich um Kopf und Kragen. Und Iris will auch noch was von mir.«

»Ach, deine tolle Iris schon wieder«, stänkert Annabelle wie eine beleidigte Erstklässlerin sofort los. Sie verzieht ihr Gesicht. Iris ist ihr persönliches rotes Tuch, dabei ähneln die zwei sich bei gründlicher Betrachtung. Was natürlich beide mit Vehemenz abstreiten würden. Schon deshalb werde ich mich hüten, das jemals zur Sprache zu bringen. Man muss ja nicht jeden mögen. Ich hingegen mag beide.

Aber doch kurz zu den Ähnlichkeiten: Beide arbeiten nicht. Beide haben keine Kinder. Beide kaufen gerne ein – wenn auch sehr unterschiedliche Dinge, die eine eher Pendel und Kristalle und die andere eher Chanel-Ballerinas und Fendi-Täschchen – und beide scheinen reichlich Freizeit zu haben. Und auch ein gehöriges Maß an Langeweile.

Für Annabelle ist Iris eine typische tumbe Wohlstandstusse. Eine, die sich nur um ihr Äußeres und kein bisschen um ihr Inneres kümmert. Außen hui – innen pfui, hat sie das mal sehr drastisch beschrieben. Stimmt auf den ersten Blick auch – jedenfalls das mit dem Außen hui. Um so auszusehen wie Iris, reichen gute Gene nicht aus. Da ist ein strammer täglicher Pflegeplan nötig. Wie sagt meine Mutter gerne: »Von nichts kommt auch nichts.« Das gibt Iris auch zu. Sie gehört nicht zu den unerträglichen Frauen, die behaupten, ihr fantastisches Aussehen nur viel Wasser und ausreichendem Schlaf zu verdanken. Iris geht täglich ins Fitnessstudio und hat genaue Pläne, wann rasiert, gepeelt und gesträhnt wird. Ihre Finger- und Fußnägel werden von Fachpersonal in Schuss gehalten. Einmal wöchentlich. Das Resultat kann sich auch wirklich sehen lassen. Iris ist eine Frau, die sich komplett unter Kontrolle hat. Optisch. Beneidenswert. Vor allem, weil man ihr diese Anstrengung nicht ansieht. An ihr wirkt alles selbstverständlich. Es würde einen nicht wundern, wenn sie schon morgens so aus den Federn schlüpfen würde. Tut sie auch fast. Hat sie mir mal gebeichtet. Fritz, der Mann, der all diese Pflege und Einkäufe finanziert, ihr Ehemann eben, hat eine kleine Macke. Er sieht seine Frau Iris nicht gerne ohne alles. Natur pur ist ihm ein Graus. »Er findet, ich sehe dann aus wie ein unscheinbarer Albino.« Für so eine Bemerkung hätte ich Christoph den Mund stundenlang mit Seife ausgewaschen. Statt ihm wenigstens einen Vogel zu zeigen, steht Iris morgens doch glatt vor ihm auf, macht sich Haare und Gesicht zurecht, investiert gute zwanzig Minuten, kocht dann Kaffee, schlüpft nochmal unter die Bettdecke und reicht ihrem dreisten Fritz auch noch einen perfekten Milchkaffee, passend zum schon perfekten Gesicht. Eine reichlich alberne Prozedur. Schließlich weiß Fritz ja, dass das, was er dann beim Aufwachen sieht, schon bearbeitet wurde. »Aber das stört ihn nicht«, hat mir Iris erklärt. »Er will mich perfekt, also kriegt er mich perfekt.« Wie man sich auf so etwas einlassen kann, ist mir schleierhaft. Iris ist da ziemlich schmerzfrei und wesentlich pragmatischer. »Was soll's, ich schminke mich ja eh, wenn ich aufstehe. Dann stehe ich halt früher auf und erhalte ihm seine Illusion von der rund um die Uhr perfekten Frau. Alles im Leben hat seinen Preis.« Wenn das der Preis fürs Einkaufen ist, wäre ich nicht bereit, ihn zu zahlen. Jemand, der mein Gesicht im Rohzustand so abstoßend findet, dass er es nicht ertragen kann, käme für mich als Ehemann nicht in Frage. Man kann seinem Partner ja durchaus mal einen Gefallen tun, aber das hat mit einem Gefallen ja kaum mehr etwas zu tun. Das ist eine sehr subtile Form der Demütigung und fast schon ein Fall für amnesty. Wenn es nicht um Iris ginge, wäre das eine wunderbare Klatschgeschichte. Der deutliche Beweis, dass manche Frauen einfach alles für Kohle machen. An ihren Männern kann man bei manchen Frauen deutlich ablesen, wie sehr sie es hassen müssen zu arbeiten. Ganz so simpel ist es im Fall von Iris aber nicht. Trotzdem – diese Information wäre Wasser auf Annabelles Mühlen.

Sie rollt auch so die Augen.

»Lass die Iris, die ist in Ordnung. Ich mag sie«, werfe ich mich verbal vor Iris, »sage mir lieber, wie ich Buße tun muss. Das ist es doch, was du verlangst.«

»Dass du immer so übertreiben musst«, beschwert sich Annabelle. »Du musst keine Buße tun, aber ich finde einfach, dass du mir noch was schuldig bist. Ich habe uns angemeldet zum Rebirthing. Ich glaube, das ist eher was für dich als das Channeling. Und auch die Asmara, unsere Channeling-Meisterin, findet, das wäre gut für dich. Und ich wollte das schon lange mal machen.«

Hilfe. Rebirthing. Ich habe nicht mal die winzigste Ahnung, was das sein kann, aber es klingt nach nichts, was mir Spaß machen wird.

»Ich glaube, ich habe leider gar keine Zeit«, rede ich mich sofort raus.

»Erwischt«, ruft sie und kichert, »ich habe ja noch gar nicht gesagt, wann das Seminar stattfindet.«

So eine Scheiße. Reingefallen.

»Christoph muss die ganze Woche arbeiten, ich habe niemanden für die Kinder«, versuche ich zu retten, was zu retten ist.

»Das klären wir, wenn es soweit ist«, zerstört sie mir auch noch meine nächste Ausrede. »Termin ist am Freitag. Du musst nur lockere Kleidung anziehen. Mehr nicht. Das wird so erhellend, du wirst sehen.«

Ich muss unbedingt im Internet recherchieren, worum

es beim Rebirthing geht. Erhellend kann ja vieles sein. Rebirthing heißt Wiedergeburt – zum schnöden Übersetzen langt mein Englisch. Aber was soll's, ich gehe da eh nicht hin. Das Channeling hat mir genügt. Zur Not lege ich mir eine fiese Kinderkrankheit zu. Irgendwas extrem Ansteckendes und sage kurzfristig ab. Da wird mir schon was einfallen.

»Tja, also ich schau mal. So richtig verrückt bin ich ehrlich gesagt nicht drauf«, versuche ich ehrlich aus der Nummer rauszukommen.

»Weiß ich«, kontert Annabelle, »gerade deshalb nehme ich dich ja mit. Weil du selbst noch nicht weißt, was gut für dich ist.«

Ich weiß nicht, was gut für mich ist? Aber dafür weiß es Annabelle. Das ist zwar frech, aber auch schon fast witzig. Was bildet die sich denn ein?

»Ich rufe dich an, Andrea, und sage dir, wann und wo wir uns treffen. Versuch gar nicht erst, dich zu drücken. Du wirst sehen, das Rebirthing ist eine ganz andere Geschichte als das Channeling.«

Mit diesen Worten wendet sie sich zum Gehen.

»Ich bringe dich noch zur Haustür«, sage ich, und wir verlassen den Keller.

Oben angekommen, tritt mein Vater in Aktion.

»Wo will denn die junge Frau so schnell wieder hin?«, fragt er, und selbst bei einer Frau wie Annabelle, bei der ich wirklich sicher war, dass so ein Gesülze sie kalt lässt, zeigen seine Worte Wirkung.

»Ich muss zum Hatha-Yoga«, lächelt sie meinen Vater an, »war aber schön, Sie mal kennenzulernen.«

»Na, dann viel Spaß. Trinken wir eben nächstes Mal einen Kaffee zusammen«, verabschiedet sie mein Vater.

Wenn das meine Mutter hören könnte. Diese schwallartigen Schmeicheleien, sie würde einen Anfall kriegen. Sonst ist mein Vater eher wortkarg und auch ein wenig stoffelig. Eigenschaften, die meine Mutter ihm oft genug vorwirft, obwohl sie an diesem Verhalten sicherlich eine Teilschuld trägt. Dass er durchaus anders kann, ist heute Morgen offensichtlich.

Auch Iris scheint begeistert.

»Du hast mir ja nie erzählt, was du für einen tollen Vater hast, Andrea, der Franz ist ja soo lustig. Und so offen.«

Meine Güte. Was hat mein Vater da bloß erzählt? Der redet sich hier in meiner Abwesenheit um Kopf und Kragen. Aber ich bin ja nicht seine Babysitterin, sondern seine Tochter, kann also nicht rund um die Uhr neben ihm sitzen und aufpassen. Und im Prinzip kann es mir ja auch egal sein. Er ist erwachsen, und es tut ihm offensichtlich gut. Vielleicht wird es trotzdem mal Zeit, die frischgebackenen Turteltäubchen auseinanderzureißen, bevor er sie noch in seine Bob-der-Baumeister-Bettwäsche lockt.

»Iris, lass uns runtergehen und das Geschäftliche erledigen. Und Papa, vielleicht hast du Zeit, mal eben für mich zur Post zu gehen. Ein paar Pakete wegbringen.«

Begeistert scheinen die beiden von meinem Vorschlag nicht zu sein, aber sie fügen sich.

»Mach ich, Andrea, kein Problem«, sagt mein Vater, und an seinem schnellen Ja merkt man die jahrelange Schule meiner Mutter. Mein Vater ist Anweisungen gewöhnt.

Bevor er sich auf den Weg macht, nimmt er Iris in seine Arme und sagt bedeutungsvoll: »Wir sprechen uns noch. Wir zwei. Bis bald, Iris.«

Iris will gar nicht mehr raus aus den Armen meines Vaters. Die tut ja gerade so, als müsste sie sich jetzt und hier von ihrer großen Liebe für immer verabschieden. Die Szene hat was von Casablanca. Ich würde zu gerne wissen, wie mein Vater das in der Kürze der Zeit angestellt hat und vor allem, warum diese Methode bei meiner Mutter offensichtlich keine Wirkung mehr zeigt. Mein Vater ist augenscheinlich ein wahrer Womanizer. Das hätte ich nie für möglich gehalten.

»Iris, jetzt komm halt«, werde ich ein bisschen ungeduldig. Widerwillig löst sie sich aus der Umarmung, ich drücke meinem Vater die Päckchen in die Hand, und er trollt sich.

»Was war denn das jetzt?«, will ich, kaum hat mein Vater die Tür zugeschlagen, von Iris wissen.

»Er ist wunderbar. So verständnisvoll. Ich habe mit ihm über Fritz gesprochen und meine Probleme, und endlich hat mir mal einer zugehört.«

Ich will den Mythos meines Vaters nicht abrupt zerstören, aber ich bin sicher, er hätte Iris auch zugehört, wenn sie über Windeln oder Badezimmerkacheln referiert hätte. Bei ihrem Aussehen lag die Faszination sicherlich weniger in der Thematik. Iris ist der Typ Frau, bei dem Männer kaum fassen können, dass diese Frau sich überhaupt mit ihnen abgibt. Eine Egobalsamfrau.

»Andrea«, bricht es aus ihr heraus, »ich habe ein Problem. Du erinnerst dich vielleicht, ganz zu Anfang habe ich dir mal so ein Wickelkleid gebracht. Dieses komische Grüne mit dem Türkis.«

In mir steigt leise Panik auf. Das grüne Wickelkleid, wenn sie wüsste, wie gut ich mich daran erinnern kann und vor allem, wie nah uns dieses Kleid im Moment ist. Es hängt in meinem Kleiderschrank genau zwei Stockwerke über uns.

»Ja, dunkel erinnere ich mich, war das nicht so ein, ein Fürstenberg-Teil?«, mime ich die Ahnungslose.

»Genau«, seufzt sie, »und dummerweise erinnert sich auch der Fritz an das Kleid, und er will, dass ich es am Wochenende zu einer großen Party trage.«

Noch ist mir das Problem nicht ganz klar. »Ja, aber du hast es doch verkauft«, entgegne ich.

»Eben, das ist ja das Problem. Der Fritz weiß doch nicht, dass ich viele von den Sachen verkaufe. Da wäre der voll sauer. Das mache ich doch nur, weil, bitte sag das keinem weiter, weil der mich ansonsten ganz schön knapp hält.«

Da tun sich ja Abgründe auf. Ich dachte immer, Iris hätte so viel Geld, dass sie gar nicht wüsste, wohin damit.

»Ich verstehe nicht ganz. Ich dachte, der Fritz hat viel Geld?«, versuche ich die Angelegenheit zu klären.

»Ja, doch schon, wenn Publikum dabei ist«, antwortet sie verlegen, »aber eigentlich ist der Fritz total geizig. Nur beim Einkaufen kehrt der den großen Max raus. Ansonsten muss ich mit zweihundert Euro in der Woche auskommen. Und so einer wie der Fritz hat ja keine Ahnung, was eine ordentliche Maniküre und der ganze Kram kosten. Und das Essen muss ich davon auch bezahlen. Deshalb verkaufe ich immer ein bisschen was. Dann komme ich super zurecht.«

Was für ein Arschloch, einen auf dicke Hose machen, wenn andere hingucken, und ansonsten ein Geizhals sein. Ich fand Fritz in Iris' Schilderungen nie besonders sympathisch, aber erst jetzt erkenne ich die volle Tragweite. Fritz ist ein richtiger Kotzbrocken.

»Dann sag ihm doch die Wahrheit, dass du das Kleid nicht mehr hast. Du kannst ja behaupten, du hättest es verloren«, mache ich ihr einen ersten Lösungsvorschlag.

»Wo soll ich denn ein Kleid verloren haben? Dafür

müsste ich es ja ausgezogen haben, und was er dazu sagen würde, will ich mir gar nicht vorstellen«, jammert sie.

Stimmt, Kleider verliert man eher selten.

»Du hast doch genug von den Wickeldingern, zieh doch ein anderes an. Das merkt der sicher gar nicht«, suche ich weiter nach einer eleganten Lösung.

Christoph jedenfalls würde keinen Unterschied merken. Vielleicht mal kurz stutzen und fragen, ob das nicht eine andere Farbe hatte, aber wenn ich sagen würde, dass das schon immer so war, würde er es schlucken.

»Da kennst du meinen Fritz aber schlecht«, sagt Iris, »was mein Aussehen angeht und meine Klamotten, da ist der so was von aufmerksam. Kann man leider ansonsten nicht behaupten.«

So langsam keimt in mir die Frage auf, warum man bei einem Mann wie Fritz bleibt. Das klingt ja alles ziemlich gruselig. Aber eine Scheidung wegen eines Wickelkleides vorzuschlagen, ist vielleicht ein bisschen zu weit gegriffen, Mord gehört nicht zu den adäquaten Mitteln, und letztlich sollte jede Frau doch selbst entscheiden, welchen Preis sie zu zahlen bereit ist. Ein gewisses Manko haben sie alle, die Männer. Das finden viele bestimmt sehr desillusionierend, aber es ist einfach die Wahrheit.

»Man kann sie sich eben nicht backen«, ist eine Weisheit meiner Mutter, und so schade das auch ist, es stimmt. Und was die eine unerträglich findet, hält die Nächste ganz gut aus. Geiz und eine dermaßene Fixierung aufs Aussehen wären für mich unerträglich. Da könnte Fritz ansonsten ein Knaller sein – das würde ich mir nicht bieten lassen.

»Iris, du entscheidest doch, was du auf einer Party anziehst. Sag doch einfach, das Kleid hat einen Fleck oder ist in der Reinigung oder beides.«

Das ist nun wirklich eine saubere Lösung für das Problem. Hach wie doppeldeutig. Eine saubere Lösung durch ein dreckiges Kleid. Eine geniale Idee, finde ich.

»Das klappt nicht«, zeigt sich Iris nicht ganz so begeistert wie erwartet, »die Party ist eine Farbmottoparty, Aquariumsfarben. Weil der Hubert, bei dem die Party stattfindet, doch eine Aquariumszubehörhandlung hat. Kannst du mir das Kleid bis zum Wochenende nicht wieder beschaffen? Du hast doch die Angaben der Käuferin! Biete ihr mehr Geld. Egal, was es kostet. Dann hast du echt einen gut bei mir.«

Langsam wird die Sache richtig peinlich. Ich meine, ich könnte die ganze Diskussion locker beenden, oben an meinen Kleiderschrank gehen und ihr das Kleid holen. Das wäre nur fair, aber es würde bedeuten, dass ich mit der Wahrheit rausrücken müsste. Auch das würde sich gehören, denn Iris ist ja mehr als eine Kundin. Sie ist eine Freundin. Ich entscheide mich, trotz aller guten Argumente, für einen anderen Weg.

»Das wird schwierig, aber ich werde das Kleid für dich auftreiben«, sage ich, und Iris ist sichtlich erleichtert.

»Danke, du bist die Beste«, strahlt sie mich an, und ich fühle mich wieder mal wie Judas.

»Ich muss dann mal los, zum Waxing. Ich melde mich übermorgen bei dir. Danke, Andrea, was wäre ich bloß ohne dich.«

Eine Frau mit grün-türkisem Wickelkleid, denke ich, halte aber meinen Mund.

Nachdem Iris endlich weg ist, widme ich mich meinen E-Mails, beantworte unsinnige Fragen nach Ärmellängen, Rollkragenweite und kläre Zahlungsmodalitäten.

Und schon wieder stoße ich auf eine E-Mail von einem gewissen Herrn Lümmert. Es ist nicht seine erste Mail an mich. Und es sind merkwürdige Mails, die er schreibt. Meine rege eBay-Tätigkeit und meine Texte seien ihm aufgefallen und es wäre schön, wenn ich mich diesbezüglich mit ihm in Verbindung setzen würde. Was will dieser fremde Mann nur von mir? Bisher habe ich ihm nicht geantwortet, schon weil ich ein wirklich ungutes Gefühl habe. Ist dieser Mann vom Gewerbeaufsichtsamt? Oder vom Finanzamt? Ich habe gedacht, wenn ich ihn und seine Mails ignoriere, hört er damit auf. Tut er aber nicht. Im Gegenteil. Diesmal bittet er sogar um einen Anruf. Es sei dringend. Wenn ich mich nicht melde, würde er auch andere Wege beschreiten, um mich zu erreichen. Das klingt nun echt bedrohlich. Soll ich warten, bis irgendein Offizieller vor meiner Tür steht oder mir eine Anzeige ins Haus flattert? Oder soll ich nicht doch besser in die Offensive gehen? Ich bin nun wahrlich keine besonders große Nummer in diesem Geschäft. Gibt es da nicht andere, die vor mir dran wären? Ich bin in dieser Hinsicht doch echt nur ein kleines Licht. Aber so ist das ja oft. Die Großen lassen sie laufen, und an den Kleinen wird ein Exempel statuiert.

Ich habe schon überlegt, mit Christoph zu reden, aber der ist zurzeit gedanklich ganz weit weg. Er ist mit seinem Marathon beschäftigt. Ende der Woche ist es soweit. Sein großer Tag naht. Der New-York-Marathon. Sein allererster Marathon. Wenn schon Marathon, dann kommt nur New York in Frage, war seine Devise. Was Christoph macht, macht er richtig. Da kann er geradezu akribisch werden. Deshalb richtet er sein Leben in den letzten Monaten nur nach irgendwelchen Plänen aus. Trainingsplänen wohlgemerkt. Und da er ja tagsüber dummerweise ins Büro muss, läuft Christoph am frühen Morgen oder nach Büroschluss. Das ist, was den Trainingseifer angeht, durchaus lobenswert, was die Zeit für die Familie angeht, allerdings unerfreulich. Vor allem am Abend. Denn natürlich kann der Herr Sportler nicht mit der Familie essen, wenn er danach noch laufen muss. Leuchtet mir ein, dass man mit vollem Magen keine fünfzehn Kilometer mehr rennen sollte. Aber leider kann der Rest der Familie auch nicht warten, bis die Trainingsstrecke absolviert ist. Deshalb müssen die Kinder und ich an den drei Trainingsabenden in der Woche auf Christoph verzichten. Auf meine kleinen Sticheleien diesbezüglich hat er sehr gelassen reagiert.

»Es muss sein. Ich bin auch nicht verrückt danach, durch die Dunkelheit zu rennen, aber wenn ich nicht regelmäßig trainiere, werde ich es auch nicht schaffen.«

Grubenlampe auf und weg. Ende des Gesprächs. »Na und«, hätte ich gerne gesagt, aber ich weiß, wie wichtig ihm dieser Lauf ist, und halte die Klappe. Wenn sich Christoph abends auf seine Runde macht, dann sieht er aus wie ein Bergarbeiter, der zur Schicht einfährt. Trainingssachen mit Leuchtstreifen und um den Kopf ein Stirnband mit Lampe. Das sieht absolut albern aus, aber da kennt Christoph nichts.

»Ich muss doch sehen, wo ich laufe«, argumentiert er durchaus vernünftig. Außerdem hat sich ein Bekannter von uns beim Joggen in der Dämmerung beide Arme gebrochen und brauchte dann selbst beim Po-Abputzen die Hilfe seiner Frau. Eine Vorstellung, die weder Christoph noch mir gefällt. Trotzdem – mir wäre diese Aufmachung peinlich, aber ich komme ja sowieso nicht in Versuchung zu laufen. Da brauche ich mir auch um das Outfit keine Gedanken zu machen. Ich glaube, mein Mann braucht den Marathonlauf. Als Bestätigung. Ich wäre nicht bereit, mich für diesen kurzen Moment des Triumphes dermaßen zu schinden. Einen Marathon läuft man nämlich nicht einfach mal so. Zweiundvierzig Kilometer können sich verdammt ziehen. Ich bin bisher nie eine längere Strecke als fünf Kilometer gerannt, und wenn ich ehrlich mit mir selbst bin, kann man das auch nicht wirklich rennen nennen.

Die Auswirkungen seines Trainings sind eigentlich eine gute Reklame fürs Joggen. Er hat abgenommen und ist mindestens so gut in Form wie zu der Zeit, als wir uns kennengelernt haben. Er sieht wirklich lecker aus. Leider ist viel mehr als Angucken zurzeit aber nicht drin. Nach seinen Abendläufen ist Christoph so kaputt, dass er, nachdem er literweise Wasser mit irgendwelchen dubiosen Zusätzen in sich reingeschüttet und sich geduscht hat, meist schon auf der Couch wegratzt. Wann Leistungssportler Sex haben, ist mir ein Rätsel. Schließlich rackern die sich doch täglich auch schon so genug ab. Ob sich ein Körper an diese Strapazen gewöhnt? Angeblich wirkt doch regelmäßiges Joggen sogar günstig auf die Libido. Davon ist in unserem Fall allerdings gar nichts zu merken.

Außerdem, wenn Christoph nicht rennt, blättert er in Laufbüchern oder checkt seinen neuen, besten Freund – den Blackberry. Ich bin schon froh, dass er im Bett nicht zwischen uns liegt, dieser Störenfried Blackberry, so innig ist sein Verhältnis zu diesem kleinen schwarzen, auf den ersten Blick völlig unscheinbaren Gerät. Eigentlich nicht mehr als ein Telefon, auf dem man auch Mails empfangen kann. Aber eben immer und überall. Seit Christoph dieses Teil besitzt, ist rund um die Uhr Bürozeit. Schon deshalb gehören diese Geräte eigentlich verboten. Manche Ehefrauen erinnern sich schon gar nicht mehr daran, wie ihr

Mann aussieht, weil der Kerl Tag und Nacht das Gerät vor dem Gesicht hat. Es kommt sogar zu Eifersuchtsszenen. Ein skurriler Kampf: Frau gegen Blackberry. Wahrscheinlich wird es in wenigen Jahren normal sein, dass wir so ein Ding direkt eingepflanzt bekommen oder es uns durch Genmutation einfach aus dem Unterarm wächst.

Bis dahin gelten bei uns jedenfalls strenge Regeln. Beim Frühstück herrscht ein Blackberry-Verbot. Und auch ins Schlafzimmer darf der Blackberry nicht. Dieses ständige Gepiepse kann einem auch wirklich auf den Keks gehen. Die Kollegen meines Mannes senden zu jeder erdenklichen Tages- und Nachtzeit Mails und erwarten natürlich auch postwendend Antwort. Vor allem seit Christoph zum Junior-Partner in der Kanzlei aufgestiegen ist. Ich dachte immer, Chefs werden eher in Ruhe gelassen, aber inzwischen weiß ich, dass es sich dabei um einen großen Irrtum gehandelt hat. Chefs müssen alles absegnen. Und da sich keiner traut, dem Oberpartner Dr. Langner nachts eine Mail zu schicken, wenden sich alle an Christoph. Vor allem, weil Dr. Langner nicht mal einen Blackberry hat. Er könne damit nicht umgehen, behauptet er. Die Tasten seien so klein. Wie schlau von ihm. Das ist wahres Chefsein.

Christoph fliegt am Samstagmorgen nach New York. Damit er wenigstens noch einen Tag hat, um sich zu akklimatisieren. Sonntag ist der Lauf. Schon seit Wochen steht seine Reisetasche parat. Sein wichtigstes Laufutensil ist eine Uhr mit GPS. Global Positioning System. Ein unglaubliches Etwas. Diese Uhr zeigt nicht nur an, wie weit man gelaufen ist, sondern auch noch welche Strecke. Nach dem Lauf schließt man sie an den Computer an und kann dann genau sehen, wo man mit welcher Herzfrequenz und welchem Tempo gerannt ist. Man sieht richtige Landkarten und darauf markiert die Laufstrecke. Ein kleines Wunderwerk. Christoph ist nahezu abhängig von diesem mir unverständlichen Ding. Es sieht aus wie eine Monsterarmbanduhr und ortet beim Einschalten den jeweils nächsten Satelliten. Obwohl Christoph schon mehrfach versucht hat, mir zu erklären, wie das funktioniert, habe ich es, ehrlich gesagt, bis heute nicht ganz richtig verstanden. Das Schöne an der Uhr – ich habe sie ihm geschenkt. Dass er zu einer Art Leibeigener der Uhr mutieren würde, habe ich selbstverständlich nicht geahnt. Die Uhr macht ihm nämlich ordentlich Druck. Wenn er seine Durchschnittskilometergeschwindigkeit nicht schafft, bekommt er schlechte Laune. Wenn sein Puls ein wenig höher ist als sonst, hat er sofort Panik wegen eventueller Infektionen, die sich durch den höheren Puls schon vorab andeuten könnten. Mehr Wissen entspannt, wie man hier deutlich sehen kann, also nicht unbedingt. Ich beschließe, seine Anspannung vor dem Lauf nicht noch dadurch zu erhöhen, indem ich ihm beichte, dass mir die Behörden auf der Spur sind. Das kann und muss bis nach dem Lauf warten. Auch wenn mir langsam aber sicher richtig die Muffe geht.

Ich sehe mich schon in Handschellen. Dramen an der Haustür. Weinende Kinder und Herren mit Steingesichtern, die mich ungerührt in ein Auto zerren. Bis es soweit ist, sollte ich hier aber noch Ordnung gemacht haben. Wenn das Gewerbeaufsichtsamt zur Hausdurchsuchung aufläuft, möchte ich nicht, dass es auch noch heißt, ich sei chaotisch.

Bevor ich weiter in düsteren Knastszenarien schwelgen kann, ist mein Vater wieder zurück. Eine Baustelle nach der anderen. Und das Mittagessen habe ich auch noch nicht gekocht.

»Papa, alles klar? Hat alles geklappt?«, frage ich. »Selbstverständlich«, antwortet mein Vater und lacht. »Ich habe da vor eurer Tür übrigens eine wirklich reizende Frau getroffen. Tamara oder so. Die wohnt gleich gegenüber.«

Tolle Information und dazu eine irre Überraschung. Als wüsste ich nicht, wer neben mir lebt. Mein Vater scheint einiges entbehrt zu haben, anders ist sein rasanter Frauenkonsum heute Morgen ja kaum zu erklären. Was geht in dem wohl vor? Will er es meiner Mutter heimzahlen? Oder fängt er, kaum dass die letzte Träne getrocknet ist, mit der Akquise einer potenziellen Nachfolgerin an? Stimmt es wirklich, dass Männer so schnell vergessen können? Oder ist es reine Ablenkung?

»Sie ist verheiratet«, warne ich meinen Vater.

»Na und. Wer nicht!«, stellt er nur lapidar fest. Da scheinen einige Grundprinzipien ja wohl ziemlich ins Wanken zu kommen. »Hier sieht es ja schlimm aus«, bemerkt mein Vater und lässt seinen Blick durch mein Büro schweifen. »Wie kann man in diesem Wirrwarr nur arbeiten«, sinniert er vor sich hin.

Dass ich mir diese Frage ab und zu auch mal stelle, sage ich nicht.

»Du kannst mir ja, während du hier wohnst, helfen«, schlage ich stattdessen vor.

»Statt Miete? Mit meiner Arbeit bezahlen? Gibt es im Leben nichts umsonst?«, grinst mein Vater.

Erwischt. Dieser Gedanke war mir tatsächlich kurz durch den Kopf gehuscht. »Um die Frauen der Nachbarschaft vor dir zu schützen, Hormonhaft quasi«, denke ich und sage aber:

»Quatsch, Papa, es wäre einfach schön, wenn mir jemand, mit deiner Erfahrung, unter die Arme greifen würde.«

Eingeschleimt. Und wie meistens funktioniert auch hier diese simple Methode. Obwohl sie wirklich reichlich durchsichtig ist.

»Gut«, nickt mein Vater, »das kriegen wir schon wieder hin. Lass uns gleich anfangen, du weißt ja, was du heute kannst besorgen, das verschiebe nicht auf morgen.«

Da ist schon wieder einer. Einer von Papas Sprüchen. Es gibt Momente, da kann ich meine Mutter fast verstehen. Der Gedanke, dass er sogar beim Sex solche Weisheiten von sich gibt, ist Horror. Kurz vor dem Orgasmus ein »Ist dies schon Tollheit, hat es doch Methode« von Shakespeare oder auch »Wenn der Mantel fällt, muss der Herzog nach« von Schiller.

Am wahrscheinlichsten bei meinem Vater ist aber ein Spruch von Wilhelm Busch. So etwas wie: »Ausdauer wird früher oder später belohnt – meistens aber später.« Jeder in unserer Familie hat ein gewisses Busch-Repertoire. Was man jahrelang hört, hinterlässt irgendwann Spuren. Das ist unvermeidlich.

Meine Lieblingssprüche von Busch: »Ein Onkel, der Gutes mitbringt, ist besser als eine Tante, die bloß Klavier spielt.« »Dummheit, die man bei anderen sieht, wirkt meist erhebend aufs Gemüt.« »Klatschen heißt anderer Leute Sünden beichten« und meine absolute Nummer eins: »Das Gute – dieser Satz steht fest, ist stets das Böse, das man lässt.«

»So, Andrea«, zeigt sich mein Vater tatkräftig, »aller Anfang ist schwer. Ich nehme mir hier als Erstes das Regal vor, und später zeigst du mir mal, wie das mit dem Internet so genau geht.«

Wie energisch mein Vater sein kann! Er übernimmt sofort das Kommando.

Ein Büro ist eben so etwas wie sein natürlicher Lebensraum. Schon deshalb war die Pensionierung für meinen Vater ein Schock. Wie so oft bei Paaren mit klassischer Rollenverteilung. Mein Vater, auf einmal immer zu Hause, hat sehr schnell gemerkt, dass er da absolut nichts zu melden hat. Kein Wunder, schließlich hat er über Jahrzehnte diesen Bereich sehr bereitwillig meiner Mutter überlassen und die hat gar nicht daran gedacht, das mit einem Mal zu ändern. Insofern stand mein Vater von jetzt auf gleich ohne Regierungsbefugnis und Regierungsbezirk da. Das hat ihm gestunken, obwohl er nichts dergleichen hat verlauten lassen. Aber man hat es ihm angemerkt. Die Pensionierung hat ihn eindeutig mürrischer gemacht. Trotzig. Wie ein Kind, das sich nur widerwillig in sein Schicksal fügt. Wohl wissend, dass Gegenwehr es nicht voranbringt.

»Papa, schau dich einfach um. Ich gehe hoch und kümmere mich ums Essen. Die Kinder kommen gleich.«

Mark, mein Sohn, ist in der vierten Klasse der hiesigen Grundschule. Claudia geht in die siebte Klasse eines Gymnasiums. Sie besucht das ganz normale, staatliche Gymnasium, obwohl sie lieber auf die private Mädchenschule gegangen wäre. Die aber wollten unsere Tochter nicht. Ich gebe zu, das hat mich ziemlich geärgert. Erst die castingartigen Aufnahmegespräche und dann die, für mich unerwartete, Absage. Auch wenn nicht ich mich um den Platz beworben hatte, die Absage hatte ich aber doch persönlich genommen. Am liebsten hätte ich angerufen und den Rektor mit verstellter Stimme angepöbelt. Im Endeffekt habe ich es dann aber doch gelassen. Nachher erkennt er mich, heute gibt es ja die tollsten Stimmerkennungsprogramme, und ich fange mir eine Anzeige wegen Beleidigung ein. Dafür ist der Moment der Freude zu kurz. Alles sollte doch einigermaßen im Verhältnis stehen. Seitdem bin ich immer vorne mit dabei, wenn andere über die Mädchenschule lästern. Ein beliebter Trick: Erlittene Schmach in Ablehnung umkehren.

Gegen halb zwei trudeln die beiden Kinder ein. Claudia scheint mies drauf zu sein. Die Mundwinkel schleifen fast auf der Straße. Keine große Überraschung. Vor vier Monaten hat sich unsere, bis dato ziemlich freundliche, Tochter verwandelt. Schlagartig. Als hätte ihr nachts ein Vampir heimlich hinter unserem Rücken alles Nette und Verbindliche rausgesaugt. Ich glaube leider, es ist etwas sehr viel Gewöhnlicheres, und man nennt es schlicht und ergreifend Pubertät. Claudia ist zwölfeinhalb, und wer sie beobachtet, kann den Eindruck bekommen, sie habe eines der härtesten Schicksale überhaupt. Alles lastet auf ihren kleinen schmalen Schultern. Ihre persönlich schlimmste, tägliche Herausforderung heißt Mark und ist ihr kleiner Bruder.

»Was soll man damit anfangen? Große Brüder sind cool, kleine sind die Pest.« Ich kann durchaus verstehen, dass einem kleine Brüder auf die Nerven gehen, schließlich habe ich selbst einen und kann mich gut erinnern. Aber Mark mit der Pest zu vergleichen, ist doch übertrieben. Und er ist nun mal auch mein Kind, bei aller Ich-weiß-wie-es-ist-einen-kleinen-Bruder-zu-haben-Solidarität. Insofern muss ich wenigstens versuchen, unparteiisch zu bleiben.

Was momentan kein Problem ist, denn Mark ist gerade noch in dem Alter, in dem man als Mutter sehr gute Karten hat. Er ist tendenziell gut gelaunt und auch lustig. Und er findet mich gut. Es mag sein, dass Claudia ganz tief drinnen ähnlich fühlt, sie kann es zurzeit aber perfekt verbergen. So auch heute. Nicht »Hallo, Mama, wie war dein Vormittag?«, sondern nur »Was gibt's zu essen?«, lautet ihre Begrüßung. Ich versuche, nicht direkt loszumotzen. Obwohl ich mir, in meinem eigenen Haus, ein bisschen wie eine ungeliebte Angestellte einer niederen Kaste vorkomme. Wie die Dienstleisterin einer mürrischen, wortkargen Prinzessin.

Ihre Hoheit Claudia die Erste betritt das Haus und schleudert den Rucksack (nur Babys wie ihr Bruder haben noch Ranzen) in die Ecke. »Hallo, mein Schatz«, begrüße ich dieses Muffelwesen freundlich, denn schließlich weiß ich, dass nicht der Teufel in mein Kind gefahren ist, sondern es sich nur um einen vertrackten Hormoncocktail handelt und man sich als Erwachsener nicht auf die gleiche Stufe begeben sollte. Schon weil man damit die Situation eher zum Eskalieren bringt. Es fällt mir, bei allem Wissen, schwer. Claudia stapft in die Küche.

»Igitt, Bratwurst«, zischt sie mit bitterem Blick auf den Herd.

»Aber du magst doch Bratwurst«, verteidige ich mein Essen.

»Das hast du extra gemacht!«, geht die Anklage weiter.

Natürlich habe ich die Bratwurst extra gemacht. Warum auch nicht? So extravagant ist ja eine schnöde Bratwurst nun auch nicht.

»Was stimmt denn nicht mit der Bratwurst?«, starte ich die Ursachenforschung, denn Claudia hat einen Blick, als lägen in der Pfanne Kutteln oder Stierhoden. Das hier ist ein einfaches Mittagessen, keine Dschungelprüfung! In ihrem kleinen Motzgesicht beginnt es verdächtig zu zucken.

»Ich habe dir doch gesagt, dass ich kein Fleisch mehr esse. Ich bin Vegetarierin. Und du ignorierst das einfach.«

Scharfe Geschütze. Ach du je. Aber es stimmt, gestern Nachmittag hatte sie so was von sich gegeben. Nur ehrlich gesagt, hatte ich den Ausbruch nicht so ernst genommen. War auch eher ein Nebensatz: »Ich esse keine Tiere mehr. Wie die Alina. Das ist eklig. Ich will keine Mörderin sein.«

Wenn ich jede kleine Ansage meiner Kinder für bare Münze nehmen würde, hätte ich viel zu tun. Manchmal höre ich vielleicht auch nicht gut genug zu. Ich bin sofort schuldbewusst, weil sich Nicht-gut-Zuhören für eine gute Mutti nicht gehört, und überlege, ob ich behaupten soll, dass das da in der Pfanne Tofu-Würstchen sind. Wäre eine hübsche, schnelle Lösung, aber ich bin doch unsicher, ob sie mir diese dreiste Lüge abnehmen würde. Wenn nicht, bin ich nicht nur eine Ignorantin, sondern auch noch eine Lügnerin.

»Vegetarier lassen das Fleisch einfach weg. Du kannst Kartoffelbrei und Karotten essen. Ich habe für dich gar keine Bratwurst eingeplant«, fällt mir zum Schluss noch eine Top-Ausrede ein. Deeskalationstaktik nennt man das.

»Ha«, kommt die patzige Antwort, »ich kann doch zählen. Da liegen aber drei von diesen toten Tierstücken.«

Eine Bratwurst – ein Stück totes Tier.

»Papa, kommst du? Es gibt gleich Essen«, ziehe ich meinen Publikumsjoker.

»Wieso sagst du zu Papa Papa?«, ist meine Tochter jetzt komplett verwirrt. »Das ist ja wie bei Oma Inge und Rudi«, schnaubt sie verächtlich.

Oma Inge und Rudi sind meine Schwiegereltern, die sich wahrscheinlich tatsächlich nicht mehr an ihre Vornamen erinnern. Weil sie sich nie beim Vornamen nennen. Sondern Vati und Mutti. Das klingt schlimm, ist auch schlimm, aber bei den beiden hat es was Liebevolles. Und manchmal ist es vielleicht besser, Mutti genannt zu werden, statt wie Mutti behandelt zu werden.

Mein Vater steckt seinen Kopf zur Küche rein.

»Zimtschnecke, kleine Claudi, da freut sich der Opa aber«, begrüßt er seine Enkelin.

Sie verzieht ihre Mundwinkel nach oben, man könnte es fast Lachen nennen, und liefert damit den Beweis, dass ihr sonstiges Dauer-Motzgesicht keine körperlichen Ursachen hat. Beruhigend. Das hätte ich mich mal wagen sollen. Kleine Claudi!

Klein Claudi fällt in Opas Arme. Sie ist kein dummes Kind, weiß also, dass man sich sicherheitshalber doch immer ein paar Leute warm halten sollte.

»Siehst du«, belege ich meine Bratwurstthese, »der Opa isst heute mit uns zu Mittag. Deshalb die dritte Bratwurst.«

»Hmmhm«, brummelt sie noch nicht völlig überzeugt. Mein Vater tätschelt Claudia den Kopf. Wie einem kranken Hund. Erstaunlicherweise scheint sie diese Geste ein wenig zu entspannen. Muss ich demnächst auch mal ausprobieren. Monotones Tätscheln.

Es klingelt. Mark ist endlich auch da. Der braucht für seinen Schulweg von geschätzten fünfhundert Metern manchmal mehr als eine halbe Stunde. Mittlerweile sorge ich mich nicht mehr. Er ist nun mal ein Sammler und Jäger und stopft sich auf dem Weg nach Hause die Hosentaschen mit allerlei Zeug voll. Mal sind es Steine, mal Zweige, mal eine alte Dose. Er kann alles gebrauchen. Wahrscheinlich ein Zeichen dafür, dass mein Sohn mal ins Recycling-Geschäft einsteigen will. Auch er freut sich, seinen Opa Franz zu sehen, und schenkt ihm aus lauter Begeisterung erst mal einen schönen Stein, den er bei den Nachbarn im Vorgarten gefunden hat.

Das lässt sich gut an. Jetzt muss ich den beiden nur noch verklickern, dass Opa ab jetzt hier wohnt. Und zwar in Marks Zimmer. Erst die Nahrung, dann die Wahrheiten. Auf leeren Magen erscheint mir das gefährlich. Vor allem für Mark. Wenn Claudia erfährt, dass sie ab sofort mit ihrem Bruder ihr Zimmer teilen muss, und das mit niedrigem Blutzuckerspiegel, ist der Tag gelaufen. Deshalb führen wir zunächst die klassischen Nachschulgespräche. Wer hat wen genervt, wer war blöd (fast alle außer ihr natürlich!), welcher Lehrer ist gemein und unfair, und warum sind Jungs per se inakzeptabel. Soweit Claudias Themenpalette. Ich halte mich bei ihren Vorträgen mit Kommentaren meistens zurück. Vor allem, weil die Idioten von heute morgen oft die besten Freunde sind und man sich eigentlich nur in die Nesseln setzen kann. Mein Vater kennt dieses tägliche Schulalltagsgerede nicht, ist also noch nicht so abgestumpft wie ich. Er steuert ein kleines Zitat zum Thema bei.

»Wer durch des Argwohns Brille schaut, sieht Raupen selbst im Sauerkraut.«

Claudia nickt nur, obwohl ich mir nicht vorstellen kann, dass sie verstanden hat, was ihr Opa mit dem Busch-Zitat sagen wollte. Umso besser. Gerade brennt ihr Hormonfeuerchen auf kleiner Flamme, jeder Kommentar kann jedoch wie Brennspiritus wirken. Heikel also.

Mark hingegen hat wenig zu meckern. Er geht ganz gerne in die Schule. Ich glaube allerdings nicht unbedingt, dass es am Unterricht liegt oder an seiner grenzenlosen Wissbegierde (was natürlich fantastisch wäre und Christoph

und mich beglücken würde), sondern eher an den Sozial-
kontakten. Er hat viele Freunde und findet besonders die
Pausen toll. Der Rest gehört für ihn einfach dazu. Als er-
trägliches Verbindungselement zwischen den Pausen. Sein
Dilemma sind die Hausaufgaben, deren Sinn und Zweck
ihm komplett unverständlich ist. Dementsprechend sehen
sie dann auch aus und sind schon deshalb ein steter Quell
der häuslichen Freude. Er gebärdet sich fast immer so, als
wäre ich schuld an den Aufgaben.

»Du machst sie doch nicht für mich, sondern für dich«,
habe ich geschätzte siebenundvierzigtausenddreihundert-
achtundsechzig Mal gesagt, aber der Groschen fällt einfach nicht. Ich versuche, ihm zu erklären, dass man seine
Aufgaben nicht so schludrig machen kann, er ist daraufhin zutiefst persönlich beleidigt, hält das Ganze für
bloße Schikane und findet sein Geschmiere völlig ausreichend.

Meine Mutter war mit uns in dieser Hinsicht um einiges
rabiater. Wenn der was nicht gefallen hat, hat sie es durch-
gestrichen oder die Seite rausgerissen, und wir konnten
den ganzen Käse nochmal machen. Bemerkenswert ist,
dass wir zwar auch beleidigt waren, uns aber nicht getraut
haben, größer aufzumucken. Damals hätten alle mehr
Respekt gehabt, sagen alte Leute ja gerne mal und nicken
dabei weise mit dem Kopf. Ich weiß nicht, ob es nur der
Respekt war. Es war immer auch ein Hauch von Angst
dabei. Angst vor dem, was passieren könnte, wenn man
sich tatsächlich verweigern würde. Ein kühner Gedanke
an einen möglichen Boykott – zu mehr hat es bei mir nie
gereicht. Schon deshalb habe ich diese Methoden meiner
Mutter gehasst und mir natürlich geschworen, dass ich das
nie so machen würde.

In meiner Verzweiflung habe ich sie dann doch ausprobiert. Wenn man merkt, dass auf die erklärende und verständnisvolle Art nichts geht, dann greift man in der Not auch mal zu Mitteln, die man eigentlich ablehnt. Ich bin nicht stolz darauf und würde das öffentlich auch ungern zugeben – ehrlich gesagt, eigentlich überhaupt nicht –, mir war nur schlicht nichts mehr eingefallen, und dieses nachmittägliche Hausaufgabentheater hatte die häusliche Stimmung auf allen Seiten dermaßen runtergezogen, dass ich dachte, die Brutalo-Methode könnte vielleicht doch die Lösung sein.

Sie hat bei Mark nicht funktioniert. Vielleicht, weil er sich vor mir generell nicht fürchtet, was ja so gesehen sehr gut ist und garantiert für unser Verhältnis spricht, aber in diesem Fall natürlich von Nachteil ist und der Methode komplett die Grundlage entzogen hat.

Jetzt betreibe ich eine Art Mischkalkulation. Manchmal lasse ich ihn einfach in Ruhe – seine Lieblingsvariante! –, manchmal appelliere ich an seinen Verstand – ein sehr zähes Geschäft –, manchmal drohe oder locke ich. Ewig solche Sätze wie: »Wenn nicht, dann …«, »Du wirst schon sehen …«, »Die Konsequenzen musst du ausbaden …«, »Es sind deine Hausaufgaben, nicht meine …«, oder »Dann gehst du eben zur Müllabfuhr.« Besonders das mit der Müllabfuhr hat Mark gefallen. Er findet es cool, wie die Männer lässig hinten auf dem Trittbrett stehen. Ich glaube, er hat ein leicht verklärtes Bild, so als wären Müllmänner die Cowboys der Neuzeit.

»Aber es kann ziemlich stinken«, warne ich ihn.

»Die Hausaufgaben stinken mir auch«, kontert er nicht schlecht, und der Kampf geht weiter. Selbst Drohungen wie Fernsehverbot beeindrucken Mark nur mäßig.

»Dann gucke ich DVD«, findet er schnell eine Alternative.

Ich denke, Mark könnte sich gut in der Politik machen. Immer schön das letzte Wort haben.

Dabei kann ich, was Drohungen bei Mark angeht, sehr konsequent sein. Viel konsequenter als bei mir selbst. Ich drohe mir nämlich ab und an auch selbst. »Wenn du weiter zunimmst, Andrea, dann gibt es keine Schokolade mehr.« Im Resultat allerdings ähnlich erfolgreich wie bei meinem Sohn. Bei dem hoffe und warte ich mittlerweile eigentlich nur noch auf altersbedingte Einsicht.

Mit Claudia, um auch endlich mal was Nettes über sie zu sagen, hatte ich nie so einen Zirkus. Sie macht ihre Hausaufgaben. Schon immer. Nicht aus Leidenschaft, sondern einfach, weil es sein muss. Reiner Pragmatismus. Und weil ihr schnell mal was peinlich ist. Der Gedanke, ohne Hausaufgaben in die Schule zu gehen, ist ihr extrem unangenehm. (Übrigens auch etwas, was Mark null kratzt. Möglicher öffentlicher Tadel prallt an ihm ab, als hätte er eine Spezialimprägnierung.) Claudias Hefte sehen immer gut aus. Besser als meine je ausgesehen haben. (Natürlich würde ich das ihr gegenüber niemals zugeben. Jedenfalls nicht in den nächsten Jahren. Das wäre ja gerade so, als würde ich ihr ohne Not einen Trumpf in die Hand geben.) Was ihr in ihrem Zimmer komplett abgeht, Ordnungssinn, ist da kein Problem. Im Gegenteil. Sie verziert, macht und tut, als gäbe es auch Designpreise für Schulhefte. Ein Aufwand, den man sich rein ökonomisch betrachtet sicher sparen könnte, aber wenn es ihr gefällt, warum nicht. Ob das Verhalten meiner Kinder etwas Geschlechtsspezifisches hat? Sind Jungs nun mal chaotischer? Per se schlampiger, was die Schule angeht? Wenn dem so wäre, hätte ich natürlich eine fantastische Ausrede für meinen Sohn. Nach dem Motto: Er kann ja nicht anders – es liegt in seinen Genen. Aber auch wenn es in meinem Umfeld tatsächlich so ist, dass Mädchen liebevoller gestaltete Hefte haben als Jungs, ich kenne trotzdem auch ein paar, die einigermaßen Ordnung halten. Und mein Mann ist ein fast schon penibel ordentlicher Mensch, was zeigt, dass, selbst wenn es was Genetisches sein sollte, man durchaus dagegen angehen kann. Außerdem wird dieses genetische Argument sehr gerne als Pauschalausrede für Männer genommen, und das geht mir zunehmend auf den Wecker. Thesen wie »Männer gehen nur fremd, weil sie eben diese Disposition haben, ihren Samen überall zu verteilen« sind, um es mal freundlich zu sagen, seltsam. Wir sind auch aus den Höhlen raus – und der Mann mag mal Jäger gewesen sein, aber wir haben uns ja auch ansonsten weiterentwickelt. Selbst die Männer. Einige jedenfalls.

Zum Nachtisch gibt's Vanillepudding. Claudia schaufelt ihre Portion in sich rein, als wäre es die erste Nahrung nach einem monatelangen Aufenthalt in einer Fastenklinik. Der perfekte Moment für die Verkündung der neuen Zimmerverteilung.

»Kinder, ich habe eine tolle Überraschung für euch, der Opa wird für eine Weile hier wohnen!«, beginne ich zuversichtlich.

»Ist die Oma tot?«, fragt Mark entsetzt.

Mein Vater schüttelt hastig den Kopf.

»Aber nein. Die Oma und ich haben uns nur ein bisschen gestritten«, präsentiert er die harmlose Variante seiner Asylsuche.

»Weil die Oma so streng ist?«, bleibt Mark beim Thema.

Mein Vater nickt. Claudia hat noch gar nichts gesagt.

Sie guckt mich an, und ich grinse freundlich. Da dämmert es ihr.

»Wo schläft der Opa?«, fragt sie mich.

»Bei Mark«, antworte ich, und sie sagt nur, »Gut.«

Denkt die etwa, Opa und Mark würden gemeinsam ins Hochbett kriechen? ›Raus mit der Wahrheit, Andrea‹, raffe ich mich auf. Es wäre ja noch schöner, wenn ich mich vor einem Kind fürchten würde. Tue ich aber manchmal ein bisschen, nicht vor ihr, aber vor ihrer aufbrausenden Art.

»Ja, Kinder, ihr werdet zusammen bei Claudia im Zimmer schlafen. Das wird sicher lustig«, verkaufe ich das Ganze so attraktiv wie möglich.

»Auf keinen Fall«, kreischt die kleine Mini-Furie. »Das geht gar nicht, da bring ich mich um«, beendet sie den Satz mit größtmöglicher Theatralik.

Selbstverständlich verkneife ich mir zu sagen, dass wir dann ja kein Zimmerproblem mehr hätten. Mein Vater betrachtet die Szenerie voller Panik.

»Also Kinder, es kann ja auch einer bei mir schlafen«, bietet er an, aber ich sehe an seinem Gesichtsausdruck, dass seine Enkelin auf der Opa-Beliebtheitsskala gerade einen rasanten Abstieg hingelegt hat. Männer wie mein Vater finden, dass man seine Kinder im Griff haben sollte. Und für ihn sieht es ganz offensichtlich so aus, als hätte ich damit Schwierigkeiten.

»Da wird nicht diskutiert«, setze ich mich, unter einem gewissen väterlichen Druck, nun zur Wehr. »Stell dich nicht so an, Claudia, es geht doch nur um ein paar Tage.«

Sie fängt an zu weinen.

»Das halte ich nicht aus«, schluchzt sie los. Schleusen auf – Wasser marsch. Welch eine Inszenierung. Der von

Germany's next Topmodel – dieser Bruce Darnell – wäre begeistert. Drama, Baby, Drama! Wut, Empörung, Trauer – und das alles in wenigen Minuten. Ich werde später mal die stolze Mutter eines Müllmannes und einer Schauspielerin sein.

»Du wirst es aushalten müssen«, schaffe ich Fakten.

»Was krieg ich dafür?«, kommt es nun aus dem eben noch schluchzenden Mund.

Während ich über eine möglichst kluge und möglichst pädagogisch wertvolle Antwort nachdenke, also überlege, wie man nichts ein wenig erfreulich klingen lassen kann, meldet sich mein Sohn zu Wort.

»Ich will bei meinem Opa schlafen, oder bei euch«, bietet er direkt noch eine Alternative an, »aber nicht bei der.«

Da tun sich ja irrsinnige Abgründe zwischen meinen Kindern auf. Ist das etwas, was behandelt werden muss, oder kann man das noch unter normale Geschwisterstreitereien subsumieren? Ich bin unsicher. Claudia merkt, dass sie die Hexenrolle in diesem Stück verkörpert.

»Du kannst bei mir schlafen«, macht sie einen Schritt auf ihre vermeintlichen Gegner zu und fixiert mich.

Was soll denn das werden? Ein lustiger Ringelreihen? Bettentausch leicht gemacht? Ich schlafe bei Claudia, und wer schläft dann bei Christoph? Etwa doch mein Vater? Am besten wir quetschen uns alle in einen Raum, damit keiner ein Zugeständnis machen muss.

»Ich kann auch ins Hotel gehen«, zickt jetzt auch noch mein Vater wie eine enttäuschte Diva rum.

Am liebsten würde ich die gesamte Bagage ins Hotel schicken oder, noch besser, mich selbst ins Hotel verdrücken.

»Nein, Opa, du sollst bei uns bleiben«, macht mein Sohn gut Wetter. Und auch Claudia stimmt zu.

»Um dich geht's doch gar nicht. Ich will nur den nicht haben. Übrigens ich hab eine Vier in Mathe.«

Auch das noch. Seit Claudia auf dem Gymnasium ist, sind wir nicht gerade verwöhnt, was ihre Noten angeht, aber eine Vier? Klar, das ist keine Katastrophe, aber eine Vier ist so nah an der Fünf. Mit einer Drei könnte ich hingegen gut leben. Da ist nach oben und unten noch ausreichend Luft. »Die Drei ist die Eins des kleinen Mannes«, sagt eine Freundin von mir, und es stimmt. Ich zeige zunächst wenig Reaktion, aber auch ohne dass ich meckere, beginnt Claudia ihre Verteidigungsarie.

»Die Arbeit war voll schwer. Es gibt nur eine Eins und soo viele Fünfen. Ich bin echt froh, dass ich eine Vier habe.«

Angriff ist die beste Verteidigung. Erwartet Claudia jetzt auch noch Applaus für ihre Vier? Geschenke? Glaubt sie, ich hätte einen solchen Text noch nie gehört? Ich erinnere mich sehr gut an meine eigene Argumentation, die damals verdammt ähnlich geklungen hat. Das Ärgerliche an der Vier ist, dass man als Mutter, die für die Arbeit mitgeübt hat, sich fast schon so fühlt, als ob man selbst die Vier geschrieben hätte. Egal. Eins nach dem anderen.

»Da reden wir später drüber«, vertage ich die Mathearbeitsdiskussion, »und was die Zimmer angeht, wird das so gemacht, wie ich es gesagt habe.«

Ich bin hier die Mutter, und das musste doch jetzt durch eine deutliche Aussage nochmal untermauert werden. Die Folge ist, dass Claudia aufsteht, sich ihren Puddingrest schnappt und den Tisch verlässt. Zurück bleibt mein verstörter Vater, der sich ein Mittagessen im Kreise meiner

Kleinfamilie wahrscheinlich harmonischer vorgestellt hat, und Mark, der ein wenig verängstigt wirkt.

»Muss ich zu der ins Zimmer? Die haut mich bestimmt«, bringt er vorsichtig an.

»Das sehen wir dann«, beende ich das Thema. »Mach deine Hausaufgaben, du hast nachher Fußball.«

So, das hätten wir. Mein Vater beschließt, sich nach diesem Gezacker erst mal eine Runde hinzulegen.

»Ich mache meinen Mittagsschlaf«, sagt er und steht vom Tisch auf.

»Papa, das darfst du alles nicht so ernst nehmen, das ist Alltag. Nichts Besonderes«, tröste ich den sichtlich Angeschlagenen.

»Dann tust du mir wirklich leid. Was für eine Hektik hier. Da musst du wirklich was tun. Das geht so nicht.«

Wie fein, dass mein Vater mir auch noch einen mitgibt, bevor er sich hinlegt.

Ich brauche Zuspruch und rufe nochmal bei Christoph an. Er ist bester Dinge. Man hört an seiner Stimme, dass der Prozess gut gelaufen ist.

»Gewonnen, Andrea«, triumphiert er.

Freut mich für ihn. Ich schildere meinen Tag und jammere mich richtig aus.

»O Gott, du Arme«, zeigt er Mitleid.

Das mit meinem Vater scheint ihn nicht weiter zu stören.

»Wenn der sieht, wie es bei uns zugeht, bleibt der garantiert nicht lange«, tröstet Christoph mich. »Der kann doch gar nicht ohne deine Mutter. Zwei Tage gebe ich ihm, dann ist der wieder weg und sitzt daheim in seinem Fernsehsessel. Du wirst sehen.«

Ich bin nicht ganz so sicher, aber absolut gewillt, ihm

zu glauben. »Danke«, sage ich, »komm nicht so spät. Ich brauche dich hier.«

»Dicken Kuss auf die Nuss«, turtelt mein Mann und legt auf.

Ach, das war schön. Einfach mal Verständnis pur. Wie liebevoll er sein kann.

Das ist durchaus nicht immer so. Weder bei ihm noch bei mir. Vielleicht gibt es Leute, die das hinkriegen, ständige Liebenswürdigkeit – meine Bewunderung ist ihnen sicher. Ich glaube, dass es in langen Beziehungen auch immer mal wieder öde vor sich hinplätschert. Das mag absolut ernüchternd klingen, ist aber die Realität, und Vieles beruht letztlich auf dem Gesetz der Wechselwirkung. Man selbst ist muffig, der andere reagiert muffig. Solange niemand diesen Muffel-Kreislauf durchbricht, ändert sich die Grundstimmung auch nicht. Jeder weiß das, und trotzdem kann man oft nicht über seinen Schatten springen. Eine Krux.

Momentan ist die Stimmung gut. Wahrscheinlich auch, weil Christoph weiß, dass am Wochenende der Marathon ansteht, er also nicht da ist und mich mal wieder mit den Kindern alleine lässt. Ein latent schlechtes Gewissen ist also in diesem Fall von Vorteil.

Ich setze mich zu Mark und leiste ihm Hausaufgabengesellschaft. Allerdings weigere ich mich, im Gegensatz zu vielen anderen Müttern, die Aufgaben gleich selbst zu erledigen. Gerade wenn es um Kunst oder Werken geht, ist man doch überrascht, was Neun- oder Zehnjährige angeblich selbst gemacht haben sollen. In diesen Wettbewerb steige ich gar nicht erst ein. Vor allem, weil ich fast noch schlechter male als mein Sohn. Deshalb verweigere ich mich in dieser Hinsicht. Aber wenn ich ihn komplett sich selbst überlasse, sieht das Ganze, wie schon erwähnt, auch dementsprechend aus. Also, same procedure as every day: Ich mahne, ermuntere, und wir beide sind sehr froh, als er endlich mit den Hausaufgaben fertig ist. Alles gut gelaufen. Nicht ein einziger, kleiner Tobsuchtsanfall. Wunderbar. Das hätte mir nach dem turbulenten Mittagessen auch gerade noch gefehlt. Es gibt manchmal doch noch so was wie ausgleichende Gerechtigkeit. Nach den Hausaufgaben würde Mark bis zum Fußball gerne noch eine Runde spielen, aber in seinem Zimmer schnarcht mein Vater vor sich hin.

»Was soll ich denn jetzt machen?«, fragt er mich nicht ganz ohne Hintergedanken und mit sehnsüchtigem Blick auf den Fernseher.

Ich gebe mich geschlagen. Normalerweise hätte ich ihn rausgeschickt, aber es ist typisches Novemberwetter – grau und regnerisch.

»Willst du nicht ein bisschen lesen?«, schlage ich noch vor, wissend, dass das sehr wahrscheinlich keine Begeisterungsstürme auslösen wird. Ich habe mal wieder recht gehabt. Ich opfere meine Prinzipien für meinen Vater und erlaube Fernsehgucken am Nachmittag. Mark ist verzückt.

»Von mir aus kann Opa sehr lange hier wohnen, auch für immer«, zeigt er sich großzügig.

Für die nächsten anderthalb Stunden habe ich meine Ruhe, und da heute Morgen nicht viele Kunden da waren, komme ich dazu, einiges wegzuschaffen. Ich verpacke immerhin ein gutes Drittel der Waren, die in meinem Keller auf ihre neuen Besitzer warten. Achtundzwanzig Auktionen enden in den nächsten vierundzwanzig Stunden – da sollte man vorbereitet sein. Wenn ein eBay-er etwas ersteigert hat, will er es auch möglichst schnell haben.

Friedhelms Surfbrett hat immer noch keinen Interessenten gefunden. Für mich nicht weiter verwunderlich. Es ist sozusagen ein Surfbrett der ersten Stunde. Aber der Markt für antiquarische Surfbretter ist wohl leider klein. Dabei habe ich textlich mein Bestes gegeben – ich habe nämlich behauptet, dass Robby Naish auf genau so einem Surfbrett seine ersten Wellen erobert hat – und mich damit quasi selbst übertroffen. Schließlich ist Friedhelm unser Nachbar, und da will ich doch beweisen, dass ich was drauf habe. Friedhelm erkundigt sich ständig nach seinem Sportgerät, gerade so, als hätte er sich das Teil aus dem Herz reißen müssen. Dabei kann man sich Friedhelm nun wirklich nicht auf einem Surfbrett vorstellen. Friedhelm hat etwas Stocksteifes und optisch so gar nichts von diesen blondhaarigen, braungebrannten Surferboys. Wenn sich Friedhelm auf so ein Brett stellen würde, hätte man bei seiner offensichtlichen Ungelenkigkeit direkt Angst um ihn. Anscheinend hat er es jetzt sogar selbst eingesehen und deshalb beschlossen, das Brett auszumustern. So eine Entscheidung kann natürlich etwas sehr Bitteres haben, schließlich trennt man sich nicht nur von einem Surfboard, sondern auch von einer Illusion der eigenen Person. Ich weiß, wovon ich rede, habe ich doch neulich meine 29er Jeans versteigert. Wenn das mit dem Brett allerdings weiter so geht, kann sich Friedhelm seine Illusion noch ein Weilchen erhalten. Es klopft an meine Bürotür.

Papa hat ausgeschlafen. Er sieht blendend gelaunt aus.

»Ich habe die Sache mit deiner Tochter geklärt. Sie ist einverstanden, dass Mark in ihrem Zimmer schläft. Kein Problem mehr«, grinst er mich an.

»Wie denn das?«, will ich sofort wissen. Man kann auch als Mutter durchaus noch lernen.

»Sage ich nicht, wir haben eine Abmachung. Alles geheim«, kichert er. Da kann nur eine Form von Bestechung gelaufen sein. Aber bitte. Mein Vater ist ja erwachsen, auch wenn ich heute Morgen mal kurz daran gezweifelt habe.

»Jetzt will ich ins Internet«, macht mir Papa meinen Arbeitsplatz streitig. »Ich muss üben, wenn ich dir helfen soll.«

Okay, es wird sowieso Zeit, Mark zum Fußball zu kutschieren.

»Amüsier dich«, sage ich zum Abschied.

»Mark, Zeit fürs Training«, beende ich seinen ungewöhnlichen nachmittäglichen Fernsehmarathon. Er will nicht.

»Mir tun die Beine weh«, begründet er seine Unlust.

»Wenn du sie mal wieder bewegst, wird es dir sicher besser gehen«, bleibe ich in diesem Fall hart.

Sport muss sein, das hat sich in Mütterkreisen rumgesprochen. Man liest ja permanent, dass diese junge Generation motorisch einiges aufzuholen hat. Aber es geht nicht nur darum, die Kinder in Form zu halten oder zu bekommen, auch aus sozialen Überlegungen heraus wird Sport propagiert. Besonders Teamsport schult die soziale Intelligenz. Angeblich. Mein Sohn lernt auch in anderer Hinsicht herrlich dazu.

Sein Vokabular hat sich erstaunlich vergrößert. Er kann »Ich ficke deine Mutter« auf Türkisch – es heißt so was wie: »Anani sikeyim« – und alternativ auch: »Ich fick dich in den Arsch« – Götünü sikeyim. Fremdsprachenkenntnisse sind selbstverständlich etwas sehr Schönes. Ich finde allerdings, dass er sein Türkischrepertoire doch noch etwas erweitern könnte. Neben diesen beiden Ausdrücken steht das Wort Kackbratze bei ihm zurzeit hoch im Kurs. Im Vergleich geradezu eine Nettigkeit. Ginge es um meine eigene Bequemlichkeit, könnte ich auf die diversen Sportaktivitäten der Kinder gut verzichten. Leider gibt es noch keinen Verein, der die Kinder abholt und wieder nach Hause bringt. Eindeutig eine Marktlücke. Muss ich sofort auf der passenden Liste notieren. Welch eine Entlastung das wäre. Und gar nicht mal so aufwendig für die Vereine. Mit einem Kleinbus von Haus zu Haus, Kinder einsammeln und nachher wieder zurückbringen. Ich glaube, dafür würden viele Eltern gerne was springen lassen.

Während er seine Sportschuhe sucht, habe ich Zeit, nochmal mit meiner Tochter zu sprechen. Eine gute Idee. Die kleine Hexe hat einen ihrer freundlichen Momente und man erkennt das Kind wieder, das man über Jahre hatte und nun manchmal so schmerzlich vermisst. Ich nehme sie fest in den Arm, und sie wehrt sich kein bisschen. Ich weiß nicht, wie der Deal mit meinem Vater aussieht, aber es muss für meine Tochter ein sehr lukratives Geschäft sein.

»Es tut mir leid, Mama«, sagt sie, »das war blöd von mir.«

Jetzt wird es mir aber langsam unheimlich. Hat mein Vater das Kind hypnotisiert oder unter Drogen gesetzt?

»Geht es dir auch gut?«, erkundige ich mich vorsichtig.

»Wunderbar«, sagt sie nur.

Mehr muss ich nicht wissen.

Mein Vater zieht sich an den Computer zurück, und Mark und ich machen uns auf den Weg zum Fußball. Mark geht zweimal die Woche zum Training. Er spielt gerne Fußball. Nicht besonders gut, aber sehr gerne. Ich würde niemals behaupten, dass er die Stütze der Mannschaft ist, aber der Schlechteste ist er nun auch wieder nicht. Irgendwas dazwischen. Mittelmaß. Völlig egal – Hauptsache er hat Spaß. Das sagen alle Eltern im Brustton der Überzeugung, aber ganz so ist es in Wirklichkeit natürlich nicht. Das merkt man vor allem bei den Turnieren und Spielen am Wochenende. Da sind Erwachsene ernsthaft beleidigt, weil ihr Kind häufiger ausgewechselt wurde als andere. Manche sitzen sogar mit Stoppuhren da, um das ganz genau zu dokumentieren. Und angeblich hat es nie was mit dem elterlichen Ehrgeiz zu tun, sondern es geht immer nur um die Gerechtigkeit. Mit Gerechtigkeit alleine gewinnt man aber dummerweise kein Spiel. Wer also bei der Mannschaftsaufstellung auf Gerechtigkeit pocht, muss in dieser Hinsicht demzufolge auch eine gewisse Schmerzfreiheit haben. Die Eltern der guten Spieler haben aber hiermit häufig ein Problem. »Warum muss mein Sohn raus, damit der rein kann?«, meckern sie. Nicht ganz zu Unrecht, denn es gibt Kinder, die kaum wissen, in welches Tor der Ball muss. Die zwar fröhlich auf dem Rasen rumspringen, aber so gut wie keinen Ballkontakt haben. Ein Dilemma, vor allem für den Trainer, der es natürlich nie allen recht machen kann. Denn wenn er die kleinen Nieten nicht aufstellt, dann werden die jeweils dazugehörigen Mütter sehr schnell sehr sauer. »Der Louis kommt immer zum Training, da muss er auch spielen dürfen. Das ist sonst total unfair«, schmeißen sie sich für ihren Nachwuchs in die Bresche. Kein Job, um den ich den Trainer beneide. Die beste Lösung wäre mit Sicherheit, die Eltern würden nicht mitkommen. Viele sind sogar beim Training dabei. Binden Schnürsenkel von Zehnjährigen, die ihnen ohne ein Bitte oder Danke die Füße hinstrecken, reichen Apfelschnitzchen und halten Trinkflaschen parat. Am liebsten sind mir die, die am Rand sitzen, auf der schmalen Holzbank und rumkrakeelen. »Lauf Denis, den kriegste noch, mach ihn rein.«

Beim Fußball treffen Welten aufeinander. Verschiedene Nationen, Menschen aus allen Klassen. Die türkischen Mütter sind eigentlich die coolsten. Die nutzen die Zeit, sitzen zusammen, schwätzen und kümmern sich null um das, was auf dem Rasen vor sich geht. Beispielhaft. Ich liefere Mark ab und erledige während der Trainingszeit ein paar Einkäufe.

Unterwegs meldet sich mein Bruder Stefan auf dem Handy. Ich erkläre ihm die Sachlage und der Kerl lacht und findet, dass meine Mutter ein flotter Feger ist. Perfide Bemerkung, schließlich stammt der Ausdruck »flotter Feger« von meinem Vater.

»Wir fahren heute Abend zu Mama und reden mit ihr«, bringe ich ihn auf den Stand der Dinge.

»Willst du mit oder vielleicht besser solange Papa Gesellschaft leisten?«, frage ich noch.

»Birgit meint, es wäre gut, wenn du zu Papa fahren würdest, während wir mit Mama reden.«

Schnell den schwarzen Peter rüber zu Birgit. Sie hat ihn verdient. »Eigentlich hatte ich schon was anderes vor, aber gut, ich kann zu Papa«, zeigt er sich einsichtig.

»Prima, Christoph ist auch da und die Kinder, da könnt ihr euch einen netten Abend machen. Ist bestimmt einfacher als mit Mama«, beende ich das Gespräch.

Einfacher sicherlich, aber auch weniger spannend.

Um Viertel nach sieben mache ich mich auf den Weg. Mein Bruder ist natürlich noch nicht da, Christoph auch nicht, aber mein Vater wird ja in der Lage sein, mal ein halbes Stündchen auf die Kinder aufzupassen.

»Gar kein Problem«, tönt er auch selbstsicher.

»Essen ist im Kühlschrank«, gebe ich letzte Anweisungen und verlasse das Haus.

Eigentlich eine praktische Sache so ein Vater im Haus. Ein permanenter Babysitter. Das schafft ganz neue Perspektiven für eventuelle Sozialkontakte oder lauschige Abende zu zweit. Weggehen zu können, ohne vorher einen Babysitter organisieren und vor allem kalkulieren zu müssen, ob einem ein Kinofilm wirklich so viel wert ist. Denn man muss ja zum Eintritt und dem Popcorn immer noch die Kosten für den häuslichen Aufpasser rechnen. Da kommen locker zwanzig oder fünfundzwanzig Euro zusammen. Allein nur für den Babysitter. Und das führt oft dazu, dass man dann doch lieber wartet, bis der Film auf DVD rauskommt.

Ab und an übernehmen meine Schwiegereltern das Sitten. Aber man will die Verwandtschaft ja nicht ausbeuten. Und es macht mich ehrlich gesagt auch ein bisschen nervös, sie alleine in meinem Haus zu lassen. Nicht weil ich ihnen nicht zutraue, auf die Kinder aufzupassen, das ist überhaupt kein Problem. Es geht eher darum, dass meine Schwiegermutter es nicht schafft, einfach so auf der Couch zu sitzen. Wenn sie schon mal da ist, bügelt sie oder wischt schnell mal die Küchenschränke aus. Das ist eigentlich eine grandiose Sache, andererseits aber auch irgendwie beschämend. Schon deshalb räume ich jedes Mal auf, bevor meine Schwiegermutter kommt. Mein Vater wird sicher nicht auf die Idee kommen zu bügeln, insofern muss ich auch kein schlechtes Gewissen haben. Eine perfekte Lösung.

Ich bin kurz vor halb acht bei meiner Mutter und sehe

als Erstes Birgits Auto. Das ist unglaublich. Birgit und ich sind wie Hase und Igel. Ich falle immer wieder auf sie rein, ich Hase. Am liebsten würde ich direkt nach Hause fahren. Doofe Kuh. Ich unterdrücke meinen Zorn und klingele an der Tür meiner Eltern. Meine Mutter öffnet. Sie sieht aus wie immer. Was habe ich auch gedacht? Schließlich verändert einen Untreue ja nicht optisch.

»Hallo, Andrea, komm rein, Birgit ist schon da«, begrüßt sie mich und klingt eigentlich ganz normal.

Ich dachte, ihr »Vergehen« würde ein bisschen ihrer Selbstsicherheit nehmen. Da habe ich mich wohl getäuscht.

»Hallo, Mama«, lasse ich zunächst auch mal alle Vorwürfe außen vor. »Denk dran«, eröffnet sie das Gespräch, »dein Vater hat einen hohen Blutdruck. Der muss sich bewegen. Und nicht zu viel Cholesterin. Und er soll seine Beta-Blocker nehmen. Und gib ihm auf keinen Fall den Salzstreuer.«

Jetzt könnte ich mal kurz anführen, dass sein Blutdruck durch ihr Verhalten wahrscheinlich auch nicht gerade gesunken ist, schlucke die Bemerkung aber runter.

»Mama, er ist erwachsen«, erinnere ich sie.

»Das denkst du«, spöttelt sie. »Wie geht es ihm denn?«, will sie dann wissen.

»Gut«, sage ich nur knapp.

Sie muss ja nicht sofort erfahren, dass er schon das ein oder andere Tränchen verdrückt hat.

»Aha«, zeigt sie wenig Reaktion.

Wir setzen uns ins Wohnzimmer. Birgit grinst mich zur Begrüßung nur an.

»Ich musste Desdemona in die Tanzstunde fahren, deshalb war ich ein wenig früher hier.«

Dass ich nicht lache. Den Scheiß kann sie sonst wem erzählen. Immerhin scheint sie zu bemerken, dass mir dieses Ich-bin-Erste-Getue echt auf den Wecker geht, sonst hätte sie das Gespräch sicher nicht mit einer Rechtfertigung gestartet. Ich beschließe, nicht weiter drauf einzugehen.

»Mama, leg los, was ist eigentlich passiert?«, starte ich unser kleines Mutter-Töchter-Verhör.

Meine Mutter zuckt mit den Achseln.

»Ich weiß gar nicht, was hier für ein Aufruhr herrscht. Ich hatte Sex. Ja. Und eindeutig nicht mit eurem Vater. Ja. Und? Was nun? Teeren und federn oder steinigen?«

Das klingt nicht nach Reue und Entschuldigung. Eher ein wenig unwirsch und fast schon provokant. Dass sie so schnell zur Sache kommt, passt auch nicht wirklich zu ihr.

»Eigentlich weiß ich auch gar nicht, was euch das angeht«, redet sie weiter. »Das ist was Privates und ich denke, ich muss meinen Töchtern, die sicherlich schon reichlich Sex mit anderen Männern, außer mit ihren Ehemännern, hatten, keine Auskunft geben.«

Das wäre eigentlich der Moment, wo wir aufstehen und nach Hause gehen sollten. Wer nicht will – der hat schon. Im Prinzip ist das, was sie da sagt, ja auch nicht ganz falsch. Schließlich ist sie alt genug, Sex zu haben, mit wem sie will. Allerdings habe ich einen Großteil der Konsequenz ihrer Exzesse zu tragen. Immerhin lebt ihr Mann, mein Vater, jetzt bei mir.

»Du zerstörst eine Familie«, wirft Birgit gleich mit ganz dicken Moralbrocken um sich.

»Na ja«, versuche ich, den Angriff ein wenig abzumildern, »das ist doch vielleicht etwas zu weit gegriffen.«

Birgit wirft mir einen giftigen Blick zu.

»Jetzt rede ich mal«, zischt sie mich an.

Ich würde gerne sagen: ›Wieso eigentlich?‹ und ›Redest du nicht immer?‹, lasse es aber. Soll sie doch. Ob ihr Vorgehen bei Mama Erfolg hat, wage ich zu bezweifeln.

»Birgit, du übertreibst mal wieder maßlos«, bleibt meine Mutter erstaunlich ruhig.

»Mama«, mache ich quasi einen Vorschlag zur Güte, »erzähl uns doch einfach mal, was passiert ist, und dann sehen wir weiter.«

Meine Mutter schweigt. Augenscheinlich überlegt sie.

»Wozu sind wir auch sonst hier?«, tritt Birgit nochmal nach. »Dann hättest du auch gleich sagen können, dass du nichts sagst, und wenigstens zwei von uns wären jetzt dort, wo sie hingehören, nämlich bei ihren Männern«, setzt sie Mama unter Druck.

Noch zwei solcher Sätze und ich nenne sie Eva Herman. Wertekonservativ ist nix dagegen. Sie tut ja gerade so, als hätte Mama Papa zerstückelt und würde gerade ein feines Würz-Gulasch aus seinen Resten zubereiten, um es uns später aufzutischen.

»Birgit, du vergreifst dich entschieden im Ton!«, wehrt sich meine Mutter. »Gerade du solltest bei dem Thema ein bisschen zurückhaltender sein.«

Jetzt wird es richtig interessant. Was soll denn diese Bemerkung bedeuten? Hat Birgit ihren Kurt betrogen? Wenn ja, hätte sie von meiner Seite vollstes Verständnis.

»Das hat jetzt hier nichts zu suchen. Wir sind nicht hier, um über mich zu reden«, kontert nun Birgit.

Jetzt sind wir fast schon eine halbe Stunde hier und ich bin kaum schlauer als zuvor.

»Mama, ich verstehe gar nichts, aber wenn du nicht reden willst, musst du auch nicht«, probiere ich eine ganz andere Taktik.

Ich fühle mich richtig klug und überlegen. So besonnen.

»Wenn ihr es unbedingt wissen wollt, bitte schön«, startet meine Mutter mit ihrer Betrugsschilderung. »Ich, also wir, der Papa und ich, kennen den Fred vom Golf. Wenn wir auf dem Platz sind, ist der eben auch oft da. Und so sind wir ins Gespräch gekommen. Der Fred und ich. Wegen des Rasens. Ihr glaubt gar nicht, was die für einen schönen Rasen haben. Dieses Grün, unglaublich«, macht sie eine kleine Pause.

»Aber eure Nachbarn, die Wegeners, haben auch einen schönen Rasen. Aber deswegen steigst du doch auch nicht mit dem alten Wegener in die Kiste?«, gebe ich zu bedenken.

Meine Mutter schüttelt den Kopf.

»Natürlich nicht, Andrea. Hast du dir den Jürgen mal angeschaut? Der ist ja völlig indiskutabel. Da ist der Fred ein ganz anderes Kaliber.«

Das hoffe ich für meine Mutter. Jürgen, Herr Wegener von nebenan, ist selbst bei wohlwollender Betrachtung nicht als attraktiv zu bezeichnen. Um nicht zu sagen – er ist ein kleiner hässlicher alter Mann. Ein biestiger Kauz. Das ist nicht freundlich, aber die Wahrheit.

»Ja, aber wie kommt man denn vom Rasen ins Bett?«, verlange ich doch noch nach ein bisschen mehr Information.

Nur weil jemand einen schönen Rasen hat, muss man ja nicht zwangsläufig Sex mit ihm haben. So viel verstehe selbst ich von Logik.

»Na ja, erst haben wir eben über den Rasen gesprochen und dann hat Fred versprochen, mal nach unserem Rasen zu gucken. Um uns ein paar Tipps zu geben. Zur Rasenpflege. Netterweise hat er mir dann auch gleich den Rasen gemäht. Obwohl es schon Herbst war!«

»Mama, euer Rasen ist ein wirklich aufregendes Thema – aber wie ist er denn vom Rasen in dein Bett gekommen?«, lenke ich das Thema wieder in die entscheidende Bahn.

Gartenpflege hat mich noch nie besonders interessiert.

»Wir haben uns dann nach dem Mähen noch ein bisschen unterhalten und der Fred hat mir gesagt, dass mein Rasen zwar nicht sehr saftig ist, ich selbst aber in voller Blüte und vollem Saft stehe.« Sie seufzt.

Was für ein Sülzer. In voller Blüte und vollem Saft! Hätte nicht gedacht, dass meine Mutter für so ein läppisches Sätzchen zu haben ist. Irgendwie hat das auch fast was Unappetitliches.

»Und dann?«, hake ich nach.

»Dann kam halt eines zum anderen. Und auf einmal war es passiert.«

»Ihr hattet hier im Haus Sex? In eurem Ehebett?«, frage ich schockiert.

Man ahnt ja, dass Eltern Sex haben, oder jedenfalls mal hatten, aber auf Details lege ich eigentlich keinen Wert. Im Ehebett mit einem anderen. Ich muss schon sagen, bei aller liberalen Haltung, das finde ich doch recht dreist von meiner Mutter. Meine Schwester ist komplett entsetzt.

»Wie konntest du nur?«, schreit sie meine Mutter an. »Im Ehebett. Das ist ja geradezu ekelhaft.«

Meine Mutter sieht aus, als würde sie Birgit gerne eine scheuern. »Hör gefälligst zu. Nicht im Ehebett. Und weiter geht euch das auch gar nichts an. Es war nicht im Ehebett.«

Meine Mutter treibt es auf dem Fußboden oder auf der Couch. Das wird hier ja immer besser. Eine Frau, die oft genug betont, dass ihre Bandscheibe wahnsinnig weh tut, sie kaum mehr Golf spielen kann, vergnügt sich auf dem Fußboden. Das hätte ich in meinen wildesten Phantasien nicht für möglich gehalten.

»Wenn ihr es unbedingt wissen müsst – es war in Birgits Kinderzimmer.«

Birgit guckt, als müsste sie sich gleich übergeben.

»Ihr hattet Sex in meinem Bett?«, zickt sie meine Mutter an.

»Ja«, sagt die nur. »Genau da.«

Ich bin ein bisschen beruhigt. Immer noch besser als im Ehebett. Oder in meinem Kinderzimmer. Dass sie auf ein ehemaliges Kinderbett ausweicht, zeigt zumindest einen Hauch von Anstand. Birgit ist da offensichtlich anderer Meinung.

»Ich habe genug gehört«, sagt sie mit Grabesstimme. »Ich gehe. In meinem Bett. Wie eklig.«

Dass sie in diesem Bett schon seit Jahrzehnten nicht mehr schläft und es mittlerweile das Gästebett des Hauses ist, hat sie wohl vergessen.

»Komm, Andrea, lass uns gehen«, fordert sie mich auf.

Ich denke nicht daran. Gerade jetzt, wo es spannend wird. Außerdem ist sie früher gekommen, da kann sie von mir aus auch früher gehen. Ich bin von der Geschichte auch nicht irrsinnig begeistert, aber meine Schwester tut ja so, als hätte unsere Mutter den Verstand verloren.

»Ich bleibe noch«, sage ich freundlich.

»Ganz wie du meinst«, knurrt Birgit und geht. Ohne sich von meiner Mutter zu verabschieden.

Das ist wirklich ganz großes Theater hier. Da kann ja keine Fernsehsendung mithalten.

»Mama, Mama«, sitze ich kopfschüttelnd im elterlichen

Wohnzimmer. Hätte mir jemand, noch bis gestern, solch ein Szenario geschildert, ich hätte Haus und Kinder darauf verwettet, dass meiner Mutter so etwas niemals passieren würde. Sie hat etwas Grundsolides. Dachte ich bisher jedenfalls. Im Leben ist wirklich auf nichts Verlass. Jetzt heißt es Ursachenforschung betreiben.

»Aber warum, Mama, warum das alles?«

»Gelegenheit, Andrea. Es war einfach die Möglichkeit, und da habe ich zugegriffen. Es ist nicht so, dass eine Frau in meinem Alter ständig Offerten bekommt. Und da war Fred und er wollte und dann ist es passiert.« Kein Wort von Liebe oder zumindest von verliebt sein. Ist das jetzt besser oder schlechter? Ich bin unschlüssig. Verzeihlicher ist sicherlich ein Seitensprung aus Liebe, aber in der Folge natürlich auch wesentlich problematischer.

»Bist du in ihn verliebt? Hattest du was getrunken?«, will ich wissen.

»Aber nein«, zeigt sich meine Mutter fast schon entrüstet. »Es ist einfach so – ich hatte nie Sex mit jemand anderem. Nur mit deinem Vater. Und da war die Möglichkeit. Ich wollte immer schon auf jeden Fall wissen, wie es mit einem anderen ist, bevor ich sterbe.«

Sie hatte die Möglichkeit! Was für ein Argument! Ich hatte auch schon die Möglichkeit, ein Tier zu überfahren oder ein Kind zu foltern, aber habe ich es gemacht? Natürlich nicht. Während mir genau das durch den Kopf schwirrt, redet Mama weiter:

»Außerdem, Andrea, du weißt, ich trinke selten Alkohol.«

Eben deshalb habe ich nachgefragt. Meine Mutter ist in der Hinsicht billig. Zwei Gläschen Sekt, und sie hat ordentlich einen sitzen. Selbst nach einer Weißweinschorle ist sie schon recht beschwingt. Da hätten wir doch eine feine Entschuldigung. Vollrausch. Nicht haftbar sozusagen.

»Aber Mama«, wage ich doch mal aufzumucken, »man kann doch nicht einfach rumvö…«, ich schaffe es gerade noch, mir das Wort vögeln zu verkneifen, »also ich meine rumschnackseln, nur weil die Möglichkeit da ist.«

»Tu nicht so prüde«, wird sie jetzt auch ein wenig lauter. »Ihr hattet ja genug Kerle vor der Ehe. Und was jetzt ist, will ich gar nicht wissen. Ich bin aus einer Generation, da hat man den Ersten geheiratet. Da ist man nicht durch viele Betten gehüpft. Ich hatte nie Vergleichsmöglichkeiten. Ich liebe euren Vater, aber ich wollte mal sehen, ob ich was verpasst habe.«

Wäre das nicht auch etwas diskreter gegangen? Musste mein Vater das unbedingt mitkriegen?

»Und wie war's? Hast du was verpasst?«, will ich wissen.

»Keine Details«, sagt sie nun ein wenig strenger. »Irgendwo muss Schluss sein. Nur so viel: Es war keine Riesenüberraschung.«

Dann hätte einmal ja wohl gelangt. Dann muss man so was ja nicht auch noch wiederholen, denke ich, sage es aber nicht.

»Und was nun?«, frage ich perspektivisch. »Bist du jetzt mit Fred zusammen? Willst du dich scheiden lassen?«

»Andrea, rede keinen Unsinn«, ermahnt sie mich. »Natürlich nicht. Ich bin mit deinem Vater verheiratet.«

Daran hätte sie auch schon mal eher denken können.

»Papa ist verletzt, angeschlagen, traurig«, gebe ich ein paar Infos über meinen Asylanten preis.

»Das tut mir leid«, antwortet sie, »das wollte ich nicht.«

Hat sie gedacht, dass er sich freut? Dass es ihm egal ist? Ziemlich naive Haltung, muss ich sagen. Ich weiß nicht, ob es überhaupt Menschen gibt, denen so ein Verhalten wurscht wäre. Schwer vorstellbar. Angeblich gibt es ja tolerante, liberale Beziehungen, die sexuelle Freiheit leben. In der Theorie interessant, sicherlich auch recht abwechslungsreich, für mich aber definitiv nicht machbar. Ich bin zwar kein Einzelkind, teile aber trotzdem nicht sehr gerne. Bei Süßigkeiten mag das noch gehen, bei meinem Mann würde ich ausgesprochen zickig werden.

»Mama, was hast du denn gedacht? Dass es ihm egal ist oder was?«

Sie wird ein bisschen rot. Erstaunlich. Da scheint doch ein gewisses Schuldbewusstsein vorhanden zu sein.

»Ich habe gedacht, ich sage es ihm nicht. Ich meine, es ist doch keine so große Sache. Und es hat ja auch nichts mit Liebe zu tun.«

»Und warum hast du es ihm dann doch gesagt?«, bleibe ich am Ball.

»Weil er mich direkt darauf angesprochen hat, und anlügen wollte ich ihn nicht.«

Sehr ehrenwert, aber ich hätte eine kleine Lüge besser gefunden. Für alle Beteiligten. Jetzt ist mein Vater zutiefst gekränkt, kann eigentlich auch kaum mehr zum Golf gehen, weil er Fred bestimmt nicht begegnen will, und ich habe einen Dauerhausgast.

»Sag ihm, es tut mir leid, Andrea, mit mir will er ja nicht reden. Er war richtig wütend.«

»Ich glaube, das reicht nicht. Aber ich richte es ihm natürlich gerne aus«, antworte ich so diplomatisch wie möglich.

Sie gibt mir einen Kuss und verabschiedet mich.

»Ich habe noch was vor, Andrea. Grüß mir Christoph, die Kinder und natürlich meinen Franz.«

Mit diesen Worten schmeißt sie mich quasi raus. Was hat meine Mutter denn jetzt noch vor? Noch ein kleines Date mit Fred? Nach dem Motto: Nun kommt es auf einmal mehr oder weniger auch nicht mehr an?

»Wohin willst du denn noch? Es ist doch schon spät, ich meine, du gehst doch um halb zehn ins Bett«, versuche ich, etwas aus ihr rauszulocken.

»Sei nicht so neugierig«, weist sie mich in meine Schranken, »ich bin erwachsen und muss wohl kaum meinen Kindern sagen, wohin ich abends gehe.«

Das war ungeschickt von ihr. Damit hat sie meine Neugier erst recht geweckt. Wer nichts zu verbergen hat, kann doch auch sagen, wohin er geht. Und wer was zu verbergen hat, könnte sich wenigstens was ausdenken. Jetzt würde ich am liebsten draußen im Auto ausharren und meiner Mutter heimlich hinterherfahren.

»Du wirst doch nicht mit dem Fred oder so?«, wage ich, trotz des mütterlichen Verweises, eine Nachfrage.

»Nerv nicht«, benutzt meine Mutter ein Vokabular, das ich ansonsten eher von Claudia kenne, und schiebt mich sanft, aber doch konsequent zur Tür raus.

Kaum sitze ich im Auto, klingelt mein Handy. Birgit. Meine Schwester.

»Und was hat sie noch gesagt?«, will Frau Neugier wissen.

»Wärst du geblieben, wüsstest du es«, antworte ich ziemlich cool.

»Sei nicht blöd«, fährt sie mich an, »sag's halt.«

»Ich kann jetzt nicht«, würge ich sie ab, »ich bin im Auto.«

»Das stört dich doch sonst auch nicht«, weist sie mich zurecht.

»Da ist Polizei. Ich muss aufhören«, finde ich einen eleganten Weg, meine dominante Schwester abzuwürgen.

Ich lege auf. Das war natürlich etwas feige, aber so bin ich leider manchmal. Das nächste Mal, wenn sie sich meldet, muss ich sie unbedingt auf diesen Kommentar meiner Mutter ansprechen. Warum sollte Birgit bei diesem Thema zurückhaltender sein? Was war da mit Kurt? Oder eben nicht mit Kurt?

Zu Hause herrscht Buben-WG-Stimmung. Die Kinder springen durchs Wohnzimmer, obwohl sie längst im Bett liegen sollten, mein Vater, mein Bruder Stefan und Christoph hocken auf der Couch und gucken Fußball. Das sieht nicht nach dramatischen Beziehungsdiskussionen aus. Ich dachte, dass mein Vater Rat und Tat bei den beiden suchen würde. Irrtum.

»Wie war's?«, fragt mein Bruder, aber es klingt nicht wirklich interessiert.

»Es tut ihr leid«, sage ich. »Wirklich leid. Das soll ich dir sagen, Papa.«

Mein Vater scheint nicht besonders gerührt.

»Das hätte sie sich mal vorher überlegen sollen«, sagt er und schiebt sich eine Handvoll Paprika-Chips in den Mund. Wo sind die denn her?

Dieses Haus ist eigentlich eine chipsfreie Zone. Schon aus Selbstschutz. Ich liebe Chips. Wenn ich weiß, es sind welche im Haus, kann ich nicht widerstehen. Also kaufe ich keine. Was man nicht hat, kann man nicht essen. So einfach ist das eigentlich. Auch bei meiner Mutter gibt es selbstverständlich keine Chips. Sie hält meinen Vater in dieser Hinsicht recht knapp. Wegen seines Cholesterins. Gesunde Ernährung ist ihr wichtig. Ihm anscheinend weniger. Er lümmelt tatsächlich Chips mampfend und Bier trinkend auf der Couch. Scheint sein Leben ohne die Chefin zu genießen.

»Andrea, lass ihn doch einfach in Ruhe«, unterbricht mich mein Mann, als ich nochmal davon anfange, dass meiner Mutter alles so leid tut.

»So etwas braucht Zeit, und das Spiel ist gerade echt spannend«, fügt Christoph noch hinzu.

Ich hatte mir etwas mehr Unterstützung von den Männern erwartet. Auch was die Kinderbetreuung angeht.

Ich scheuche die Kinder ins Bett und bin froh, dass das doofe Fußballspiel zu Ende ist, als ich wieder runterkomme. Bei den Kindern erstaunlicherweise kein Gemecker über das gemeinsame Schlafzimmer. Ich habe auch nicht mehr nachgefragt.

Schade, die Chips sind aufgegessen. So eine Handvoll hätte mir jetzt doch Spaß gemacht. Aber – wer isst schon eine Handvoll Chips?

»Schatz, du weißt, morgen ist der Juristenball?«, erinnert mich mein Mann an ein von mir bisher erfolgreich verdrängtes Thema.

Wir waren erst einmal auf diesem Ball – vor zwei Jahren – und ich habe das Grauen in bester Erinnerung. Langweiliges Gerede, versteckte Angeberei und Präsentation der Ehegattinnen. Wer hat das schönste und jüngste Beutestück am Arm? Erschwerend kommt hinzu, dass ich nicht gerne tanze. Ich kann es nicht und deshalb mag ich auch nicht.

»Claudia hat eine Vier in Mathe geschrieben«, wechsle ich schnell das Thema.

»Hast du nicht mit deiner Tochter gelernt?«, fragt mein Mann da glatt zurück.

Das ist ja mal wieder eine typische Bemerkung. Für diesen kleinen, einfach blöd dahergesagten Satz könnte ich meinem Mann eine kleben. Hast DU nicht mit *DEINER* Tochter gelernt?

»Hallo! Ich habe keine Vier geschrieben. Das war unsere Tochter«, ich betone ›unsere‹ ganz deutlich, »Claudia. Und ich habe mit ihr gelernt. Soweit das ging«, antworte ich und unterdrücke einen kurzen Gewaltimpuls.

Mein Vater mischt sich ein.

»Ich kann mit ihr üben, wenn ihr wollt. Gar kein Problem.«

Wie lieb. Babysitter, Büroaushilfe und Nachhilfe in einer Person. Ich glaube, er kann gerne noch eine Weile bei uns bleiben. Das entwickelt sich doch erfreulicher als gedacht. Natürlich könnte ich jetzt, um die Aufenthaltsdauer sicher zu verlängern, erzählen, dass meine Mutter heute Abend noch eine geheimnisvolle Verabredung hat. Aber so ein Schwein bin ich dann doch nicht.

»Franz, wenn wir morgen auf den Ball müssen, kannst du da nach den Kindern sehen?«, fragt mein Mann noch, nutzt somit die Gunst der Stunde und macht meine Lieblingsausrede damit zunichte: »Ich kann nicht mit, wir haben keinen Babysitter.«

Mein Vater nickt. »Klar, kein Problem.«

Mist, jetzt habe ich eins. Ein Ball ist eine Herausforderung. Schließlich bin ich selten auf einem Ball, bin nicht prominent und habe deshalb auch nicht, wie die Schicki-Micki-Lieseln aus den Boulevardblättchen, diverse Designer, die mich bitten und betteln, ihre Kreationen zu tragen. Genauer gesagt, habe ich nur ein einziges Abendkleid, nämlich das, was ich schon vor zwei Jahren auf dem Ball anhatte. Nichts Besonderes. Mittelblau, V-Ausschnitt, lang, unten weiter als oben und vor allem auch ein ganz klein wenig eng. Um den Busen rum. Nicht, dass ich denke, mir wäre mehr Brust gewachsen, was ja an sich durchaus fein wäre, es geht eher um so kleine Polster am Rücken. Auch meine Oberarme sind nicht in Abendkleidform. Blöderweise haben 99 % aller Abendkleider keine Ärmel, die meisten Frauen jedoch Arme, die gut ein Stückchen Ärmel vertragen könnten. Eine Marktlücke, die dringend auf meine Liste muss! Beim letzten Mal habe ich so eine Art Schal, ein flatteriges Etwas, umgelegt. Eine ganz gute Tarnung, aber nicht besonders praktisch. Man muss das Flatterteil ja immer festhalten. Dann hat man noch ein Handtäschchen dabei und wenn man noch was trinken will, fehlt einem die dritte Hand. Wie so oft im Leben. Aber ein neues Kleid? Nur für einen einzigen Abend? Ich bin nicht geizig, aber das erscheint mir doch keine besonders sinnvolle Investition.

»Der Ball ist wichtig für mich, da sind alle da«, betont Christoph nochmal.

»Ich habe nichts zum Anziehen«, stimme ich das bekannte und auch ziemlich profane Frauen-Klagelied an.

»Das vom letzten Mal war doch schön. Zieh das doch an«, sagt Christoph, »ich trage auch wieder meinen Smoking.«

So was Knackdoofes kann wirklich nur ein Mann sagen.

»Ich geh jetzt erst mal schlafen und gucke morgen«, verschiebe ich, wie so oft, Unangenehmes auf den nächsten Tag und spare mir eine spitze Bemerkung zu seinem Smoking-Argument.

Am nächsten Morgen werde ich von einem grausigen Schrei geweckt. Eindeutig mein Sohn. Ich gucke neben mich. Christoph ist, mal wieder, schon weg. Man könnte denken, er arbeitet in der Frühschicht. Leider kommt er nicht dementsprechend nach Hause. Aber er betont oft: »Morgens ist Ruhe in der Kanzlei, da kann man gut was wegarbeiten.« Mag ja sein, aber dann sollte man doch wenigstens ein bisschen früher heimgehen können. Vor allem, wenn es keine Stechuhr gibt.

Jetzt heißt es aber erst mal nachschauen, warum mein Sohn wie ein angestochenes Jungschwein schreit. Ich tapse in Claudias Zimmer. Mark wälzt sich auf dem Boden und Claudia steht ungerührt daneben.

»Was ist hier los? Seid ihr verrückt geworden?«, frage ich meine Kinder.

»Ich hab vergessen, dass der hier schläft und bin drauf getreten beim Aufstehen. Da kann ich ja wohl nichts dafür«, rechtfertigt sich meine Tochter direkt.

»Du bist zweimal auf mich draufgetreten«, schluchzt mein Sohn. »Die hat auf meinem Bauch gestanden. Extra. Das hat die extra gemacht.«

Was für ein schöner Tagesbeginn, vor allem, weil jetzt auch noch mein Vater in der Tür steht.

»Was ist denn hier los?«, fragt er verstört. »Muss das denn sein, so ein Gekreische am frühen Morgen?«

»Papa, ich kläre das. Mark hat sich wehgetan. Geh schon mal runter. Ich komme gleich und mache Frühstück.«

»Ist das noch nicht fertig?«, knurrt er und geht.

Na prima. Da habe ich mir ja einen schönen Pascha ins Haus geholt. Gewöhnt an Full-Service.

»Ich hab mir nicht wehgetan. Die hat mir wehgetan, extra«, heult Mark sofort wieder los.

Ein bisschen wehleidig ist er schon. Aber was will man erwarten. Er ist ein Junge. Also irgendwann mal ein Mann. Und wer die kennt, weiß, sie bemitleiden sich gerne. Ich schaue mir seinen Bauch an und es ist tatsächlich ein Fußabdruck von Claudia zu sehen. War vielleicht keine gute Idee, seine Matratze direkt neben ihr Bett zu schieben. Obwohl wir das, wenn Übernachtungsbesuch da ist, immer so machen, und auf ihre Freundinnen ist Claudia noch nie getreten. Ich gehe mal vom Besten aus und hoffe, dass es keine Absicht war.

»Claudia, entschuldige dich. Und dann zieht ihr euch beide an. Die Schule wartet nicht gerne«, beende ich das morgendliche Gezeter.

»Ich mache Frühstück«, sage ich und verlasse das Zimmer. Ich höre noch, wie Claudia sagt, »Ich denke nicht daran, mich zu entschuldigen« und Mark »Das kriegst du zurück. Warte nur, bis du heute schläfst!« Herrlich.

Am Esstisch sitzt mein Vater. In froher Erwartung.

»Willst du einen Kaffee?«, frage ich freundlich.

Ehrlich gesagt, hätte er auch schon mal einen machen können, während ich da oben versucht habe, die Lage zu klären.

»Wir trinken morgens grünen Tee«, informiert mich mein Vater. Grünen Tee! Aha. Sicher sehr gesund, aber da wir ihn nicht mögen, haben wir auch keinen im Haus.

»Schwarzen Tee, Pfefferminz, Papa, oder eben Kaffee?« Er scheint nicht begeistert.

»Nein, dann nehme ich nur heißes Wasser. Wenn ihr Ingwer da habt, wäre es schön, du würdest mir ein bisschen dazugeben.«

Heißes Wasser mit Ingwer. Irgendwo muss doch noch so ein Stück Ingwerknolle rumfliegen. Ich setze Wasser auf, suche die verdammte Knolle und finde sie auch tatsächlich. Unter den Zwiebeln.

»Möchtest du auch was essen, außer dieser Ingwerknolle meine ich?«, frage ich, nachdem ich ihm seinen Ingwer und sein Wasser serviert habe. Ich habe das Gefühl, ein drittes Kind im Haus zu haben. Meine Güte, ob alle Männer dieser Generation so sind?

»Die Knolle muss geschält werden und geraspelt, ich kann die ja nicht einfach so ins Wasser tunken«, beschwert sich mein Vater jetzt auch noch.

»Gleich, Papa. Ich mache schnell ein paar Brote und das Frühstück für die Kinder. Wir zwei haben dann ja genug Zeit, um in aller Ruhe zu frühstücken.«

Ich sage nicht, dass ich finde, dass er zwei gesunde Hände hat und sich seine verdammte Knolle auch selbst raspeln könnte.

Die Kinder schlingen jeder ein Schälchen Müsli runter, packen ihre Brote ein, und ich unterschreibe noch eben Claudias Vier. Die guten Arbeiten darf immer Christoph unterschreiben. Auch merkwürdig.

Als die Kinder aus dem Haus sind, atmet mein Vater auf.

»Ich will dir ja nicht reinreden, Andrea«, beginnt er, und ich ahne, dass nichts Gutes folgen wird.

»Dann lass es doch einfach«, reagiere ich nicht besonders freundlich, aber ich will mir meinen Lieblingsmoment des Tages, den Moment, in dem ich in aller Ruhe Kaffee trinke und mich auf den Rest des Tages einstimme, nicht versauen lassen. Am liebsten würde ich mich auf den Balkon verdrücken und heimlich eine rauchen. Das muss ich dazusagen – ich rauche nicht. Also eigentlich nicht. Offiziell jedenfalls nicht. Nur manchmal. Wenn es keiner sieht oder ich was getrunken habe und jegliche Hemmungen verliere. Natürlich rauche ich auch nicht im Haus, ich habe sogar selten Zigaretten da. Jetzt allerdings wäre mir nach einer. Aber vor meinem Vater? Das traue ich mich nicht. Der würde es garantiert sofort meiner Mutter petzen, obwohl er ja eigentlich nicht mehr mit ihr redet, und auf den dann folgenden Vortrag zum Thema Gesundheit, fahle Haut und Falten, so tief wie Krater, kann ich gut verzichten.

»Mein Wasser ist kalt«, nölt er.

Ich mache frisches heißes Wasser, rasple ihm ein wenig von dem vertrockneten Ingwer, der schon kleine Wurzeln ausgebildet hat, in die Tasse rein und nehme seine Frühstücksbestellung entgegen.

»Wir frühstücken Joghurt mit frischem Obst, ein paar Haferflocken und Nüsse.«

Ich habe mich oft gefragt, was meine Mutter den ganzen Tag so treibt, außer Golf zu spielen. So langsam ahne ich es. Es ist sein erster Morgen hier, er ist verwirrt und betrübt, deshalb bekommt er auch annähernd das, was er verlangt. Immerhin – er isst, was ich zusammengemanscht habe. Auch wenn der Joghurt die falsche Sorte ist und normalerweise auch frische Ananas reingehört.

»Wir mögen lieber den mit eins Komma fünf Prozent Fett«, teilt er mir mit. Mein Vater redet verdammt oft im Plural.

»Ich werde beim nächsten Einkauf daran denken«, spiele ich die brave Tochter.

Dieses Im-Plural-Reden machen auch Mütter oft. »Wir haben eine Drei in Deutsch« oder »Wir stehen mündlich in Geschichte Zwei.« Ich finde das, gelinde gesagt, seltsam. Sich mit seinen Kindern zu solidarisieren ist sicherlich lobenswert, aber das erscheint mir doch zu übertrieben. Und es ist auch inhaltlich falsch. Einmal habe ich versucht, ein kleines Witzchen zum Thema zu machen und meiner Nachbarin Tamara, eine Expertin im Wir-Form-Reden, gesagt, sie solle sich halt mehr melden, um mündlich besser dazustehen. Nur so viel: Sie hat nicht gelacht.

»So, ich mache mich jetzt fertig, und dann gehe ich ins Internet«, teilt mir mein Vater netterweise seine Pläne mit.

»Wie geht es dir denn heute?«, möchte ich noch wissen. »Besser?«, frage ich hoffnungsvoll.

»Wie soll es mir besser gehen?«, fragt er zurück. »Meine Frau betrügt mich und hat mich sitzengelassen. Was glaubst du, Andrea, wie es mir da geht?«

Ich hatte mir mehr versprochen. Das klingt nicht nach baldiger Versöhnung.

»Willst du sie nicht mal anrufen und mit ihr reden?«, wage ich eine kleine Nachfrage.

»Der Ungeduldige fährt sein Heu nass ein«, bemüht er mal wieder Wilhelm Busch.

Das soll wohl heißen, dass er noch abwartet.

Ich verziehe mich, um mein Abendkleid anzuprobieren. Als ich nach oben gehe, höre ich noch, wie er ein weiteres Wilhelm-Busch-Zitat vor sich hinsagt: »Enthaltsamkeit ist das Vergnügen an Sachen, welche wir nicht kriegen.«

Danke für das schöne und gute Frühstück klingt anders.

Das Abendkleid geht sogar. Es ist um den Rücken herum, wie erwartet, ein bisschen eng, aber der Reißverschluss wirkt stabil und ich denke: »Was soll's, sind ja nur die langweiligen Juristen.« Als ich mich im Spiegel betrachte, sehe ich es dann aber. Ein riesiger Fleck, vorne unter der linken Brust. Ich erinnere mich. Es war Rotwein. Und ich dachte damals, dass ich es später in die Reinigung geben würde, weil ich es ja so selten brauche. Was nun? Wenn ich den BH weglassen würde, wäre der Rotweinfleck auch weg, zugehängt sozusagen, aber ohne BH zu gehen, ist undenkbar. Schließlich trage ich Originalbrüste und die haben nun mal einen fatalen Drang in Richtung Fußboden. Ob das besser aussieht als ein fetter Rotweinfleck? Keine der beiden Varianten kann mich wirklich begeistern. Ich bin ratlos. Ohne Kleid kein Ball. Schöne Ausrede. Aber damit komme ich bei Christoph nicht durch. Außerdem weiß ich, dass ihm dieser Ball wirklich wichtig ist. Nicht weil er gerne auf Bälle geht, er hockt hundertmal lieber vor der Glotze, aber er glaubt an die Verflechtung von gesellschaftlichen Events und Geschäft. Neulich hatte er sogar die Idee, mit dem Golfspiel anzufangen, nur um Arbeitskontakte zu pflegen und das, obwohl er Golf für einen Opi-Sport hält. Nämlich eigentlich für keinen Sport.

Natürlich könnte ich meinen Standard-Hosenanzug in Schwarz tragen. Der geht eigentlich immer, egal ob Beerdigung oder Taufe. Aber so richtig balltauglich ist der nicht.

Da kommt mir die Idee: Ich leihe mir was.

Schnell rufe ich Iris an. Ich kenne sonst niemanden, dem ich zutraue, eine Auswahl an Abendkleidern zu besitzen.

»Was macht mein Wickelkleid?«, will sie als Erstes wissen.

»Es sieht gut aus. Müsste morgen hier sein«, gebe ich ihr die erlösende Antwort.

Natürlich hätte ich es ihr auch heute schon überreichen

können, aber da würde selbst Iris auffallen, dass da was nicht stimmen kann.

»Du bist meine Retterin! Aber jetzt sag, wie willst du aussehen?«, fragt sie mich. »Sexy, aufregend, elegant oder eher glamourös?«, verlangt sie genaue Vorgaben.

»Eigentlich von allem was, wenn das geht«, antworte ich, wissend, dass das nicht ganz so leicht wird. Schließlich soll ich in dem Kleid stecken.

»Kein Problem, ich bring dir was vorbei. Du hast echt was gut bei mir.«

Wunderbar. Zwar hat Iris gut eine Größe kleiner als ich, aber in irgendeins ihrer Kleider werde ich schon reinpassen. Wozu hat Gott Stretch erfunden? Prinzip Hoffnung.

Und es klappt tatsächlich. Ich kann mich in ein wunderschönes, schwarzes Kleid reinquetschen. Ein sogenanntes Neckholderkleid. Das bedeutet, der Rücken ist frei und die Träger werden um den Hals geschlungen. Natürlich sind deshalb auch die Arme frei, aber ein Kleid mit Ärmeln hatte Iris leider nicht im Angebot. Dafür ein goldenes, komplett mit Pailletten bestickt. Mit majestätisch anmutendem Stehkragen. Stehkragen ist schick, vor allem für sehr schlanke Menschen. Ansonsten streckt ein Ausschnitt doch mehr. Außerdem habe ich keinen besonders langen und schmalen Hals. Auch ein Argument gegen das Goldkleid. Und irgendwie habe ich mich darin auch nicht wohlgefühlt. Ich sah aus wie ein gigantisches, aufwändig verpacktes, halsloses Geschenk. Eins von der Sorte, bei dem die Verpackung mehr hermacht als der Inhalt. Eine Art lebender Christbaum. Der Favorit von Iris ist ein lilafarbenes Tüllkleid. Korsage oben, unten ein riesiges Tüllgewirr.

»Lila ist das neue Schwarz«, erklärt sie mir mit völlig ernster Stimme. War nicht Grau das neue Schwarz? Wie weit wird das noch gehen? Ist irgendwann Gelb das neue Schwarz? Oder sogar Weiß? Sind wir alle verrückt geworden? Vierzig ist die neue Dreißig und Schwarz bald Gelb. Ich entscheide mich trotzdem gegen das lila Kleid. Es ist so eng, dass ich überhaupt nicht sitzen kann. Selbst atmen fällt schwer. Mein Busen ist in der Korsage so abgequetscht, dass mein Herz wahrscheinlich kein Blut in die unteren Extremitäten pumpen kann. Ich bin bereit, für gutes Aussehen Einschränkungen in Kauf zu nehmen, aber atmen wäre schon schön. Außerdem möchte ich nicht, dass mir beim Ball auf einmal die Beine abfallen. Dann nehme ich eben nicht das neue, sondern das alte Schwarz.

»Du bist so blass in dem Schwarzen«, wagt Iris leichte Kritik.

»Iris, es ist Winter, da liege ich nun mal selten in der Sonne. Ich verbringe meine Zeit leider nicht auf den Malediven«, entgegne ich. Diese rund ums Jahr knusprig braungebrannten menschlichen Brutzelhähnchen sind mir suspekt. Außerdem macht dieses tief Dunkelbraune auch alt, sagen jedenfalls alle Frauenzeitschriften, und es wirkt irgendwie auch nichtsnutzig.

»Das Problem können wir lösen«, freut sich Iris und holt ihr Handy aus der Handtasche.

»Moment mal«, will ich intervenieren, aber sie sagt nur: »Lass mich mal machen, Andrea.«

Zwei Minuten später gibt sie mir die Detailinformationen.

»Vierzehn Uhr dreißig bei Yvonne. Goethestraße elf, erster Stock. Danach wirst du zart gebräunt aussehen. Vertrau mir. Die Yvonne versteht ihr Geschäft.«

»Iris, ich geh nicht auf die Sonnenbank. Da werde ich nur rot oder pink. Vergiss es. Das hat keinen Zweck.«

Sie lacht. »Sonnenbank. Das ist doch so was von out. Da geht doch niemand mehr hin. Die Yvonne hat eine Bräunungsdusche. Das Allerneuste. Was glaubst du, warum ich so schön braun bin?«

»Weil du ständig durch die Gegend reist und mehr Zeit auf Mallorca und an der Côte d'Azur verbringst als andere an ihrem Arbeitsplatz«, will ich sagen, schlucke es aber runter.

»Ich weiß nicht, ob ich das noch schaffe, da heute Mittag hinzudüsen«, äußere ich gewisse Bedenken. »Du weißt, die Kinder und so.«

»Ach Papperlapapp«, unterbricht mich Iris, »das kriegen wir schon geregelt, dein Papa und ich. Außerdem – da sehen deine Arme doch gleich viel schlanker aus, wenn die so ein bisschen angebräunt sind.«

Sie hätte kein besseres Argument finden können.

»Gut, ich werde hingehen«, verspreche ich.

Selbst wenn das bedeutet, dass ich meinen Vater mit Iris hier allein zu Hause lassen muss. Immerhin sind beide ja erwachsen, und sie werden ja wohl kaum vor den Augen der Kinder irgendwas miteinander anfangen. Ich probiere das Kleid nochmal an, und da fällt mir ein weiteres Problem auf. Ich habe keinen passenden BH. Normale Träger-BHs sehen unter diesem sogenannten Neckholderkleid natürlich grausig aus. Und das bedeutet, ich muss mir auch noch einen Neckholder-BH anschaffen. Wieder weiß Iris Abhilfe.

»Da trägt man am besten gar keinen BH, sondern klebt die Brüste einfach hoch. Das ist genial, mache ich bei diesem Kleid immer. Da guckt nix raus. Mit Teppichklebeband.«

»Wie soll denn das gehen?«, frage ich. Ich will nicht sagen, dass ich wenig Vertrauen in Teppichklebeband habe, aber schließlich liegt der Teppich ja auf dem Boden und muss nicht künstlich in der Luft gehalten werden.

»Ich mach dir das, ist gar kein Problem«, beruhigt mich Iris. »Ich kann dich auch schminken, das wird ein Heidenspaß«, geht sie noch einen Schritt weiter. Ich komme mir langsam vor wie bei einer dieser Vorher-Nachher-Verschönerungsaktionen.

»Hast du Schuhe, eine Tasche und Schmuck?«, blüht sie richtiggehend auf. Ich zeige meine Vorräte.

»Das geht gar nicht«, befindet Iris, »das ist doch keine richtige Abendtasche. Ich fahre nochmal nach Hause und bin um zwei wieder hier. Reicht das? Wann müsst ihr los?«

»Gegen sieben«, antworte ich und spüre tatsächlich so etwas wie Erleichterung.

Iris wird es schon richten. Wenn sie was kann, dann sich herrichten. Vielleicht wird das heute Abend mit dem Ball doch noch netter als erwartet.

Mein Vater jedenfalls findet die Pläne für den Nachmittag höchst erfreulich. »Geh du nur. Das kriegen die Iris und ich schon hin«, versucht er mich zu beruhigen.

»Papa, die Iris ist, genau wie die Tamara, verheiratet«, erwähne ich schnell nochmal. Sicher ist sicher. Ältere Menschen vergessen ja gerne mal was.

»Ich habe deine Hinweise durchaus verstanden, Andrea«, gibt er leicht genervt zurück.

Was soll's. Er ist mein Vater, nicht mein Kind.

Punkt vierzehn Uhr steht Iris vor meiner Haustür. Beladen, als gelte es ein ganzes Mädcheninternat zu verschönern.

»Ich habe sicherheitshalber alles dabei«, begrüßt sie mich und drückt mir direkt zwei Reisetaschen in die Hände. Ich scheine eine große Schönheitsbaustelle zu sein, wenn man all das Zeug braucht, um mich für einen Abend aufzurüschen.

»Du musst los, um halb drei erwartet dich die Yvonne. Mach hin«, gibt sie auch direkt erste Anweisungen.

Ich hole meinen Mantel und gehorche. Mein Vater begleitet mich mit Iris zur Tür. Fast so, als wollten die zwei sich vergewissern, dass ich auch tatsächlich wegfahre.

»Papa, ich habe es dir schon gesagt, der Mark bekommt heute Besuch von zwei Freunden. Die kommen um drei. Und Claudia soll Mathe lernen. Ach ja und keine Süßigkeiten für die Jungs.«

Bevor ich weitere Mutti-Anordnungen runterrattern kann, schieben die zwei mich sachte aus der Tür.

»Das sind doch keine Raubtiere, sondern Kinder«, kichert Iris und ich denke nur: »Du wirst schon sehen.«

Goethestraße elf, erster Stock. Eine feine Adresse. Ich bin sieben Minuten zu spät und hetze die Treppe hoch. Yvonne erwartet mich schon.

»Frau Schmidt, nehme ich an. Endlich. Wurde ja Zeit. Also, ohne die Empfehlung von Iris, da hätten Sie im Leben nicht so schnell einen Termin bekommen«, empfängt sie mich nicht direkt herzlich.

»Ja, vielen Dank, es handelt sich um eine Art Notfall«, zeige ich so was wie Dankbarkeit.

Immerhin bezahle ich für diese Behandlung, da muss man ja nicht auch noch Geschenke mitbringen. Yvonne sieht genau so aus, wie ich sie mir vorgestellt habe. Eigentlich ganz ähnlich wie Iris. Nur jünger, dünner und eine

Spur dunkler gebräunt. Wo werden all diese Frauen heimlich geklont? Sie hält sich nicht mit irgendwelchem Geplänkel auf.

»Dann wollen wir mal«, sagt sie und zeigt auf eine Umkleide. »Ziehen Sie alles aus, auch Ringe und so, und setzen Sie sich dieses Häubchen auf.«

Fehlt nur noch ein rückenfreier Kittel. Ich sehe aus, als wollte man mich in den OP schieben. Leichte Panik überkommt mich. Nicht nur, weil ich mich so nackt ein wenig unwohl fühle, vor allem vor Frauen wie Yvonne, sondern auch, weil ich nicht mehr sicher bin, ob diese Bräunungsduschidee wirklich so gut ist.

»Also«, beginne ich, noch aus meiner Umkleidekabine heraus, meine Zweifel zu artikulieren, »also Yvonne, ich bin nicht sicher, ob das gut aussieht, also ob das Ergebnis ...«

Da unterbricht sie mich schon. Sie öffnet die Kabinentür, schaut mich von oben bis unten an, und man ahnt, was sie sagen möchte. Wahrscheinlich etwas in der Art wie: »Schlimmer kann es ja nicht werden.« Nach dem Motto: Von hier aus geht's nur noch aufwärts.

»Wir haben nicht viel Zeit. Halten Sie die Arme hoch, und wenn die Dusche vorbei ist, cremen Sie die Reste gut ein. Und dann Hände gründlich waschen.«

Ich merke, für Gegenwehr ist es eindeutig zu spät. Mitgegangen, mitgefangen. Jetzt hier zu sagen: »Äh nein danke. Ich habe es mir anders überlegt«, wäre rein theoretisch vielleicht möglich, aber beim Blick in Yvonnes Gesicht bleibt es auch bei der Theorie. Sie hat trotz ihrer augenscheinlichen Jugend etwas sehr Strenges an sich. Ich ergebe mich. Jegliches Aufbegehren wäre sowieso zwecklos. Außerdem muss man sich im Leben mal was trauen. Und wenn es der Gang unter eine Bräunungsdusche ist. Sie schiebt mich in eine weitere Kabine und ruft noch:

»Nicht vergessen, Hände hoch!«

Gut, dass ich nicht unter Platzangst leide. Für Klaustrophobiker ist ein Bräunungsduschenbesuch sicherlich denkbar ungeeignet, außer bei der Konfrontationstherapie. Auf einmal ertönt ein ziemlicher Krach, und ich komme mir vor wie bei einem leichten Sprühregen. Innerhalb weniger Minuten ist das Spektakel vorbei, und ich verreibe wie angeordnet die Reste. Yvonne befreit mich aus meiner Duschkabine und grinst mich an.

»Jetzt noch Nägel schrubben und Hände waschen und die nächsten vierundzwanzig Stunden nicht duschen.«

Nicht duschen? Ich gehe heute Abend auf einen Ball, soll ich da etwa ungeduscht hin? Braun, aber müffelnd? Eigentlich gehört Duschen zu meinem Standardausgehritual. Na ja, was soll's – wasche ich mir eben nur die Haare. Habe ja heute Morgen schon geduscht. Man soll es ja sowieso nicht übertreiben. Tut der Haut angeblich gar nicht gut. Während ich mir brav die Hände wasche und die Fingernägel schrubbe, wage ich einen ersten Blick in den Spiegel. Meine Begeisterung hält sich in Grenzen. Ich bin zwar eindeutig brauner als vorher, aber ob man das in meinem Gesicht tatsächlich als Braun bezeichnen kann, weiß ich wirklich nicht. Bunt trifft es wohl eher. Ich finde, es sieht ein bisschen so aus, als hätte ich monatelang Karottensaft getrunken. So wie diese Babys mit der Neugeborenengelbsucht. Vielleicht liegt es aber auch am ungünstigen Licht hier im Waschraum. Vielleicht sieht das Orange bei Tageslicht braun aus. Man soll ja positiv denken. Ich versuche, immerhin pragmatisch zu sein. Ändern kann ich das Ganze jetzt sowieso nicht mehr.

»Sollte es Farbunterschiede geben, können Sie die mit einem Peeling locker ausgleichen. Hätten Sie eigentlich schon vorher machen müssen«, informiert mich Yvonne noch. Komisch, bevor ich diese Dusche betreten habe, hat sie kein Wort von Farbunterschieden gesagt. Auch das Wort Peeling fiel nicht. Sie knöpft mir siebenundvierzig Euro ab und sagt mir noch, dass ich bitte rechtzeitig einen Termin fürs nächste Mal machen soll.

»Immer kann ich Sie nicht so spontan einschieben!«, gibt sie mir einen erneuten Hinweis auf ihre Großherzigkeit und scheint dabei aber kein bisschen daran zu zweifeln, dass ich wiederkomme. Sie fragt auch nicht, ob ich mit dem Ergebnis zufrieden bin. Ist ihr wahrscheinlich total egal.

Auf der Heimfahrt schaue ich ständig in den Rückspiegel. Mein Kopf sieht aus wie eine ältliche Orange, und am Hals habe ich eine Art Hautperlenkette. Einen weißen Streifen. Eine Falte, die nicht mitbesprüht wurde. Auch meine Fingernägel sehen seltsam aus. So als ob man seinen Nagellack nicht gut entfernt hat oder monatelang dunklen Lack drauf hatte und die Nägel zum ersten Mal nach Langem wieder ohne alles sind. Verfärbt. Gelbstichig. Scheußlich! Wenn ich die Finger auseinanderspreize, entdecke ich weitere weiße Flächen. Diese Häutchen zwischen den Fingern haben anscheinend keine Farbe abbekommen. Und das für siebenundvierzig Euro. Da sollte man doch erwarten können, dass genug Farbe für den gesamten Körper zur Verfügung steht. Selbst bei Frauen, die mehr als fünfzig Kilo wiegen. So langsam dämmert es mir, dass diese Dusch-Maßnahme keine besonders schlaue Sache war. Ich tröste mich damit, dass sich die Farbe vielleicht noch verändert. Sich bis zum großen Ball heute Abend noch in ein zartes leichtes Braun verwandelt.

Zu Hause herrscht himmlische Ruhe. Iris und mein Vater sitzen auf dem Sofa, und ich habe das ungute Gefühl, dass sie, als ich die Haustür aufschließe, wie zwei Teenager schnell ein wenig auseinanderrücken. Habe ich die zwei bei irgendwas ertappt? Und wo sind die Kinder?

»Papa, Iris! Hallo ihr zwei! Wo sind denn die Kinder?«, frage ich gleich zur Begrüßung.

»Wie siehst du denn aus? Hast du was Komisches gegessen? Du bist so gelb und riechst irgendwie anders!«, wundert sich mein Vater.

»Das wird noch, das braucht Zeit«, beruhigt mich Iris.

Aber ich sehe ihr an, dass sie von dem Ergebnis auch nicht gerade begeistert ist.

»Die Kinder? Wo sind die denn?«, frage ich nochmal nach, während ich so unauffällig wie möglich an mir schnuppere. Es stimmt. Ich rieche merkwürdig. Dumpf, muffig, so wie nach altem Selbstbräuner. Aber das kann man sicher mit Parfüm übersprühen.

»Alles prima«, sagt mein Vater, »gar kein Problem, deine Tochter übt Mathe in ihrem Zimmer und Mark ist mit seinen Freunden im Keller. Die spielen Kindergeburtstag.«

Kindergeburtstag? Im Keller? Das klingt nicht gut. Vor allem, weil überhaupt kein Geräusch zu hören ist. Und dass Claudia freiwillig in ihrem Zimmer sitzt und Mathe lernt, klingt fast noch merkwürdiger. Das wäre ja das Allerneuste. Wenn dem tatsächlich so ist, dann muss ich meinen Vater unbedingt fragen, wie er dieses achte Weltwunder zustande gebracht hat.

»Wollen wir loslegen?«, fragt mich Iris. »Ich glaube, wir haben noch gut was zu tun!«

»Ich glaube, ich geh erst mal nach den Kindern sehen«, sage ich und will mich direkt auf den Weg in den Keller machen.

»Das kann doch dein Papa erledigen. Wir brauchen jede Minute. Wenn die Kinder merken, dass du wieder hier bist, ist es mit der Ruhe bestimmt vorbei. Franz, gehst du eben mal runter.«

Dafür, dass Iris keine Kinder hat, weiß sie gut Bescheid. Aber es stimmt ja, was sie sagt. Wenn was ist, werden sie sich schon melden. Manchmal muss man sein Mutti-Gen verdrängen. Iris zieht mich auf die Treppe und dann ins Schlafzimmer, wo sie schon das ganze Zubehör ausgebreitet hat.

»Also«, informiert sie mich über den Restaurationszeitplan, »als Erstes machen wir deine Haare. Dann suchen wir Schuhe und Tasche, kleben die Brüste hoch, schminken, und zum Schluss kommt der Schmuck. Ich habe tolle Sachen mitgebracht.«

»Iris, es ist gleich erst vier. Wir haben massig Zeit. Drei Stunden, um genau zu sein. Keine Hektik. Wollen wir nicht erst mal einen Kaffee trinken?«

Sie schaut entsetzt. »Später, jetzt wäschst du die Haare. Dann fönen wir, dann kommt mein Lockeneisen zum Einsatz, und wenn wir dann gut im Zeitplan liegen, können wir einen Kaffee trinken.«

Ich ergebe mich und wasche meine Haare. Zu gern hätte ich geduscht, vor allem, um diesen Selbstbräunergeruch loszuwerden, aber das Risiko ist mir einfach zu hoch. Also entkleide ich mich bis auf die Unterwäsche und gehe ins Bad. Iris starrt mich an.

»Ich weiß, ich bin nicht so in Form zurzeit, aber im Frühling fange ich mit Diät an. Im Winter ist mein Körper immer so gefräßig«, fange ich bei ihrem Blick direkt an, mich zu rechtfertigen und ziehe wie automatisch den Bauch ein.

»Hast du kein Peeling gemacht vor der Dusche?«, fragt sie mich, während ihre Augen meinen Körper abscannen.

»Nein, wieso?« Ich gucke, warum sie so guckt, und sehe im Spiegel das ganze Grauen. Ich bin mehrfarbig. Habe dunkelorangene Fersen, braungelbe Fußnägel, und als ich meinen Rücken im Spiegel betrachte, sehe ich, dass an den Stellen, wo die unschönen Speckfalten sind, alles weiß geblieben ist. Ein orangeweißes Zebra.

»Das ist ja unglaublich«, beginnt Iris, und ich stimme ihr sofort zu.

»Finde ich auch, dass man danach so aussieht. Also, so was von unprofessionell. Was diese Yvonne da treibt, die hat ja keine Ahnung.«

Iris schüttelt nur mit dem Kopf. »Du bist unprofessionell, Andrea. Das muss man doch wissen, dass Selbstbräuner auf Hornhaut oder rauerer Haut, wie den Ellenbogen, dunkler wird.«

Gehört das jetzt zur Allgemeinbildung? Zum Frauengrundwissen? »Ich kann dafür die Hauptstädte Afrikas«, will ich sagen, verkneife mir den Satz aber. Ouagadougou oder Gaborone nützen mir jetzt wenig.

»Und was mache ich jetzt? Wann geht das weg? Wird das noch?«, frage ich ängstlich nach einem weiteren Blick in den Spiegel. Ich habe ein wenig Ähnlichkeit mit Grillfleisch. Eingelegt, wie es das abgepackt im Supermarkt gibt. Fleisch in Orange.

»Jetzt haben wir ein Problem«, stellt Iris nur fest. »Gut,

wir werden peelen und schauen, was zu retten ist. Hast du ein Peeling?«

Ich nicke. Irgendwo ganz bestimmt. Peelings gehören zu den Dingen, die man ungefragt zum Geburtstag geschenkt bekommt. So auch Duschgels, Cellulitiscremes oder Badezusätze. Verlegenheitsgeschenke, die man aber immer brauchen kann. Leider bin ich nicht sicher, ob ich es weiterverschenkt habe. Oder wo ich es hingeräumt habe.

»Wenn du es nicht findest, können wir auch Meersalz mit Öl mischen, Olivenöl. Das geht auch. Das kriegen wir schon, Andrea«, versucht mich Iris jetzt zu trösten.

Langsam ahne ich, dass wir die drei Stunden brauchen werden. Schon um mich farblich wieder so hinzukriegen, dass der Rest der Ballbesucher keine Sonnenbrille bei meinem Anblick braucht. Oder Häschenwitze über mich macht.

»Wasch die Haare. Ich gehe runter und rühre ein Peeling zusammen«, übernimmt Iris wieder das Kommando.

Ich habe den Eindruck, dass die relative Aussichtslosigkeit des Falls sie enorm motiviert. Wahrscheinlich hat sie das Gefühl, fast schon karitativ tätig zu sein. Eine viertel Stunde später sitze ich mit frisch gewaschenem Haar, einem Handtuch um den Kopf in der leeren Badewanne, und Iris schmirgelt meinen Rücken. Eine ziemlich intime Angelegenheit, aber so gelenkig, dass ich das allein hinbekommen würde, bin ich nicht, und wenn ich an das Kleid denke, verliere ich jegliches Schamgefühl.

»Mit grobem Meersalz wäre es natürlich besser«, klagt Iris, müht sich aber redlich. Angenehm ist was anderes. Christophs Kollege ist beim Mountainbikefahren mal in den Schotter gestürzt, und im Krankenhaus haben sie ihm mit einer Wurzelbürste die Steinchen aus der Haut geschrubbt – das war sicherlich um einiges schlimmer. Die Vorderfront und die Beine übernehme ich selbst. Ich glaube, so gut durchblutet war ich schon seit Jahren nicht mehr. Jetzt sehe ich aus wie ein orangeroter Hummer. Vom Häschen-Zebra zum Hummer in wenigen Minuten. Welch eine Verwandlung. Und das allein mit Salz und Olivenöl. Wenn man ein Salatblatt auf mich legen würde, könnte man sich glatt das Dressing sparen. Nebenbei könnte ich auch als Kuh-Leckstein arbeiten. Ich wasche die Pampe mit möglichst wenig Wasser runter. Kratze sie mir mehr oder weniger vom Körper. Schließlich soll an dieses Haut-Farbwunder ja gar kein Wasser kommen.

»Jetzt eincremen«, gibt Iris ihre Anweisung. Dann betrachtet sie ihr Werk. »Schon besser, an den Füßen wird das allerdings noch ein zwei Wochen so bleiben.«

Gut, dass Winter ist.

»Schade wegen der schönen Abendsandalen, die ich dir mitgebracht habe. Die gehen so natürlich gar nicht«, sagt sie dann mit Blick auf meine verfärbten Füße. Das stört mich jetzt eher weniger. Ein wirklicher Trumpf sind meine Füße sowieso nicht. Meine Zehen sind längenmäßig ein wenig außerhalb der Norm. Der Zweite ist länger als der Dicke. Also werden sie heute Abend schön eingepackt.

»Wir müssen jetzt abwarten. Vielleicht entwickelt sich die Farbe noch«, entscheidet Iris. »Wir machen zunächst mal die Haare.«

Sie holt drei gigantische Rundbürsten aus ihrer Reisetasche und einen Fön.

»Ich habe einen Fön, Iris, so schlimm ist es nun auch nicht.« Die tut ja gerade so, als wäre das hier die Kosmetik-Diaspora.

»Meiner liegt besonders gut in der Hand und hat diesen

Volumnizing-Aufsatz. Setz dich hierher, ich mach mich mal an die Arbeit.«

Und schon dreht sie mir ihre Mega-Rundbürsten ins Haar. Drei Bürsten, und mein Haar ist aufgerollt. Das ist bitter. Nass sehen meine Haare noch übersichtlicher aus als trocken. Dünnes, spackeliges Haar ist wirklich eine lebenslange Prüfung. Vor allem, weil Haare schwer zu bedecken sind und mir noch nicht mal Hüte oder Mützen gut stehen. Was ich im Laufe meines Lebens an Schaumfestiger und Ähnlichem verbraucht habe, ist unvorstellbar. Der gesamte Industriezweig könnte von einem Dutzend meiner Sorte überleben. Und an meinen wirklich übersichtlichen Haaren zerrt und fönt Iris nun mit all ihrer Kraft. Hoffentlich halten die das aus, sonst sehe ich heute Abend wie ein schlecht gerupftes Curryhühnchen aus. Mittlerweile bin ich nämlich nicht mehr ganz so orange, sondern eher gelbstichig. Das Gute an dünnem Haar, soweit es da überhaupt frohe Botschaften gibt, ist, dass es rasant schnell trocken ist. Zweimal ordentlich in meine Richtung ausatmen, und die Sache ist erledigt. Auch Iris stellt nach knapp fünfzehn Minuten den Fön aus. Meine Ohren sind so heiß, dass sie als Grill dienen könnten.

»Und?«, frage ich. »Sieht es gut aus?«

»Es ist ein Anfang«, antwortet Iris recht lapidar. »Jetzt müssen wir die Feinarbeit mit dem Lockeneisen machen!«

»Glaubst du nicht, ein Pferdeschwanz wäre schneller und einfacher?«, erlaube ich mir eine kurze Zwischenfrage. Pferdeschwanz ist meine Standardfrisur. Praktisch und nicht weiter anspruchsvoll. Wenn man ihn sehr straff nach hinten frisiert, hat man gleich noch eine Art Liftingeffekt. Eine wunderbare Sache.

»Quatsch«, unterbricht mich Iris, »ein besonderer Abend

und ein besonderes Kleid verlangen auch einen besonderen Kopf.« Ich stimme ihr zu, wissend, dass ich mir meinen Pferdeschwanz immer noch machen kann, wenn sie weg ist. Ich muss unbedingt ein Haargummi ins Abendhandtäschchen schmuggeln.

Sie braucht nochmal fünfunddreißig Minuten für die Lockenstabprozedur. Auf das Ergebnis, das überraschend füllig aussieht, kommt genug Haarspray, um die gesamten Mähnen der Pferde eines Reiterhofs zu fixieren. Was soll's. Ich bin hin und weg. Immerhin – der Aufwand hat sich gelohnt. Hoffen wir mal, dass das Gebilde auf meinem Kopf, das so wenig Ähnlichkeit mit meinem eigentlichen Haar hat, bis zum großen Auftritt auf dem Juristenball hält und kein Aschenputteleffekt eintritt. Mir fallen die Haare in weichen, schönen Wellen auf die Schultern. Viel Zeit, den Anblick zu genießen, bleibt mir nicht. Iris hat ihren Zeitplan im Griff.

»Die Brüste. Jetzt kleben wir die Brüste.«

Gut, dass uns keiner hören kann. Wir kleben die Brüste! Grotesk geradezu. Sie holt eine Rolle Teppichklebeband aus ihrer Tasche und verlangt nach einer Schere.

»So, jetzt hältst du die Brust dahin, wo du sie haben willst«, instruiert sie mich. Ein bisschen peinlich ist mir das schon.

»Stell dich nicht an, ich habe schon jede Menge Brüste gesehen«, grinst sie, »und echt, das ist ein völlig legaler Trick. Alle machen das.«

Sie pappt mir das Klebeband unter den Brustansatz und biegt es seitlich nach oben. Wie eine BH-Schale. Meine Brüste wehren sich. So als würden sie sagen: ›Wir lassen uns doch nicht von einem kleinen Stück Teppichklebeband beherrschen.‹ Iris bleibt ruhig.

»Viel hilft viel«, bemüht sie eine alte Weisheit und schneidet einen weiteren Streifen ab. Und tatsächlich. Der Klebebusen zeigt nach vorne. Gibt den Kampf auf. Es ziept ziemlich.

»So, jetzt müssen wir nur den anderen auf die gleiche Höhe kriegen«, geht das Unternehmen weiter.

Ich melde ein gewisses Unwohlsein. »Also Iris, bequem ist das nicht direkt. Es zieht und ziept.«

»Das vergeht. Da muss man durch«, zeigt sie sich nur mäßig mitleidsvoll. »Das Ergebnis zählt.«

Allein der Gedanke daran, wie ich mir diese fest verpappten Streifen heute Nacht wieder abziehe, lassen Vorfreude aufkommen. Und dieser ganze Aufwand für eine Ladung Juristen, die mich, bis auf meinen eigenen Mann, nicht die Bohne interessieren. Meine Brüste sind in ungeahnte Höhen vorgestoßen. Dorthin, wo sie zuletzt Anfang zwanzig waren. Aber ich muss gestehen – es sieht gut aus, jedenfalls, wenn man sich die Klebestreifen wegdenkt.

»Wenn du das Kleid anhast, sieht man nichts mehr, und jeder wird denken ›Wow, was für Brüste‹«, lobt sich Iris selbst.

Ich würde in einem solchen Fall denken: »Wow, was die wohl gekostet haben?« Aber es ist durchaus eindrucksvoll. Viel Zeit, um den Anblick zu genießen, bleibt mir aber nicht.

Iris ermahnt mich, »jetzt ist dein Gesicht dran.«

Auf meiner Schlafzimmerkommode baut sie ein Arsenal aus Schminkzeug auf. Man könnte denken, bei einer Heim-Zweigstelle von Douglas gelandet zu sein.

»Das alles soll in mein Gesicht?«, frage ich vorsichtig.

»Wart es ab«, befiehlt Iris und steckt mir mein frisch frisiertes Haar nach hinten. Den Spiegel über der Kommode räumt sie weg. »Es ist besser, du guckst nicht zu«, begründet sie diese Maßnahme.

Mit zahlreichen Pinseln arbeitet sie konzentriert an meinem Gesicht.

»Es wäre schön, wenn Christoph mich noch erkennen würde«, versuche ich einen kleinen Scherz.

»Halt still«, sagt sie nur und stäubt eine weitere Ladung Puder über mich. Zum Fixieren, wie sie sagt. Dreißig Minuten malt sie auf mir herum. Dann ist ihr Werk vollendet. Sie holt mit großer Geste den Spiegel vom Bett und hält ihn mir vors Gesicht. Ich bin wirklich überrascht. Besonders von meinen Augen. Was so eine Ladung Farbe ausmachen kann! Erstaunlich.

»Das sind Smokey Eyes«, klärt mich Iris auf.

Ich bin irritiert. Freudig irritiert. Das muss ich sofort vorführen. Meine Augen schreien nach Bewunderung und Anbetung. Dass so viele Farbschattierungen auf meine Lider passen, hätte ich nicht für möglich gehalten.

»Iris, das ist großartig«, gebe ich meiner Begeisterung dann auch Ausdruck. So eine Frau wie Iris bräuchte ich jeden Morgen. Vielleicht nicht immer für das ganz große Programm, aber wenigstens für die nötigsten Schmink-arbeiten. Toll wäre es natürlich, es gäbe eine Art Malen-nach-Zahlen-Anleitung fürs Gesicht. Dann könnten auch Grobmotoriker wie ich diese feinen Arbeiten ausführen. Ich ziehe, so vorsichtig wie möglich, das Kleid über den Kopf und renne barfuß die Treppe runter. Mein Vater sitzt noch immer auf dem Sofa.

»Papa, guck dir das an, ich bin es, deine Tochter!«, verlange ich nach Applaus.

»Prima«, sagt der nur. »Du siehst ein bisschen aus wie deine Mutter.«

Ich glaube, das sollte ein Kompliment sein. Mein Vater hielt meine Mutter schon immer für ein Wunder der Natur. Nicht, dass meine Mutter nicht gutaussehend wäre, aber mein Vater hat in dieser Hinsicht einen etwas verklärten Blick. Er findet, meine Mutter ähnle Ursula Andress. Von Christoph habe ich, was mich angeht, leider noch nie solche Vergleiche gehört. Wenn ich ihn frage, wie er mich so findet, rein optisch, sagt er: »Natürlich gut, sonst wäre ich ja nicht mit dir zusammen.« Ein wenig mehr Ekstase würde mir schon gefallen, aber ich bin Realistin genug, um meine optische Anziehungskraft einigermaßen einschätzen zu können.

Aber heute – das muss ich bei aller üblichen Bescheidenheit schon sagen – heute bin ich ein echter Knaller. Ein Brett. Ist kein Ausdruck von mir, habe ich von Sabine – eine meiner Freundinnen. Sie behauptet, Männer würden so Frauen bezeichnen, die wirklich was hermachen. Ich drehe mich ein wenig vor meinem Vater.

»Fast wie die Mama!«, ist anscheinend das größte Kompliment, das ich aus ihm herausholen kann. Immerhin.

Jetzt geht's zu Claudia, meiner Tochter. Die hat Sinn für Äußerlichkeiten. Ich klopfe kurz an und sehe noch, wie meine Tochter blitzschnell etwas unter dem Bett verschwinden lässt.

»Was war denn das?«, will ich natürlich sofort wissen. Bei aller Eitelkeit soll man seine pädagogischen Pflichten ja nicht vernachlässigen.

»Äh, nichts«, antwortet sie.

Ich ziehe das Nichts unter der Matratze hervor und habe die *Bravo* in der Hand. Meine Tochter liest die *Bravo*. Na bravo.

»Wo hast du die denn her?«, will ich wissen.

»Die haben so viele davon, dass sie die sogar verkaufen«, bekomme ich eine ziemlich kecke Antwort. Soll das witzig sein? Wahrscheinlich.

»Hatten wir nicht mal besprochen, dass *Bravo*-Heftchen keine geeignete Lektüre sind?«, frage ich ein wenig strenger nach.

»Du hast gesagt, dass ich die nicht lesen soll. Aber alle lesen die«, bekomme ich zur Antwort.

»Da reden wir später drüber, außerdem dachte ich, du lernst Mathe. Steht da etwa auch was über Mathe drin?«

Wenn Claudia meint, sie hätte hier das häusliche Witzmonopol, dann hat sie sich aber geschnitten.

»Wie siehst du überhaupt aus«, startet sie einen Gegenangriff, ohne auf meine Mathebemerkung einzugehen.

»Wir gehen aus, der Papa und ich. Auf einen Ball.«

»Ganz schön viel Schminke«, ist ihr Kommentar. »Sind das Smokey Eyes?«, will sie noch wissen. Erstaunlich, welches Fachwissen heutzutage Zwölfjährige haben. Mathe – Vier, Lidschattenkunde – Eins.

Claudia hat Glück. Ich höre die Haustür aufgehen und schnappe mir, bevor ich das Zimmer verlasse, noch schnell die *Bravo*.

»Die ist erst mal konfisziert!«, teile ich ihr nur mit. Man soll nicht alles mit den Kindern ausdiskutieren. Selbstverständlich weiß ich, dass der Besitz der *Bravo* und das Lesen der Zeitschrift nichts wirklich Schlimmes ist. Andere Kinder in diesem Alter überfallen Mitschüler, erpressen Schutzgelder, dealen oder rauchen zumindest. Im Vergleich dazu ist *Bravo*-Lesen geradezu lächerlich brav. Aber es reicht, dass ich das weiß.

Erst Viertel vor sechs – und Christoph ist schon zu Hause. Da sieht man mal, was möglich ist, wenn ihm ein

Termin wichtig ist. Diese Erkenntnis führt dazu, dass ich mich, statt erfreut zu sein, direkt ärgere. Warum geht das sonst nicht?

»Hallo Schatz«, lautet seine Begrüßung, und er zieht mich an sich, um mich zu küssen.

»Halt«, sage ich nur. Dieses kunstvolle Werk in meinem Gesicht verträgt höchstens gehauchte Wangenküsse. Er schaut mich an. »Und?«, frage ich nur.

»Wow«, murmelt er. »Wow, du siehst so anders aus. So, so damenhaft.«

Damenhaft kann viel sein. Es könnte elegant heißen oder im schlechtesten Fall muttimäßig. Trutschig. Ältlich. Ich wähle die beste Variante: elegant.

»Gefalle ich dir?«, hake ich nach.

»Deine Augen sind so düster«, sagt er nur.

»Das sind Smokey Eyes. Das hat man jetzt«, gebe ich ihm ein wenig Make-up-Nachhilfe.

»Ungewohnt, aber nicht schlecht«, ist sein Resümee.

»Aber du riechst komisch. Ist das ein neues Parfüm? Und was ist mit deinen Armen, die sind so gelb?«

Bevor ich antworten kann, klingelt das Telefon.

»Papa, gehst du mal ran!«, rufe ich ins Wohnzimmer, wo mein Vater mittlerweile mit der Couch verschmolzen sein muss.

Christoph schicke ich zum Anziehen nach oben.

»Mach dich schon mal fertig. In einer halben Stunde sollten wir los. Deinen Smoking habe ich aufs Bett gelegt. Die Fliege ist im Schrank und die Schuhe sind hier unten und das Gelbe an meinem Arm ist Braun. Das liegt nur am Licht.«

Er guckt mich leicht erstaunt an, geht aber brav nach oben.

»Moment mal, Herr Lümmert«, höre ich meinen Vater sagen.

Lümmert, Lümmert. Oh, Hilfe. Das ist doch dieser dubiose aufdringliche Kerl, der mich bei eBay ständig mit Mails zuschüttet. Ich mache Handzeichen, schüttle den Kopf und versuche meinem Vater auf allen erdenklichen Wegen zu signalisieren, dass ich auf keinen Fall mit Herrn Lümmert sprechen will.

»Nächste Woche«, zische ich meinem Vater zu. »Bin verreist bis nächste Woche.«

»Meine Tochter ist unterwegs. Die kommt erst nächste Woche wieder.« Uff. Wenigstens noch ein Wochenende Luft. Am Montag muss ich mit Christoph sprechen. Steuergeschichten werden ja mittlerweile sogar mit Gefängnis geahndet. Sollte ich mich vielleicht, wie diese Liechtenstein-Stiftungsfuzzis, besser selbst anzeigen?

»Ja, ich gebe ihr die Nummer«, höre ich meinen Vater sagen, dann legt er mit einem freundlichen »Wiederhören« auf.

»Was ist denn das für ein Geselle?«, will er sofort wissen. »Was will der denn von dir? Und, Andrea, warum willst du nicht mit ihm sprechen?«

»Zu viele Fragen, Papa. Ich kann jetzt nicht, aber wenn der nochmal anruft, ich bin auf gar keinen Fall zu erreichen. Ganz weit weg. Nicht zu sprechen.«

Mein Vater schüttelt den Kopf. »Das klingt nicht gut, Andrea. Ich will mich ja nicht in deine Privatsachen einmischen, aber denk dran, Andrea, wie hat der Wilhelm Busch so schön geschrieben: ›Oh, hüte dich vor allem Bösen! Es macht Pläsier, wenn man es ist, es macht Verdruss, wenn man's gewesen.‹ Ich lege dir die Nummer hier hin.«

Ich habe jetzt keine Lust, meinem Vater das ganze Ausmaß meines Steuerdilemmas zu schildern. Nicht nur, weil ich keine Zeit habe, sondern auch, weil ich mich damit jetzt nicht beschäftigen will. Soll er doch denken, was er will.

»Ich erkläre dir das am Wochenende. Der Christoph und ich müssen los. Essen für die Kinder und dich ist im Gefrierschrank. Unten im Keller. Pizza.«

Als ich Keller sage, fällt mir ein, dass mein Sohn seit Stunden dort unten ist. »Papa, hast du mal nach Mark gesehen?«, frage ich.

»Ne, wieso auch. Der spielt doch. Die waren nur einmal hier oben, die kleinen Racker, und haben was zu trinken geholt.«

Dass das stundenlange, ruhige Spielen keineswegs ein gutes Zeichen ist, scheint mein Vater nicht zu verstehen.

In meiner vollen Ballmontur mache ich mich mutig auf den Weg in den Keller. Aus meinem Büro dringen muntere Kinderstimmen. Spaß scheinen die Herren jedenfalls zu haben. Was ich sehe, lässt mich erstarren. Drei kleine Jungs sitzen inmitten ausgepackter Päckchen. Meiner sorgsam verpackten eBay-Pakete.

»Seid ihr komplett durchgedreht? Raus hier, sofort«, brülle ich auf der Stelle los. Es gibt Momente, da ist es mit meiner Beherrschung nicht weit her. Das ist einer dieser Momente. »Papa«, schreie ich in Richtung Wohnzimmer, »willst du dir vielleicht mal anschauen, was in aller Ruhe spielen bedeutet?«

Mark heult direkt los. »Wir haben doch nur gespielt«, beteuert er unter Tränen. Die beiden anderen – Paul und Lukas – gucken bedröppelt auf den Boden.

»Raus hier, alle, sofort«, brülle ich weiter. Kindergeburtstag spielen? Habe ich einen Wahnsinnigen geboren?

»Wir haben auch Sachen eingepackt, nicht nur ausgepackt«, versucht Paul, der sowieso ziemlich vorwitzig ist, sich rauszureden.

»Toll, Paul«, versuche ich mich wieder einigermaßen in den Griff zu kriegen, schon weil man ja nicht einmal seine eigenen Kinder schlagen soll, von fremden mal ganz abgesehen. Am liebsten würde ich alle drei packen und nacheinander übers Knie legen. Natürlich zuerst meinen eigenen Sohn. So viel Anstand habe ich schon. Wenigstens der müsste ja wissen, dass das hier unten kein Kinderspielparadies ist.

»Wie konntet ihr nur?«, herrsche ich die drei an.

»Wir wollten dir doch helfen!«, piepst mein Sohn mit leisem Stimmchen.

Normalerweise würde mich so ein Ich-wollte-dir-nur-helfen-Satz ein wenig besänftigen. Weil er so was Rührendes hat. Heute funktioniert das nicht.

»Erzähl keinen Mist. Du weißt doch genau, dass das hier keine Geschenke für dich sind. Wie kann man auf so eine bekloppte Idee kommen?«

»Das frage ich mich auch«, unterstützt mich jetzt mein Vater. »Ihr drei kommt mit hoch!«, ergreift er die Initiative, vielleicht weil er schon ahnt, dass ich mich, wenn ich einen genaueren Blick auf dieses Grauen werfe, an den Kindern vergreifen könnte.

»Haut bloß ab, ihr drei, und seht zu, dass ihr mir nicht mehr unter die Augen kommt«, zische ich. Am liebsten würde ich mich zwischen die Pakete – oder das, was mal Pakete waren – setzen und heulen. Eben noch wütend, bin ich jetzt einfach nur verzweifelt. Bevor ich mich ausgiebig in meinem eigenen Elend suhlen kann, klingelt es an der Haustür.

Pauls Mutter.

»Oh, so rausgeputzt, holla. Na, alles klar?«, begrüßt sie mich.

»Nein«, sage ich und halte mich ausnahmsweise nicht zurück, »die Jungs haben den gesamten Keller, genauer gesagt mein Büro, verwüstet. Nichts ist klar, sondern alles ist schrecklich«, antworte ich und breche damit eine eiserne Mütterregel. Niemals beschweren. Und schon gar nicht über fremde Kinder.

»Der Paul doch nicht!«, wirft sich Cornelia, Pauls Mutter, sofort wie eine Löwin vor ihr Kind.

»Doch, auch dein Paul«, traue ich mich. Was glaubt die denn? Dass ihr Paul brav dabeisitzt, während die anderen Chaos verbreiten. Der eben Erwähnte rennt auf seine Mutter zu und wirft sich in ihre Arme. Er schafft es tatsächlich, sich ein paar Tränchen rauszuquetschen.

»Was hast du denn mit meinem Paul gemacht?«, empört sich Cornelia, und ich bereue ganz kurz, eben nichts gemacht zu haben.

»Nur ein bisschen gemeckert, sonst nichts«, fange ich an, mich zu rechtfertigen, obwohl es dafür eigentlich keinen Grund gibt. Schließlich sind Mark, Paul und Lukas keine Dreijährigen mehr.

»Du, das finde ich ein Stück weit doof von dir«, fängt jetzt Cornelia an, mir Vorträge zu halten. »Nur weil dein Mark meinen Paul anstiftet, musst du deinen Zorn nicht an meinem Paul auslassen. Da gehst du wirklich entschieden zu weit.«

Meine Güte. Was die mich nervt. Die tut ja gerade so, als ob ich ihr Unschuldslamm Paul gefoltert hätte. Das arme kleine Hascherl. Wenn die wüsste, wie blöd ich schon diesen beknackten Ausdruck – ein Stück weit – finde.

»Ich war stinksauer, Cornelia, und wenn du meinen Keller sehen würdest, da wärst du auch sauer«, versuche ich noch ein weiteres Mal, auf so etwas wie Verständnis zu stoßen.

»Wir haben da etwas unterschiedliche Ansichten, was Erziehung angeht. Ist mir schon häufiger aufgefallen«, mokiert sich die blöde Cornelia. »Mein Paul ist ein guter Junge und sehr sensibel.«

Bestreitet ja keiner, dass ihr Paul ein guter Junge ist. Habe ich etwa gesagt, Paul wäre das Böse in Person? Bisher war ich immer freundlich zu Cornelia, eben weil Paul ein enger Freund von Mark ist. Jetzt reicht es mir.

»Mag sein, Cornelia, aber auch dir dürfte es wohl nicht gefallen, wenn die Kinder dein Haus auseinandernehmen. Oder deine Akten durchwühlen.« Cornelia ist Steuerberaterin. Die neigen doch zum Korinthenkackertum.

»Wenn man sich mit den Kindern, statt mit Äußerlichkeiten, beschäftigt, passiert so was nicht«, kommt sie mir moralinsauer.

Gerade so, als würde sie nachmittags ein ausgeklügeltes Animationsprogramm bieten. Lächerlich, vor allem, wenn man wie ich weiß, dass sie die Kinder ziemlich oft vor einer DVD parkt. Aber bevor ich das kleinlich aufs Tapet bringe, halte ich lieber meinen Mund und spare mir diesen wunderbaren Müttertrumpf auf. Den kann ich – nachtragend, wie ich nun mal bin – wunderbar in großer Runde einsetzen. Das ist zwar dann so eine Art offene Kriegserklärung, aber nach dem heutigen Showdown werden wir wohl sowieso keine dicken Freundinnen mehr werden.

»Lass uns das irgendwann anders besprechen. Ich habe noch was vor und jetzt echt keine Zeit.«

Sie streicht ihrem armen Paul demonstrativ über den

Kopf und sagt nur: »Wir werden sehen. Komm, Paul, wir gehen.«

Wäre auch nicht schlecht gewesen, sie hätte mal Paul gefragt, was da los war, anstatt sich direkt, wie eine tollwütige Hyäne, auf mich zu stürzen. Ich darf keinesfalls vergessen, Cornelia auf meine Liste zu setzen.

Lukas wird fünf Minuten später abgeholt. Von seinem Vater. Ich erspare mir jede Bemerkung, schon weil ich weder Lust noch Kraft für eine weitere Diskussion habe. Außerdem zeigt Lukas immerhin einen gewissen Grad an Scham. Beim Abschied schaut er mich kurz an und sagt tatsächlich: »Entschuldigung, Andrea. Tut mir leid.« Lukas darf wiederkommen. Er ist ein guter Junge.

Es gibt Momente im Leben, so wie der eben mit Cornelia, da würde ich mich unheimlich gerne einfach schrecklich betragen. Zu Frauen wie Cornelia sagen: »Du kannst mich mal, du alte Kackbratze. Blöde Flunz.« Oder schlicht: »Leck mich.« Noch cooler wäre natürlich ein lässig hingesagtes: »Lass uns vor die Tür gehen und die Sache regeln.« Im Falle von Cornelia allerdings heikel. Sie kann Karate. Außerdem habe ich eine Art eingebaute Bremse. Eine Benimmsperre. Im Grunde eine gute Sache, denn wenn sich im Mütterkosmos auch nur einen halben Tag lang alle das sagen würden, was sie wirklich denken, wäre ein weiteres Miteinander komplett unmöglich. Schön wäre auch die Möglichkeit, einfach zu anderen Müttern sagen zu können: »Ich spiele nicht mehr mit.« Undenkbar, denn wer ein Kind hat, spielt automatisch mit. Hat eine Dauermitgliedschaft im Mütterclub, ohne jemals einen Antrag gestellt zu haben.

Die fremden Kinder sind weg, und auch mein Sohn hat

sich verdrückt. Ist außer Sichtweite. Mein Vater verspricht mir, das Thema heute Abend nochmal anzusprechen, und Iris versucht, mit einer Ladung Puder die hektischen roten Flecken auf meinem Hals und Dekolleté zu beseitigen.

»Du darfst dich jetzt nicht aufregen«, säuselt sie mir ins Ohr. »Denk nicht mehr dran, dein Vater und ich kümmern uns um alles, du gehst aus, du siehst aus wie eine Königin, also entspanne dich.«

Wie eine Königin ist charmant, aber ein ganz klein wenig übertrieben. Wie eine Königin nach übermäßigem Karottengenuss trifft es eher. Jetzt hier im Flur vor meinem Spiegel sieht das Gelborange wieder ziemlich gelb und kein bisschen braun aus.

»Hast du asiatische Wurzeln, die auf einen Schlag sichtbar geworden sind?«, witzelt jetzt auch mein Mann Christoph, als er mir in seinem Smoking gegenübersteht. Männer sollten häufiger Smoking tragen. Leider bietet sich selten Gelegenheit, aber ein Smoking sieht an nahezu allen Männern einfach toll aus. So herb und nach Klasse. Man hat sofort Visionen von James Bond vor Augen. Will einen Martini kippen und sich retten lassen. Vor irgendwas. Und dann hinabsinken in satinbezogene, riesige, runde Lotterbetten. Was ich damit eigentlich nur sagen will: Christoph sieht umwerfend aus. Das ist schön, aber auch ein bisschen ernüchternd. Der geht einfach nur hoch, duscht, zieht sich um und ist fertig. Kein Gedanke an Klebeband oder Lockeneisen. Kein Puder, keine Smokey Eyes. Mann zu sein hat definitiv Vorteile.

»Schuhe an«, unterbricht Iris meine Gedanken und mein Schmachten und reicht mir Mörderpumps, bei denen ein klitzekleines Stück vom großen Zeh rausguckt.

»Peep Toes«, klärt sie mich auf. Dazu hat sie eine passende, sehr kleine, sehr gestylte Handtasche. Handtäschchen wohl eher. »Und zieh die hier an«, gibt sie mir letzte Anweisungen und riesige diamantenbesetzte Kreolen.

»Sind die echt?«, frage ich entsetzt. Der Gedanke, mich durch den Verlust eines solchen Ohrrings lebenslang zu verschulden, ist nicht sehr verlockend. Ohrringe im Wert eines Autos machen mir Angst.

»Von Hennes«, lacht sie. »Ich habe mir gleich drei Paar gekauft. Machen enorm was her. Und niemand kommt so nah an dein Ohr ran, um zu merken, dass es nur Strass ist. Kannst du geschenkt haben.«

Sie zieht ihr Handy aus der Tasche und postiert Christoph und mich vor dem Haus. Ein Beweisfoto, und wir dürfen gehen.

»Viel Spaß«, rufen mein Vater und Iris, und ich habe das Gefühl, die zwei sind froh, uns endlich los zu sein.

Die Schuhe drücken schon im Auto. »Nicht ausziehen«, ermahne ich mich selbst. Sobald man unbequeme Schuhe auszieht, kann man es vergessen. Die Füße, jedenfalls meine, schwellen vor lauter Freude, aus dem engen Käfig raus zu sein, in Sekundenschnelle an, und ich hätte dann keine Chance mehr, sie an diesem Abend wieder zurück in die Schuhe zu quetschen.

Christoph gibt mir auf der zwanzigminütigen Fahrt zur Alten Oper in Frankfurt noch letzte Informationen. Wer warum wichtig ist, wer mit wem nicht kann und warum. Das alles klingt eher nach Anspannung als nach Spaß. Ich würde wirklich gerne einfach mal wieder ausgehen, feiern, reden, worüber ich Lust habe, mich amüsieren ohne Rücksicht auf irgendeine Gattin oder irgendeinen Schwachmaten, der aber karrierestrategisch wichtig sein könnte.

»Alle, die in der Juristerei was zu melden haben, kommen«, teilt mir Christoph mit. »Und wenn schon«, würde ich gerne sagen. Kann man nicht irgendwann mal aufhören zu schleimen? Geht das ein Leben lang so weiter? Der ist wichtig, der entscheidet, den sollte man sich warmhalten. Ist Taktik heute alles? Das hat etwas Erbärmliches. Wahrscheinlich muss man sogar bei der Aufnahme ins Altersheim noch rumbuckeln.

»Du bist doch schon Juniorpartner. Das wird dir keiner wegnehmen, wenn deine Frau eine falsche Bemerkung macht!«

Ich komme mir vor wie ein renitenter Teenager, der, gegen seinen Willen, in die feine Gesellschaft eingeführt werden soll. Christophs Ausführungen haben in mir das Gefühl geweckt, ich sei eine Art menschliche Zeitbombe, die man in der Öffentlichkeit sehr genau justieren muss. Als hätte ich in letzter Zeit irgendwas Peinliches gemacht. Schön wäre es. Manchmal sehne ich mich direkt danach.

Christoph lacht. »Ich mein ja nur«, versucht er seinen kleinen Vortrag im Nachhinein abzuschwächen.

»Ich habe keine Unterwäsche an«, sage ich, um mal das Thema zu wechseln. Das hier soll keine Prüfung, sondern ein lustiger Abend werden.

»Wie bitte, wieso denn das?«, ist seine Reaktion. Der nimmt das tatsächlich ernst. Sollte doch nur ein Scherz sein, um ihm seine Nervosität zu nehmen.

»Keine Sorge, ich verrate es keinem deiner Kollegen«, kichere ich.

Endlich fällt der Groschen. Er lenkt das Auto nach rechts, hält auf dem Seitenstreifen und sagt: »Kontrolle.« Jetzt stehe ich auf der Leitung. Was für eine Kontrolle? Will er überprüfen, ob ich irgendwo einen Flachmann versteckt habe oder heimlich Zigaretten mit mir rumtrage?

Von wegen. Seine Hand ist blitzschnell da, wo ich angeblich keine Unterwäsche trage. Jetzt staune ich. Er scheint fast enttäuscht, als er auf eine Stoffbarriere stößt. Ich habe meinen Mann unterschätzt.

»War doch nur ein Witz!«, kläre ich die Situation.

»Schade«, sagt er. »Zieh sie aus!«

Was hat der da gerade gesagt? Ich soll hier auf dem Standstreifen meine Unterhose ausziehen?

»Jetzt?«, frage ich.

»War auch nur ein Witz!«, lacht er, und wir fahren weiter.

Auch der eigene Mann kann einen noch überraschen. Das ist gut, denke ich, sehr gut.

Der Abend verläuft bis kurz vor Mitternacht relativ unspektakulär. Der Senior-Partner aus der Kanzlei meines Mannes, der »große« Langner, macht mir ein Kompliment für mein Kleid, kommt mit seinen Blicken aber nicht über den Ausschnitt hinaus. Das Klebeband hält und scheint seinen Zweck zu erfüllen. Ich könnte wetten, dass, wenn man dem Langner die Augen verbinden und ihn fragen würde, wie mein Kleid genau aussieht, er keine Ahnung hätte, aber eine detailgetreue Brustbeschreibung liefern könnte. Christoph ist von dem Kompliment mindestens so beseelt wie ich. Weil ich seine Frau bin. Dieses Besitzdenken stört mich, aber ich bin auch nicht frei davon.

Nach dem gesetzten Essen und harmlosen Plaudereien geht's an die Bar. Christoph ist kein großer Tänzer, und ich bin froh, auf den Schuhen überhaupt noch stehen zu können. An Tanzen ist mit den Dingern jedenfalls nicht zu denken. Immer mehr Kollegen kommen an die Bar, und wir trinken herrliche Mojitos. Die Stimmung ist gut.

Auf einmal gesellt sich Helge zu uns. Helge ist ein ehemaliger Kommilitone von Christoph. Ein kleines Männchen mit einem riesigen Ego. Ich habe Helge bisher erst zweimal erlebt. Mein Bedarf ist damit absolut gedeckt. Auch diesmal macht Helge seinem Angeberruf alle Ehre. Schwierigste Prozesse, eigentlich nicht zu gewinnen, und man ahnt es, lange bevor es zum verbalen Showdown kommt – natürlich hat der kleine Helge das Unmögliche möglich gemacht und, zur Überraschung aller, spektakuläre Siege errungen. Die Kollegen sind ergriffen und begeistert. Nachdem Helge klargestellt hat, dass er beruflich ganz oben ist, sich einen tollen Porsche gekauft hat, geht's ans Private.

»Da hat sich einiges getan!«, ergeht er sich in Andeutungen.

»Hast du geheiratet?«, frage ich.

Er lacht. Ein bisschen zu laut und ein bisschen unnatürlich. »Wo denkst du hin? Ich bin doch nicht blöd!«

Was ja nichts anderes heißen kann als: nicht so blöd wie dein Mann. Und du. Und überhaupt die meisten hier. Unverschämter Zwerg! Bevor ich ihm nach nunmehr drei Mojitos genau das sagen kann, redet er weiter.

»Ich war letzte Ferien in Tansania, da hab ich mir was mitgebracht.« Wieder folgt ein satter Lacher.

»Einen schönen Tripper, oder was?«, will ich ganz freundlich wissen. Die Anwesenden erstarren. Mein Mann tritt leicht gegen mein Schienbein. Aber Helge lacht. Der Zwerg ist Vieles, aber nicht besonders empfindlich.

»Witzig die Andrea, witzig. Aber wie schon erwähnt, ich bin doch nicht blöd. Mitgebracht habe ich die Zaituni. Aus Tansania nach Bornheim.« Wieder ein Riesenlacher.

»Kommt sie aus der tansanischen Hauptstadt?«, zeige

ich Interesse und versuche, meine etwas geschmacklose Tripperbemerkung wieder gutzumachen.

»Jo«, grinst Helge. »Direkt aus Daressalam. Hauptstadt-import sozusagen.«

»Ich will ja nicht kleinlich sein«, unterbreche ich ihn, »aber die Hauptstadt von Tansania ist Dodoma.«

Wieder großes Lachen. »Andrea, ich war da. Was weißt du schon. Daressalam heißt die Hauptstadt. Kannst du mir schon glauben. Der Helge weiß Bescheid. Der Helge kennt sich aus.«

Das ist einer dieser Momente, die ich immer herbei-gesehnt habe. Mein Auftritt.

»Helge«, versuche ich, möglichst ruhig zu bleiben und nicht schon zu früh zu triumphieren, »da wette ich jeder-zeit um alles mit dir. Dodoma ist die Hauptstadt.« Ich ver-kneife mir ein dusseliges »Die Andrea weiß es besser«.

Er haut mir freundlich nachsichtig auf die Schulter. »Habt ihr es so dicke, dass du alles verwetten kannst?«, fragt er mit einer gewissen Überheblichkeit in der Stimme.

»Das nicht. Aber ich bin mir sicher.« Wieder ein Tritt von Christoph.

»Fünfhundert Euro!«, sage ich nur.

Helge schaut auf Christoph. Fast so, als wäre ich min-derjährig und dürfte nur mit Einwilligung meines Erzie-hungsberechtigten wetten.

Der zuckt sofort zusammen. »Lass mal, Andrea, der Helge war doch da. Der wird es schon wissen«, versucht er meinen Eifer zu bremsen.

Mittlerweile haben wir das Interesse der Umstehenden geweckt. Ich denke nicht daran, Ruhe zu geben.

»Los, Helge, was ist, fünfhundert Euro. Ich sage Dodo-ma und du Daressalam. Abgemacht?«

Christoph versucht jetzt, mich zur Seite zu ziehen. »Du hattest schon ein paar Mojito, lass das mal, Andrea.«

Jetzt erst recht. »Helge was ist, bist du dabei? Traut sich der Helge?«, werde ich jetzt ein bisschen lauter.

»Bitte, Andrea, wenn du gerne fünfhundert Euro verlierst. Kein Problem. Ich bin dabei.« Er streckt mir seine Hand hin, ich wiederhole die Wette, »Dodoma gegen Daressalam« und schlage ein.

»Und woher kriegt ihr die richtige Antwort?«, fragt Matthias, ein blasser Mann, der als Staatsanwalt arbeitet.

»Lass uns die Zaituni fragen!«, schlägt Helge vor. »Die sollte ja wohl wissen, wie die Hauptstadt ihres Heimatlandes heißt«, lächelt er siegessicher. »Sie ist nicht die Hellste, im doppelten Wortsinn«, dröhnendes Lachen, »aber das wird sie schon noch wissen.«

Wie widerlich. Sie ist nicht die Hellste, sagt der hier vor einer Gruppe von mindestens fünfzehn Kollegen und deren Frauen. Warum ist hier niemand, der ihm dafür eine knallt? Immerhin sind einige der Anwesenden auch ein wenig beschämt. Helge scheint das allerdings nicht zu bemerken. Er macht munter weiter.

»Sprachlich ist es schwierig mit uns. Ihr Englisch ist schlimm und ihr Deutsch auch. Aber sie ist immer so gut gelaunt. Macht Freude.«

Das wird der Schlüssel sein. Die beiden reden nicht miteinander. Weniger reden, bessere Beziehung. Helge nicht zu verstehen, kann natürlich durchaus ein Vorteil sein.

»Man muss ja nicht immer reden. Die Weiber reden eh zu viel. Wir beschäftigen uns anderweitig.« Leider kann ich Helge sehr gut verstehen. Ich könnte mich spontan übergeben.

Ich habe neulich im Fernsehen eine Sendung verfolgt,

in der es um Teenager außer Kontrolle ging. Sie wurden nach Amerika verschickt und mussten wochenlang durch die Wüste stapfen, um dort ihr Verhalten zu überdenken und unter Anleitung von Therapeuten zu neuer Erkenntnis zu gelangen. Wäre das nicht auch mal eine schöne Idee für Männer? Männer außer Kontrolle. Ich könnte eine lange Liste von Männern aufstellen, die dort gut hinpassen würden. Helge gehört dazu. Helge, Dieter Bohlen, Boris Becker und Oliver Pocher – um nur einige zu nennen. Eine Traumtruppe. Alphatierchen unter sich.

Helge schickt Günther los, um seine Zaituni zu finden. »Soll ja nachher nicht heißen, ich hätte ihr vorgesagt!«

»Musste das sein«, rüffelt mich Christoph leise, kaum dass Günther die Runde verlassen hat, »ging's nicht auch 'ne Nummer kleiner? Zehn Euro zum Beispiel.«

»Vertrau mir«, sage ich nur und bin ein wenig enttäuscht, dass er das nicht sowieso tut.

Zehn Minuten später ist Günther zurück. Im Schlepptau eine sehr niedliche, sehr sehr kleine, dunkelhäutige Frau. Was für ein zartes Geschöpf. An ihrer Seite fühle ich mich sofort wie ein Nilpferd neben einer Gazelle. Sie hat ein winziges Etwas an, ein Teil, das mehr freilässt als bedeckt. Aber – das muss der Neid ihr lassen – sie kann es tragen. Das Kleid ist scheußlich, geschmacklos geradezu, viel Glitter und extrem wenig Stoff, rückt aber unleugbare Vorzüge von Zaituni gekonnt in den Blickpunkt. Die braucht offensichtlich kein Klebeband. Helge zieht die kleine Zaituni an sich und tätschelt ihren Po. Mit Besitzerstolz blickt er in die Runde. Wundert mich, dass er nicht noch sagt: Guckt mal, Jungs, was ich da Scharfes habe. Wollt ihr mal anfassen?

»Häschen«, startet er dann die Befragung, »die Leute hier wollen wissen, wie die Hauptstadt von Tansania heißt. Das weißt du doch, gell?«

Zaituni reißt ihre großen dunkeln Augen auf, spitzt ihr Mündchen, zieht die Stirn hoch und sagt, nach einer effektvollen Pause: »Daressalam.«

Mein Gott. Die hat tatsächlich Daressalam gesagt. Das kann nicht sein. Ich lerne seit Wochen. Das ist unmöglich. Sie muss sich einfach täuschen. Christoph zischt mir »Ich hab doch gleich gesagt, du sollst es lassen« zu.

So leicht gebe ich mich nicht geschlagen. Während Helge schon nach den fünfhundert Euro verlangt, interessanterweise will er sie von Christoph, frage ich sicherheitshalber nochmal nach.

»Entschuldigung«, sage ich so höflich wie möglich, »aber ich glaube Daressalam war mal Hauptstadt, ist aber jetzt nur noch Regierungssitz. Dodoma ist die Hauptstadt von Tansania.«

Zaituni schaut mich an, überlegt und nickt dann. »Stimmt, Frau hat recht«, ist ihr Kommentar. »Hauptstadt Tansania – Dodoma.«

Welch ein Hochgefühl. Wo bleibt der Tusch, der Flitterregen wie bei *Wer wird Millionär?* Ich springe hoch und freue mich unbändig. Fast noch mehr, als wenn sie gleich Dodoma gesagt hätte. Ich liebe Zaituni.

Helges Gesicht verdunkelt sich. »He, Moment mal, das ist doch das Gleiche. Hauptstadt, Regierungssitz. Macht doch keinen Unterschied.«

»O doch«, kläre ich ihn auf. Ich muss mir Mühe geben, nicht zu sehr in den Oberlehrerinnenton zu verfallen, aber die Situation ist einfach gigantisch.

»Schau, Helge«, sage ich wie zu einem dummen Kind,

»nimm die Niederlande. Hauptstadt ist Amsterdam, Regierungssitz Den Haag.«

»Das ist doch kleinlich«, brummelt Helge, aber unser Publikum schlägt sich auf meine Seite. Mit kleinlich sein kennen sich die Juristen ja aus.

»Also gut«, gibt er schließlich klein bei, »die fünfhundert Euro sind dir.« Immerhin. Er zackert nicht rum. Andere hätten sicherlich versucht, sich vorm Bezahlen zu drücken. Nach dem Motto: War doch nur ein Spaß. Helge öffnet seine Brieftasche und zieht einen lilafarbenen Schein raus. Der hat echt einen Fünfhunderter einfach so einstecken. Was für ein schöner Schein. »Hier, Frau Besserwisserin, meine Spielschulden.« Alle klatschen.

»Jetzt ist 'ne Runde fällig«, grölt Matthias, der Staatsanwalt, und in einem Anfall von Großzügigkeit reiche ich den Schein über den Tresen und sage: »Die Nächsten gehen auf mich.«

Christoph zieht mich zur Seite. »Sag mal, Andrea, was soll denn das jetzt?«, fragt er entsetzt, fast so, als hätte ich mich an seiner Rente vergriffen.

»Unnützes Wissen«, ist meine Antwort. »Ich hab gewonnen. Also bestimme ich.«

Es wird noch ein sehr lustiger Abend. Ich gewinne weitere zweihundert Euro, das meiste mit der Elfenbeinküste.

»Abidjan«, war sich Ingeborg, eine Richterin am Landgericht Usingen, ganz sicher. Sieben andere haben sich ihr angeschlossen. »Das weiß man einfach«, hat Klaus, ein Zivilrechtler aus Sprendlingen, noch großkotzig geprahlt. Nur Helge ist zurückhaltend.

»Die ist mir unheimlich«, hat er Christoph zugeraunt, und ich muss sagen, das war eigentlich mein schönstes

Kompliment an diesem Abend. Wenn man einem Mann wie Helge unheimlich ist, kann man nicht alles falsch gemacht haben.

»Yamoussoukro ist die Hauptstadt, Abidjan der Regierungssitz«, kann ich erneut auftrumpfen. Ein Anruf bei der Auskunft gibt mir recht. Danach will leider keiner mehr mit mir wetten. Egal, Afrika, ich liebe dich. Morgen fange ich mit Asien an, beschließe ich im Stillen und habe das Gefühl, mich lange nicht mehr so gut amüsiert zu haben. Gut, kann zum Teil auch an den Mojitos liegen.

Dann die Krönung kurz vor dem Heimgehen: Christoph gewinnt bei der Tombola ein Wochenende in New York. Leider nur für eine Person.

»Du bist doch dieses Wochenende schon beim Marathon, ich war noch niemals in New York …«, singe ich ihm, à la Udo Jürgens, angesäuselt, ins Ohr. »Außerdem, wer wollte denn Lose kaufen?«

»Stimmt, ich glaube, ich schenke dir den Gutschein. Da kannst du ja dann die Hauptstädte von den amerikanischen Staaten lernen.«

Ich sage es doch: Es ist ein toller Abend.

Jedenfalls bis wir zu Hause sind und ich die Klebestreifen entfernen will. Es ist die Hölle. Nur so viel – ich habe das Gefühl, mir ohne Betäubung (trotz der fünf Mojitos) bei vollem Bewusstsein die Haut abzuziehen. Ich bitte Christoph um Hilfe, aber von einem Mann, der sich selbst kaum ein Pflaster von einer kleinen Schürfwunde abreißen kann, ist das zu viel verlangt.

»Ich kann das nicht, Andrea. Das tut mir selbst weh. Und es ist irgendwie eklig.«

Ich unterdrücke den Meckerimpuls, denke an meinen New-York-Gutschein, überlege kurz, ob ich meinen Vater wecken und um Hilfe bitten soll, und lasse schließlich die eine Brust verklebt. Man muss auch am nächsten Tag noch Aufgaben haben. Stattdessen gehe ich, kaum dass Christoph schläft, raus auf die Terrasse und rauche eine.

3

Ich träume von Afrika, applaudierenden Schwarzen, die mich durch ihr Dorf tragen, und erwache mit einem fetten Kater. Mojitos sind lecker, machen aber einen immensen Kopf. Es pocht, als hätte sich eine Armada von Spechten hinter meiner Stirn verschanzt. Wie sagt meine Mutter manchmal? – »Es gibt im Leben nichts umsonst. Du musst immer zahlen.«

Bevor ich auch nur ein Wort von mir gebe, gehe ich runter in die Küche und werfe mir drei Aspirin rein. Viel hilft viel. Hoffe ich jedenfalls. Noch zehn Minuten Zeit bis zum morgendlichen Kinderweckappell. Ich mache mir einen Kaffee und überdenke den Tag.

Heute muss ich den Keller auf Vordermann bringen. Oder wenigstens in den Vor-Kindergeburtstagsspiel-Zustand, Asiens Hauptstädte aufschreiben und eine neue Kassette besprechen. Mark irgendwie bestrafen. Meinen Vater über weitere Pläne befragen, meine Mutter anrufen, ob sie wieder klar ist. Und ganz oben auf meiner Zu-erledigen-Liste steht natürlich Annabelle. Ich will auf keinen Fall zu diesem Seminar. Obwohl ich in meinem momentanen Zustand ein Rebirthing sehr gut vertragen könnte. Aber ein Spontan-Rebirthing. Einfach so. Ohne Kursbesuch und Ähnliches.

An manchen Tagen denke ich, dass ein Leben, nur so für mich allein, auch nicht schlecht wäre. Heute, mit diesem Gehämmere in meinem Kopf, ist so ein Tag. Keine Kinder, kein Reihenhaus, sondern eine nette Wohnung, ein ordentlicher Beruf und jede Menge freie Zeit. Dazu ab und an einen Mann. Wenn ich darüber nachdenke und merke, dass ich diese Vorstellung verlockend finde, fühle ich mich direkt schlecht. Undankbar. So wenig mütterlich. So egoman. Schließlich habe ich, wenn man es sich genau überlegt, kaum Grund zu jammern. Die Kinder sind gesund, haben kein ADS oder Ähnliches, allerdings auch keinerlei Hochbegabung. Wir leben in sogenannten geregelten Verhältnissen, sind nicht reich, haben aber auch keine Geldsorgen. Die Welt rund um Hartz Vier ist weit weg. Glücklicherweise.

Sind solche Gedanken normal, oder habe nur ich sie? Auf alle Fälle gehören sie nicht zu den normalen Gesprächsthemen unter Müttern. Kinder sind die Erfüllung. Punkt. Zweifel nicht erwünscht. Diskussionen schon gar nicht. Ich liebe meine Kinder, kann mir aber durchaus auch ein Leben ohne Kinder vorstellen. Bevor ich welche hatte, war das für mich undenkbar. Da war klar, Kinder gehören für mich dazu. Ist immer das, was man hat, nicht richtig? Oder weniger erstrebenswert? Bin ich eine Rabenmutter, nur weil ich manchmal, ganz im Geheimen, solche Gedanken hege? Oder braucht man die mentale Auszeit, um sich dann wieder mit voller Kraft dem Alltag zu stellen? Ist es nicht genau das, nämlich der Alltag, der mich stört? Weniger die Kinder als das Drumherum? Eher das ewige Einerlei. Dieses Immer-so-weiter. Ohne Aussicht auf größere Abwechslung. Was erwarte ich vom Leben? Brauche ich mehr Animation? Bin ich für das Gleichförmige im Leben nicht selbst verantwortlich? Vertut man seine wertvolle und endliche Zeit, indem man auf spektakuläre Feuerwerke wartet, anstatt sich mit den kleinen Chinakrachern zu amüsieren? Muss man lernen, die normalen Dinge zu genießen? Bin ich unersättlich, vermessen? Sind diese Gedanken Anzeichen einer Depression oder bin ich nur eine nörgelige, unzufriedene Hausfrau mit einem Chaoskeller im Nacken?

Egal, was auch immer ich bin, ich muss die Kinder wecken. Klar hätte ich Lust, hier sitzen zu bleiben, mir noch einen schönen Kaffee zu machen und meinen Gedanken nachzuhängen. Wäre es so schlimm, wenn sie mal ordentlich ausschlafen und den Tag hier verbringen würden? Aber was würde mich diese halbe Stunde Ungestörtheit kosten? Zu viel.

Auf dem Küchentisch ein Zettel. Von Christoph.

Für meine Erdkunde-Königin!
Wünsche einen schönen Tag. Du sahst atemberaubend aus!
Denkst du dran – heute Abend muss ich zum Flughafen.
New York ruft. Gepackt habe ich schon.
Dicken Kuss.
PS: Du hast noch Klebeband unter deinem Busen …

In solchen Momenten denke ich: »Ja – da habe ich doch den Richtigen geheiratet.« Meine Laune steigt sofort. Ich lege den Zettel in die Küchenschublade, für schlechte Tage, und widme mich weitere kostbare fünf Minuten nur meinem Kaffee. Dann schleiche ich mich hoch und tue das, was ich tun muss. Wie heißt es so schön bei *Dinner for one*: »Same procedure as every year.« Bei mir: Same procedure as every Wochentag.

Auch meinen Vater wecke ich direkt mit. Mit dem passenden Wilhelm-Busch-Zitat: »Aus faulen Eiern werden keine Küken. Guten Morgen, Papa.«

Er fasst sich an den Schädel und sagt nur: »Rotwein ist für einen alten Knaben eine von den besten Gaben.« Kaum wach, schon mit einem passenden Zitat pariert.

»Lass mich noch ein bisschen, Andrea. Die Iris und ich haben gut was weggepetzt.«

»Schlaf ruhig weiter, du Glücklicher«, zeige ich mich in Gönnerlaune. Er kuschelt sich in seine Bettwäsche und sieht in seinem Hochbett richtig niedlich aus. Ich sollte meine Mutter anrufen und sie herbestellen. Bei dem Anblick würde ein Felsbrocken erweichen.

Heute Morgen läuft bei den Kindern alles schon erheblich besser als gestern. Kinder können sich schnell an Dinge gewöhnen. Das Aufstehen klappt, ohne dass einer dem anderen größere Verletzungen oder Demütigungen zufügt. Immerhin. Es muss ja nicht gleich in morgendliche Liebkosungen ausarten.

Nachdem sie weg sind, mache ich mich daran, die »Kindergeburtstagsspuren« von gestern zu beseitigen. Als ich in den Keller komme, bin ich baff. Es sieht besser aus als seit Wochen. Ein Stapel Päckchen steht ordentlich verpackt in der einen Ecke, die Papiere auf dem Tisch sehen sortiert aus – und auf alledem liegt ein großes Blatt Papier mit der Aufschrift: »Stets findet Überraschung statt, da wo man's nicht erwartet hat!«

So, Mama, das war's, diesen Mann, genannt Franz oder auch Papa, gebe ich nicht mehr her. Da ertrage ich Wilhelm Busch von morgens bis abends. Am liebsten würde ich nach oben stürmen, zu ihm ins Hochbett kriechen und ihn fest umarmen. Mein Vater ist ein Goldschatz. Ich dachte, der macht sich, kaum dass wir zur Tür raus sind, einen schönen Lenz mit der schnuckeligen Iris. Und dann so was! Es gibt doch noch wahre Überraschungen. Vielleicht hat er Lust, ins eBay-Geschäft einzusteigen? Oder als mein Assistent zu fungieren? Obwohl Männer wie mein Vater sich kaum zum Assistenten eignen. Wenn überhaupt,

188

dann sind Männer dieser Altersklasse zu Hause Assistenten. Innerbetrieblich sozusagen. Meist ohne ihr Wissen. Beruflich tun sie sich mit dieser Rolle verdammt schwer. Aber wir werden sehen. Wenn er finanziell nicht so wahnsinnige Ansprüche stellt, könnte ich auch über eine Teilhaberschaft nachdenken. Zum Dank werde ich ihm vom Einkaufen grünen Tee und frischen Ingwer mitbringen. Papa soll sich wohlfühlen!

Zum Glück ist heute Freitag. Freitag hat sich zu meinem Lieblingswochentag entwickelt. Nicht nur, weil Freitag – welch enorme Erkenntnis – der Tag vor dem Wochenende ist, sondern vor allem, weil ich freitags keine Kunden empfange. Mit anderen Worten: Der Freitagvormittag gehört mir. Deshalb mache ich meistens freitags den Großeinkauf und versuche dabei vorausschauend einzukaufen. Ich überlege, ob ich meinem Vater Bescheid sagen soll, bevor ich losfahre, entscheide mich dann aber dagegen. Soll er doch in aller Ruhe weiterschlafen. Nur weil man selbst zum Frühaufstehen gezwungen ist, muss man andere ja nicht mitleiden lassen.

Auf dem Weg zum Supermarkt mache ich einen schnellen Anruf bei meiner Mutter.

»Ich bin so allein, Andrea«, beschwert sie sich bei mir.

Hat ihr Fred keine Zeit oder hat er sich schon eine andere »saftige« Golferin gesucht?

»Was meinst du, soll ich heute Mittag mal spontan vorbeischauen?«, schlägt sie dann auch noch vor.

Jetzt heißt es diplomatisch sein. Ihren Vorschlag ablehnen, aber nicht die komplette Hoffnung zerstören und vor allem, meine Mutter nicht allzu sehr verärgern.

»Du, Mama, ich glaube, das wäre nicht so schlau. Der Papa braucht noch ein paar Tage, um sich zu berappeln.«

Sie seufzt. »Aber, Andrea, achte auf alle Fälle auf seine Ernährung. Und dass er auch ja seine Blutdrucktabletten nimmt. Ach und richtest du ihm bitte Grüße aus.«

So kleinlaut habe ich meine Mutter selten erlebt. Ich nutze den Moment und frage, was sie, neulich abends, mit der Bemerkung über Birgit gemeint hat.

»Sag mal Mama, hat die Birgit ein Verhältnis gehabt?«

»Frag sie doch einfach selbst«, antwortet meine Mutter geschickt, »ich habe keine Lust, über andere zu reden.«

Was hat Fred da nur mit meiner Mutter gemacht? Meine Mutter, die sonst nichts Schöneres kennt, als ausgiebig über andere zu klatschen, die immer weiß, wer wo und mit wem was tut.

Da sag nochmal einer, man könnte sich ab einem gewissen Alter nicht mehr verändern. Von wegen.

Nachdem ich den Spontanbesuch meiner Mutter erfolgreich abgewimmelt habe, rufe ich meine Freundin Sabine an. Sabine ist die Ewig-Suchende, auf Dauer-Pirsch sozusagen, und seit vielen Jahren eine meiner besten Freundinnen. Sie teilt sich diese Position mit Heike, die an und für sich meine allerbeste Freundin ist, aber so weit weg wohnt – nämlich im fernen München. Sabine ist bester Laune.

»Stell dir vor«, berichtet sie euphorisch, »ich habe Post von dieser Internet-Partneragentur. Da hat jemand fast neunzig Prozent Übereinstimmung mit mir. Und er will mich so bald wie möglich treffen. Ein unglaublicher Typ. So gebildet und charmant. Und eine so schöne Sprache. Und – jetzt kommt der Knaller, Andrea – endlich mal einer, der eine ordentliche Rechtschreibung hat.« Sie holt Luft und gibt mir dadurch Gelegenheit, auch mal zu sprechen.

»Klingt doch nicht schlecht. Hat er ein Bild geschickt?

Ich meine, es ist schön, wenn er einigermaßen fehlerfrei schreiben kann«, obwohl ich eigentlich finde, dass das zu den Minimalanforderungen gehört, »aber was ist mit der Optik?«, spreche ich ein heikles Sabine-Thema an. Um es mal freundlich zu formulieren: Sabine hat einen sehr seltsamen Männergeschmack. Dabei ist sie selbst eine ausgesprochen attraktive Person. Äußerlichkeiten lassen sich richten, ist ihr Credo. Das hat sie auch bei Mett-Mischi bewiesen. Mett-Mischi (seinen Spitznamen hat er wegen seiner Vorliebe für Mett-Brötchen) ist ein ehemaliger Klassenkamerad von mir, den Sabine damals, bei meiner ersten Entbindung, im Krankenhaus kennengelernt hat. Trotz meiner eindringlichen Warnungen hat sie sich mit ihm eingelassen. Nur so viel: Erst hat sie in langwieriger Arbeit Assistenzarzt Mett-Mischi optisch aufpoliert, und kaum war das Ergebnis halbwegs vorzeigbar und Mischi kein Assistenzarzt mehr, hat ihn sich eine junge Krankenschwester unter den Nagel gerissen. So geht es Sabine meistens. Sie macht die groben Arbeiten, und wenn das Projekt abgeschlossen ist, ist es auch mit der Beziehung vorbei. Wie bei der Raupe und dem Schmetterling. Kaum ist das Raupenstadium beendet, flattert der männliche Schmetterling auf und davon. Sabine versucht tapfer, das Ganze sportlich zu nehmen und sieht sich als Wegbereiterin, nach dem Motto: Immerhin haben andere dann weniger Arbeit. Das ist sehr uneigennützig und großmütig, aber auf lange Sicht doch verdammt ärgerlich. Ich meine, bei einem Mann wie Mett-Mischi kann sie, insgesamt gesehen, sehr froh sein. Egal, wie man den optisch rausputzt, im Kern bleibt er immer der alte Mett-Mischi. Ganz gleich, wie sehr man jemanden aufpoliert, letztlich bleibt das Innenleben gleich. Und Mett-Mischi bleibt ein angeberischer Schaumschläger, der niemanden je so lieben wird wie seine Mami. Ein Tatbestand, den ich nur bei meinem Sohn akzeptieren könnte. Ich gebe zu, auch in der Zeit, in der Sabine mit Mett-Mischi liiert war, habe ich meine Vorbehalte gegen ihn nicht wegdrücken können und war, trotz allem Mitgefühl für Sabine bei der Trennung, ziemlich froh, dass die Beziehung gescheitert ist. Ähnlich lief es mit Helmuth, einem Kerl, den Sabine durch mich unter sehr merkwürdigen Umständen getroffen hat. Unseren ersten gemeinsamen Ausflug haben wir in einen Swingerclub gemacht. Keine Details, nur so viel – es war ein absolutes Versehen, hat aber Helmuth und Sabine zusammengebracht. Geeint im Entsetzen. Immerhin ein halbes Jahr hat sie sich mit ihm abgemüht. Helmuth ist einer der verklemmtesten Kerle, den ich je gesehen habe. Ich rede nicht von prüde, sondern von einer sehr seltsamen Verklemmtheit. Er ist nicht in Gegenwart von anderen verklemmt, sondern eher bei sich selbst. Das klingt jetzt absonderlich, ist es auch. Helmuth ist ein sehr schüchterner Mensch, was an sich ja nichts Schlechtes ist. Besonders bei Männern. Besser schüchtern als großmäulig. Aber Helmuth hatte so gar kein Zutrauen in sich selbst. War schrecklich unsicher. Konnte das Zusammensein mit Sabine gar nicht richtig genießen. Hat ständig gefragt, was sie eigentlich mit ihm will. Warum sie mit einem Mann wie ihm zusammen ist. Eine Frau wie sie. Statt sein Glück zu feiern und einfach zu leben, hat er diese Verbindung ständig auf die Probe gestellt. Diskutiert und hinterfragt. Bis Sabine das irgendwann richtig auf den Keks gegangen ist. Zu viel Selbstvertrauen ist sicherlich anstrengend, zuwenig ist jedoch fatal. Dann hat auch noch er sie verlassen – mit der absonderlichen Begründung, dass sie es ja sowieso dauerhaft nicht bei ihm aushalten wird. Eine

Form von vorauseilendem Aufgeben. »Lieber sehe ich es jetzt ein, als später davon erwischt zu werden«, hat er in einem der letzten Gespräche zu Sabine gesagt. »Da kann man nichts machen. Der braucht wohl eher professionelle Hilfe. Zuneigung allein reicht da nicht«, hat Sabine zu mir gesagt und die Sache sofort abgehakt. Für diese Haltung bewundere ich Sabine oft. Sie hat eine gewisse Lakonik.

Lakonik – dieser Ausdruck kommt von den Spartanern. Angeblich war das so: Als Philipp II. sich mit seinem Heer näherte, sandte er, der Legende nach, folgende Drohung nach Sparta voraus: »Wenn ich euch besiegt habe, werden eure Häuser brennen, eure Städte in Flammen stehen und eure Frauen zu Witwen werden.« Darauf die Spartaner: »Wenn!«

So knapp, also lakonisch, kann auch Sabine sein. Warum etwas ausführlich kommentieren, wenn es doch sinnlos ist?

»Keine Ahnung, wie der aussieht«, beantwortet Sabine endlich meine Frage. »Das werde ich ja sehen, wenn ich ihn am Sonntag treffe. Wenn er so spricht, wie er schreibt, kann er von mir aus aussehen wie Quasimodo. Du weißt doch, Andrea – wie hat schon Bernard Shaw gesagt: ›Schönheit wirkt auf den ersten Blick angenehm, aber wem fällt sie auf, wenn sie drei Tage im Haus ist?‹«

Was für ein überaus kluger Satz. Klingt vernünftig. Ich erzähle ihr schnell von gestern Abend und meinem wunderbaren Afrika-Triumphzug. Sie ist beeindruckt.

»Hätte nicht gedacht, dass du mit dem Kram mal punkten kannst«, lobt sie mich.

»Drück mir die Daumen, ich rufe dich Sonntag an, oder noch besser, ich komme vorbei nach dem Date und erzähl dir, wie es gelaufen ist. Wir treffen uns zum Spazierengehen. Da sieht man doch gleich, was das für ein romantischer Typ ist.«

Ich stimme zu, sage ihr, dass ich mich auf sie freue, schon weil Christoph nicht da ist und ich ja deshalb mit den Kindern daheim rumhänge. Insgeheim denke ich allerdings, dass sich der Typ nur um die Bezahlung eines Essens drücken will.

»Du fährst nicht mit? Nach New York?«, ruft sie entgeistert in ihr Handy, so laut, dass mir meins fast vom Ohr fällt. »Der rennt seinen ersten Marathon und du bist nicht dabei? Das lässt du dir entgehen?«

»Ja!«, sage ich und bin selbst erstaunt, dass ich die Möglichkeit mitzufliegen gar nicht in Erwägung gezogen habe.

»Wir sehen uns Sonntag. Bei mir klopft jemand an«, würgt sie mich ab, und ich erledige meinen Großeinkauf.

Auf dem Heimweg grübele ich darüber nach, was schlauer wäre. Annabelle anzurufen und abzusagen oder einfach abzuwarten, ob sie sich meldet und dann so tun, als hätte ich das Rebirthing komplett vergessen. Ich wähle die feige Variante. Abwarten. Habe mit meinem dicken Kopf keine Lust auf morgendliche Diskussionen.

Als ich zu Hause ankomme, steht schon das Auto von Iris vor der Tür. So oft, wie die da ist, könnte sie direkt bei uns einziehen. Wenn mein Vater ein klein bisschen rückt, kann sie mit ins Hochbett. Langsam mache ich mir wirklich Gedanken. Die beiden sitzen im Keller. Vor dem Computer.

»Was treibt ihr denn hier?«, frage ich die zwei.

Wie verschreckte Kaninchen schieben sie mit der Maus den kleinen Pfeil auf dem Bildschirm hin und her.

»Ihr habt doch hoffentlich nicht meine Anfragen bearbeitet?«, hake ich nach.

»Nein, das war mehr so ein kleines Trainingsprogramm«, beantwortet Iris meine Frage und fährt mit einem schnellen Tastendruck den PC runter.

»Wie war's gestern? Erzähl! Hattest du Erfolg? Hat alles gehalten?«

»Komm mal mit, dann zeige ich dir, wie gut alles gehalten hat«, locke ich wenigstens schon mal Iris aus dem Keller und gewähre ihr einen Blick in meinen Pullover.

»Ich krieg die Klebestreifen nicht mehr ab. Auf der einen Seite habe ich die Brust fast unterm Kinn und auf der anderen ist alles wieder so, wie es war.«

»Zieh mal den Pulli hoch«, fordert sie mich auf, und mit einem beherzten Ratsch löst sie den ersten Streifen.

»Sollte ich im Brustbereich je irgendwelche Haare gehabt haben, was unerfreulich gewesen wäre – das Problem hätte sich jetzt mit Sicherheit erledigt. Brustenthaarung mit Wachs muss sich ähnlich anfühlen. Bevor ich groß losjammern kann, packt sie den zweiten Streifen und zieht ihn ab. Meine Haut sieht aus wie nach einer Schmirgelaktion mit grobem Schleifpapier. Gerötet und leicht pustelig.

»Macht nichts, das verschwindet wieder. Bisschen Creme drauf und gut ist«, tröstet mich Iris.

»Und wie war es so, gestern mit meinem Papa?«, stelle ich kleine Nachforschungen an.

»Wir hatten einen herrlichen Abend«, freut sie sich. »So gelacht habe ich lange nicht mehr. Dein Vater ist dermaßen gebildet und lustig.«

Mein Vater ist mit Sicherheit ein ziemlich gebildeter Mann, aber im Vergleich zu ihrem Fritz ist das auch nicht weiter schwierig. Bei dem ist es fast erstaunlich, dass er aufrecht gehen kann. Fritz ist so einer, der zwar gerne auf den Putz haut und von seinen wahnsinnig erfolgreichen Geschäften erzählt, gleichzeitig aber völlig ungeniert durch Nichtwissen glänzt. Nichts zu wissen oder Dinge nicht zu wissen, von denen man insgeheim denkt, sie gehörten zur Allgemeinbildung, kommt vor. Bei den meisten Menschen. Wer hat heutzutage schon eine fundierte Allgemeinbildung? Kaum jemand. Aber den meisten Menschen ist das wenigstens peinlich. Mir zum Beispiel. Ich habe grauenvolle Lücken, tiefer als der Grand Canyon. Neulich erst habe ich mühevoll versucht, die deutschen Bundespräsidenten zusammenzukriegen. Fritz hingegen kokettiert geradezu mit seinem Unwissen: »Schiller, Goethe oder wie diese Leute heißen. Was interessieren die mich«, hat er mal an einem gemeinsamen Abend gesagt. »Ich kenn den Uwe Ochsenknecht, das ist doch viel mehr wert.« Ich habe persönlich nichts gegen Uwe Ochsenknecht, aber ihn in einem Atemzug mit Schiller zu nennen, ist ja wohl grotesk. Auch von Politik hat der Fritz keinen großen Schimmer. »Ist doch schnuppe, wer wo Minister ist. Eh alles ein Pack. Die wollen sowieso nur mein Geld. Vor allem diese Ossis.« Was sollte man auch sonst von Fritz wollen? Viel mehr als Geld hat er bei genauer Betrachtung auch nicht zu bieten. Deswegen erstaunt mich die nächste Bemerkung von Iris auch kaum.

»Wenn dein Papa solo wäre, könnte ich für nichts garantieren«, kichert sie.

»Ist er aber nicht, Iris«, kläre ich schnell die Besitzverhältnisse. »Schon gut«, beruhigt sie mich, »der hat den halben Abend von deiner Mutter geschwärmt, ich hätte eh keine Chance.«

So sicher bin ich mir da nicht. Aber dass sie das so sieht,

finde ich doch erfreulich. Ich mag Iris, aber als neue Stief-
mama kann ich sie mir nur schwer vorstellen.

»Du, Andrea, eigentlich bin ich aber nicht hier, um von
deinem Vater zu schwärmen, sondern wegen des Kleides.
Ist es da?«, fragt sie.

Das verdammte Wickelkleid. Habe ich doch glatt vergessen. Jetzt schnell schalten, Andrea. »Ach, Iris, da habe ich
wunderbare Nachrichten, es ist heute Morgen mit Express
gekommen. Ganz früh. Hätte ich selbst nicht gedacht. Und
es sieht prima aus. Also alles bestens.« Das war verdammt
knapp. Gerade noch die Kurve gekriegt. Aber so ist das
eben mit dem Lügen. Einmal angefangen, kommt man aus
der Nummer nur schwer wieder raus. Wenn ich jetzt gestehe, gestehe ich nicht eine Lüge, sondern eine Lüge mit
einem Rattenschwanz von kleinen Lügen. Dass es ziemlich
ungewöhnlich ist, dass am frühen Morgen ein Päckchen
gebracht wird, jedenfalls hier in der Gegend, weiß sie zum
Glück nicht. Iris schluckt alles. Keine Zweifel, dafür pure
Begeisterung. An sich ja auch angebracht. Letztlich zählt
hier das Ergebnis und nicht der Weg. Sie strahlt so sehr,
dass ich fast selbst stolz darauf bin, dass das Kleid wieder
da ist. Obwohl es ja nie weg war.

»Her damit, meine Retterin«, freut sie sich.

»Bleib doch hier unten, ich hole es. Ich habe es nach
oben getragen«, sage ich und schicke sie in die Küche.
»Mach uns doch einen Kaffee, während ich es runterhole.«
Geschafft, denke ich und eile die Treppe hoch. Unten klingelt das Telefon.

»Kannst du mal rangehen?«, rufe ich Iris zu. »Mach
ich«, antwortet sie, und ich habe ein bisschen Zeit gewonnen, um mir das Wickelkleid zu schnappen.

Als ich mit dem begehrten Kleid wieder ins Wohnzimmer

komme, legt Iris gerade auf. »Geht klar, Annabelle«, höre ich nur noch. »Das ist doch gar kein Problem. Gerne.«

»Das war die Annabelle. Wegen eures Termins. Sie holt dich heute Mittag ab. In zwei Stunden. Ich habe ihr gesagt, dass ich auf die Kinder aufpasse. Erst war sie ein bisschen schnippisch, aber als sie das gehört hat, ist sie richtig nett geworden«, informiert mich Iris.

Perfektes Timing. Hätte ich bloß heute Morgen bei Annabelle angerufen und abgesagt. Jetzt wird es ungleich schwieriger. Das Babysitterargument fällt damit auch weg. Dann muss eben die Tour zum Flughafen als Ausrede dienen.

»Hör mal«, sage ich ein wenig ungehalten zu Iris, die ja eigentlich überhaupt nichts für meine doofe Lage kann, sondern im Gegenteil mir sogar behilflich sein wollte, »das war jetzt leider ein bisschen blöd. Also du konntest es nicht wissen, aber ich will auf keinen Fall mit Annabelle zu diesem Seminar.«

Sie ist sofort reumütig. »Tut mir leid, ich wollte nett sein, und vor allem ist die Annabelle ja sonst so zickig, und als ich gesagt habe, ich passe auf, war die direkt mal freundlicher, und also ich dachte, na ja, eigentlich dachte ich, du freust dich.«

»Nee«, antworte ich, kann ihr aber nicht wirklich böse sein, denn eigentlich bin ich mit meinen dauernden Ausreden ja die blöde Kuh.

»Soll ich sie nochmal anrufen und sagen, dass ich doch nicht kann und du mit den Kindern allein da stehst?«, bietet sie mir jetzt sogar noch an. Ich lehne dankend ab. Annabelle kann Iris sowieso nicht ausstehen, da fehlt der Anruf gerade noch. Das wäre ja so, als würde man ein keimendes Pflänzchen einfach rausreißen. Meinen Kindern würde ich deutlich sagen: »Was ihr selbst verbockt habt, müsst ihr auch selbst wieder geradebiegen.« Also greife ich beherzt zum Hörer und wähle Annabelles Nummer. Es meldet sich der Anrufbeantworter. Umso besser. Das erspart mir die direkte verbale Konfrontation.

»Annabelle, ich bin's, Andrea. Du, das klappt heute leider nicht. Ich muss den Christoph zum Flughafen fahren. Wegen seines Marathons. Du weißt. Habe ich dir doch erzählt. Ich wünsche dir aber viel Spaß. Wenn es super war, kann ich ja das nächste Mal mit. Echt schade mit heute. Aber der Mann geht dann doch vor.« Mit diesen freundlichen Worten beende ich meine Mailboxansprache. Da bin ich ja doch noch elegant aus der Nummer rausgekommen. Iris ist auch erleichtert.

»Na dann gehe ich mal«, verabschiedet sie sich und schnappt sich das Wickelkleid. »Ach, Andrea, was kriegst du von mir für das Kleid?«, fragt sie dann noch, korrekt wie sie nun mal ist. »Ist okay«, gebe ich mich großzügig. »Lass mal. Danke für deine Hilfe gestern. Nimm es einfach mit.«

»Toll! Lieb von dir«, sagt sie und macht sich auf den Heimweg. Mein Vater ist immer noch im Keller. Scheint sich dort wohlzufühlen. Umso besser.

Ich habe genug zu tun, packe die Einkäufe aus, sortiere und bereite das Mittagessen vor.

Neulich habe ich mir, als ich mal wieder lustlos in irgendeinem Topf gerührt habe, ausgerechnet, wie oft eine Mutter in ihrem Leben ruft: »Kinder, Essen ist fertig.« Ich bin auf etwa sechstausenddreihundert Mittagessen gekommen. Achtzehn Kinderjahre und etwa dreihundertfünfzig Mittagessen pro Jahr. Immerhin essen die Kinder ja ab und an auch bei anderen. Sechstausenddreihundert

Mittagessen! Und da soll man mit Spaß bei der Sache bleiben. Mit dem Wissen, dass man mit Kindern in dem Alter von Mark und Claudia noch etwa dreitausend Mittagessen vor sich hat. Mindestens. Und in dieser Rechnung ist noch nicht einkalkuliert, dass ein Kind in der Schule sitzen bleibt.

Heute gibt's Pfannkuchen, wie eigentlich jede Woche mindestens einmal. Nicht, weil die Zubereitung so interessant ist, sondern weil es eines der Gerichte ist, die immer gut ankommen. Und fleischlos ist es auch noch. Meistens, wenn ich, angeregt durch diverse Kochsendungen, was Neues ausprobiere, mir also totale Mühe gebe, um zum Beispiel frischen Koriander aufzutreiben, ernte ich wenig Applaus. Kinder sind die wahren Spießer, und der Satz: Was der Bauer nicht kennt, frisst er nicht – stimmt. Wenn es nach meinen Kindern ginge, könnte ich Woche für Woche, Tag für Tag, das immergleiche Essen servieren. Wenn Nudeln der Hauptbestandteil der Mahlzeit sind, kann man nicht viel verkehrt machen. Ich bewundere immer wieder Eltern, die es geschafft haben, aus ihren Minderjährigen kleine Gourmets zu machen. Zehnjährige, die begeistert nach Sushi verlangen (ohne asiatische Vorfahren zu haben), oder Kindergartenkinder, die voller Hingabe Oliven und Blauschimmelkäse naschen wie meine Kinder matschige Milchschnitten. Wenn Kinder beim Essen pinzig sind, fällt das, wie eigentlich alles, auf die Eltern zurück. Da muss dann was schiefgelaufen sein.

»Du sollst meine Lehrerin anrufen«, teilt mir Claudia beim Mittagessen ganz nebenbei mit.

»Und wieso?«, frage ich zurück.

»Weiß ich doch nicht. Mir hat sie nichts gesagt. Keine

200

Ahnung«, antwortet meine Tochter und macht ein Unschuldslammgesicht. Wer's glaubt.

»Hier ist die Nummer«, sagt sie, kramt in ihrem Rucksack und legt mir einen zerknüllten Zettel auf den Tisch. Frau Rupps steht drauf und eine Frankfurter Nummer. Frau Rupps, auch das noch, die Klassenlehrerin.

»Hör zu, Claudia«, versuche ich an das Einsichtszentrum meiner Tochter zu appellieren, »wenn ich die anrufe, wäre es gut, ich wäre nicht komplett ahnungslos und wüsste in etwa, worum es geht.«

»Die kann mich nicht ab, das ist alles«, bemerkt meine Tochter nur, »keine Ahnung, was die Kuh will.«

»Ich finde nicht, dass Frau Rupps eine Kuh ist. Sie ist deine Lehrerin, und bis vor kurzem hast du sie doch noch ganz nett gefunden. Also nenn sie nicht Kuh!«

»Hast du selber doch schon über die gesagt. Außerdem ist sie eine.« Mit den eigenen Waffen geschlagen. Wenn es drauf ankommt, können Kinder ein ausgesprochen gutes Gedächtnis haben. Und sie hat recht, ich habe vor einigen Wochen tatsächlich mal gesagt, dass ich Frau Rupps für eine blöde Kuh halte. So dahingesagt. Ohne groß nachzudenken. Es war nicht mal so gemeint. Oder nur ein ganz klein bisschen. Ich meine, mal ehrlich, natürlich ist Frau Rupps eine blöde Kuh. Nicht weil sie Lehrerin ist. Ich gehöre nicht zu den Eltern, die Lehrer per se ablehnen. Im Gegenteil. Ich bewundere diese Berufsgruppe. Wie man das ohne Dauerdrogenkonsum aushalten kann, ist mir ein Rätsel. Aber Frau Rupps ist schlicht unsympathisch. Das gibt's bei Lehrern wie bei Bäckern oder Ingenieuren. In jeder Berufsgruppe. Aber egal, was man von einem Lehrer hält, man sollte es nicht laut sagen. Jedenfalls nicht vor den betroffenen Kindern. Jetzt habe ich die Quittung.

»Das ist was völlig anderes!«, erkläre ich meiner Tochter.

»Ach, und wieso ist das was anderes? Kuh ist Kuh, oder?«, bleibt Claudia beharrlich. Ich unterbinde diese Gesprächsentwicklung.

»Überlege dir bitte, was die Frau Rupps von mir wollen könnte. Du hast eine Stunde Zeit. Und, Claudia, Kuh hin oder her, sie ist deine Klassenlehrerin.« Ha, das war ein spitzenmäßiger Auftritt. Klare Worte, konsequent und eindeutig. Am liebsten würde ich mir selbst auf die Schulter klopfen. Schade, dass die Supernanny das nicht gesehen hat.

Es klappt. Sie gibt auf. »Kann ich aufstehen?«, fragt sie.

Mein Vater antwortet für mich. »Mach dich hoch, Zimtschnecke.« Ich nicke.

Mark ist bester Laune. Mein Vater hat vorgeschlagen, heute Nachmittag mit ihm ins Senckenberg-Museum nach Frankfurt zu fahren. Mark war zwar schon unzählige Male dort, würde wahrscheinlich sogar merken, wenn irgendein Knochen einen neuen Platz hätte, ist aber immer wieder Feuer und Flamme, wenn es in sein Lieblingsmuseum geht.

»Ach«, sagt mir mein Vater noch beiläufig, »dein Mann hat angerufen, der Flieger geht um zehn heute Abend, wenn ihr kurz nach sieben fahrt, wäre das prima. Er ist rechtzeitig da.« Das wird er ganz sicher sein. Denn es geht hier ja um eine Sache, die ihm wichtig ist. Andrea, reg dich ab, denk an den süßen Zettel von heute Morgen. Und an den schönen ruhigen Nachmittag heute. Mark weg, mein Vater weg und nur Claudia und ich hier. Okay, das Telefonat mit der Rupps, der krätzigen Kuh. Aber die wird ja nicht stundenlang mit mir plaudern wollen. Vielleicht schaffe ich es sogar, mich mal aufs Ohr zu hauen. Würde meinem Kopf sicher gut tun.

Ich räume notdürftig auf, bringe meinen Vater und Mark zum Auto und plausche noch eine Runde mit Tamara, die ich an den Mülltonnen treffe.

»Ach, ist dein Vater weg?«, guckt sie enttäuscht. »Der wollte sich doch noch mit mir auf einen Kaffee treffen.« Mein Vater könnte sich, so als Rentner, echt was dazuverdienen. Als Frauenversteher. Nachbarschaftsgockel.

»Heute kann mein Papa nicht, er hat eine Verabredung mit wahren Fossilien«, sage ich zu Tamara und freue mich schon aufs Mittagsschläfchen.

»Nicht so schlimm, wir haben heute Chinesisch. Da müssen wir noch ein wenig üben. Frag doch deinen Vater, ob er morgen Zeit hat.«

»Mach ich«, und füge noch hinzu: »Viel Spaß mit dem Chinesisch. Wenn die dann kommen, könnt ihr euch wenigstens unterhalten.«

Chinesisch erinnert mich an meine Hauptstädte. Ich wollte doch heute mit Asien anfangen. Schon, um für den nächsten Juristenball oder ein zufälliges Zusammentreffen mit Helge gewappnet zu sein. Vielleicht hat er dann ja eine Neue aus Asien mitgebracht.

Ich mache es mir auf der Couch bequem, schnappe mir meinen Atlas und fange an. Asien ist der größte Kontinent der Welt. Flächenmäßig. Ländermäßig wird Asien von Afrika deutlich geschlagen. Nur 47 Länder. Afrika siegt mit 53 Staaten. Also weniger zu lernen. Ich gehe nach dem Alphabet vor. Afghanistan, Armenien, Aserbaidschan, Bahrain, Bangladesch, Bhutan, Brunei und China. A bis C – das muss für heute reichen. Ich schreibe mir die Hauptstädte raus. Kabul, Eriwan, Baku (nie gehört vorher!), Manama, Dhaka, Thimphu (auch noch nie gehört!), Bandar Seri Begawan (könnte mein neuer Helge-Joker werden!), und Peking. Ich blättere in meinem Lieblingsgeographiebuch (eigentlich ein Kinderweltalmanach, deshalb auch leicht zu lesen!) und entspanne mich zusehends. Es ist wirklich wahr, Hauptstädtelernen entspannt mich. Man muss sich so sehr konzentrieren, dass alles andere aus dem Kopf verschwindet. Weil es nichts bringt, nur die Hauptstädte runterrasseln zu können schaue ich mir das jeweilige Land immer auch noch auf dem Globus an. Bei manchen bin ich sehr überrascht darüber, wo ich sie finde. Brunei zum Beispiel. Mitten in Malaysia. Als ich Bhutan suche, klingelt es. Ich gehe nichtsahnend zur Tür, und da steht Annabelle. So ein Mist. Hört die ihren Anrufbeantworter nicht ab?

»Hallo, Andrea«, begrüßt sie mich. »Bist du fertig? Wir müssen in zehn Minuten los!«

»Ach, Annabelle, hallo. Hör mal, es gibt da ein Problem. Hast du deinen Anrufbeantworter nicht abgehört?«

»Doch, hab ich. Aber keine Sorge, Andrea. Ich habe alles geregelt.«

Was um alles in der Welt soll das denn jetzt bedeuten? Alles geregelt?

»Ja, aber, ich habe dir doch gesagt, dass es leider nicht geht, weil ich den Christoph fahren muss. Zum Flughafen.«

»Weiß ich doch«, strahlt sie mich an. »Aber wie schon gesagt, ich habe alles geregelt. Ich hab ihn angerufen und gefragt, bis wann du da sein musst. Er hat gesagt, es sei kein Problem. Ist für ihn in Ordnung, wenn dir so viel daran liegt. Es reicht, wenn du um sieben hier bist. Das schaffen wir. Locker. Und er hat auch gesagt, dass ja dein

Vater hier ist. Also das mit den Kindern damit auch kein Thema ist.« Nie geht mein Mann ans Telefon. Ich kann so oft wählen, dass ich fast schon Hornhaut auf den Fingern bekomme, und die erreicht ihn sofort. Da wäre es einmal sinnvoll gewesen, nicht ans Telefon zu gehen, und genau dann hebt der ab. Und das ausgerechnet auch noch bei Annabelle. Jetzt sieht es wirklich stockfinster für mich aus. Ich muss ab sofort aufhören zu lügen.

»Annabelle, echt, das ist mir zu hektisch, und jetzt mal ganz ehrlich, ich habe auch keine Lust.« Ich fühle mich todesmutig. Aber das sollte argumentativ nun wirklich reichen. Wahrscheinlich wird sie schön sauer werden, aber irgendwie kriege ich das schon wieder hin.

»Nee, meine Liebe«, wehrt sich da Annabelle glatt. »So einfach kommst du mir nicht davon. Du hast es versprochen. Du erinnerst dich doch sicher. Jesus. Meine Oma. Muss ich noch mehr sagen?«

»Nein«, will ich schreien, »du musst gar nichts mehr sagen, nur verschwinden. Mich in Ruhe lassen mit diesem spirituellen Schnick-Schnack.« Stattdessen sage ich: »Ja, Annabelle, mag sein, aber ich habe es mir anders überlegt. Ich will einfach nicht. Das Channeling hat mir gereicht.«

Sie schnaubt. Atmet demonstrativ tief durch. »Hat es eben nicht, ganz offensichtlich, so voller Aggression wie du bist. Das ist ja fast schon pathologisch.« Das ist fast so wie bei einem Boxkampf. Gong – zweite Runde. Ich habe Annabelles Zähigkeit unterschätzt. Das soll man nie tun.

»Und überhaupt, Andrea, ich hab schon bezahlt. Schließlich hast du gesagt, du kommst mit!«

»Wann geht es los?«, frage ich und ergebe mich in mein Schicksal.

»Na also, warum nicht gleich!«, kommentiert Annabelle

mein Einlenken. »In einer halben Stunde müssen wir da sein.«

»Setz dich, ich bin in zehn Minuten fertig«, sage ich und haste hoch zu Claudia. Sie sitzt vor dem Computer und zuckt zusammen, als ich ins Zimmer komme.

»Anklopfen ist ja wohl nicht zu viel erwartet«, motzt sie direkt los. Leider habe ich keine Zeit für häusliche Etikettediskussionen.

»Ich muss nochmal weg, auf ein Seminar, ich komme in drei Stunden wieder. Spätestens. Mach deine Hausaufgaben, und spiel nicht die ganze Zeit am Computer. Der Opa ist bestimmt vor mir wieder da. Der ist mit Mark im Senckenberg-Museum.«

»Okay«, sagt sie gelangweilt und schiebt »Ist noch was?« hinterher. Was übersetzt in etwa heißt: Zieh Leine.

»Nein, sonst ist nichts. Ich wünsche dir auch einen schönen Nachmittag. Tschüss, Claudia«, sage ich so freundlich wie eben noch möglich und schließe die Tür ein bisschen fester als nötig.

Womit habe ich all das verdient? Ich habe ein bisschen geschwindelt – okay, aber dafür Annabelle und Claudia ertragen zu müssen, das ist schon eine geballte Ladung. Ich ziehe mir was über, schick machen muss man sich zum Wiedergeborenwerden ja eher nicht, und steige mal wieder zu Annabelle ins Auto.

»Du versprichst mir aber, mich auch wieder heimzufahren, gell?«, frage ich nochmal sicherheitshalber nach. Nach der Jesus-Nummer hätte sie mich ja fast im Gewerbegebiet Eschborn stehen gelassen, aber solch einen Patzer kann ich mir bei meinem heutigen Zeitkorsett nicht erlauben. Natürlich könnte Christoph auch mit dem Taxi zum Flughafen fahren, aber in dieser Hinsicht ist er ein kleiner

Knauser. Geldverschwendung. Findet er. Wenn es auf Kanzleikosten geht, sieht er das allerdings nicht so eng.

»Also das ist ein Einführungskurs ins Rebirthing. Man kann dann noch Einzelstunden buchen«, beginnt Annabelle, kaum dass wir losgefahren sind, mit Einführungsansprache. »Du hast dich sicher informiert, was Rebirthing ist, oder, Andrea?«, fragt sie dann. Ihr Ton hat was Lehrerinnenhaftes, und mir fällt siedendheiß Frau Rupps ein. Claudias Klassenlehrerin. Die habe ich jetzt vergessen. Und die Nummer liegt auf dem Esstisch. Ob ich noch eben zu Hause anrufe und Claudia bitte, mir die Nummer durchzugeben? Ein Versuch ist es wert.

»Andrea, ich habe dich was gefragt, und du fängst einfach an zu telefonieren. Höflich ist was anderes«, regt sich Annabelle auf.

»Gleich, das hier ist wichtig. Wegen Claudia.«

Claudia allerdings scheint das Telefonklingeln bei uns zu Hause nicht besonders wichtig zu finden. Sie geht nicht dran. Ist sie weggegangen? Kaum, dass ich aus dem Haus bin? Oder steckt sie mit dem Kopf im Computer und schert sich einen Dreck um mein Dauerklingeln? Im Resultat ist es dasselbe. Dann rufe ich die Rupps eben am Wochenende an. Geht ja nicht um eine Organtransplantation, wird also nicht auf einen Tag ankommen, tröste ich mich selbst.

»So, Annabelle, zu deiner Frage. Klar habe ich geguckt, was das mit dem Rebirthing auf sich hat. Das hat ein Kalifornier entdeckt. Ich glaube, Mitte der Siebziger. Der saß in einem Holzzuber mit warmem Wasser und hatte auf einmal vorgeburtliche Erinnerungen. Ich meine, er hätte gesagt, er habe sich wie in der Gebärmutter seiner Mama gefühlt. Jedenfalls irgendwas in der Art.«

Ich blicke stolz auf Annabelle. Da kann sie mir nun

wirklich keinen Vorwurf machen. Ich bin vorbereitet. Doch Annabelle ist nicht überzeugt:

»Na ja, das hat sich schon weiterentwickelt, sonst müssten wir uns ja nur in ein Fass setzen. Ohne die richtige Atmung läuft beim Rebirthing gar nichts. Das wird uns der Ken heute zeigen. Ich bin schon total gespannt.«

Der Ken. Aha. Ein Mann. Klingt amerikanisch. Heißen wie der Freund von Barbie und dann einen auf Rebirthing machen. Das hat schon was. Eines will ich dann aber doch noch wissen. Sicher ist sicher.

»Annabelle, hör mal, du weißt schon, dass Rebirthing zum Beispiel in Colorado verboten ist. Da ist ein Kind ins Koma gefallen.«

»Jetzt übertreib mal nicht gleich wieder«, unterbricht mich Annabelle. »Ein einziger Fall, ich bitte dich. Das waren bestimmt keine richtigen Rebirther. Der Ken hat das gelernt. Der ist mir empfohlen worden. Der kommt aus Kalifornien. Und du bist doch sonst nicht so ängstlich. Wir atmen uns in Trance, und dann gehen wir auf die Reise zurück zu unserer Geburt. Das wird bestimmt irre bewusstseinserweiternd.«

Und irre eng. Viel Platz ist in so einem Geburtskanal ja nicht. Jedenfalls meines Wissens nach. Gut, dass ich nicht zu Beklemmungen neige. Bewusstseinserweiternd? Da wäre es wahrscheinlich gemütlicher, wir würden eine Runde Hasch rauchen. Ich traue mich nicht, Annabelle diesen Vorschlag zu machen. Vor allem, weil ich mich mit Hasch ähnlich gut auskenne wie mit Rebirthing. Ich hätte vor allem schon mal gar keine Ahnung, wo ich welches herkriegen sollte. Angeblich wird man, wenn man in Frankfurt über die Zeil, die Haupteinkaufsstraße, schlendert, ständig angesprochen, »Hier du. Brauchst du was?«

Ich war wirklich schon oft in der Stadt – mich hat noch nie einer angesprochen. Noch nicht mal, um mir Drogen zu verkaufen. Von anderen Annäherungsversuchen mal ganz abgesehen. Nicht, dass ich was vermisse, obwohl gelegentlich angesprochen zu werden, wäre immerhin eine Form von Ego-Politur. Hasch hat nicht mal eBay im Programm, und die verticken eigentlich alles.

Annabelle parkt ein. Wir sind in Alt-Sachsenhausen. Früher war ich hier abends oft unterwegs. Alt-Sachsenhausen ist das Kneipenviertel Frankfurts. Und hier sollen wir wiedergeboren werden? Unsere Geburtstraumata aufarbeiten?

»Was wollen wir denn hier? Noch ein paar Sauergespritzte trinken und einen Handkäs essen, bevor wir uns unserer Geburt stellen?«, frage ich bei Annabelle nach.

»Sei nicht albern«, werde ich getadelt, »der Ken wohnt hier und macht den Kursus bei sich zu Hause, weil das von der Atmosphäre her besser ist.«

Von wegen Atmosphäre. Die schluckt aber wirklich alles. Atmosphäre. Hier? Wir klingeln an einem Hinterhaus. Es sieht nicht so aus, als würde sich hier ein schickes Loft verbergen. Aber bitte – ich lasse mich gern überraschen. Die Wohnung, in der uns Ken empfängt, ist eine Wohnung, die dringend mal gründlich durchgeputzt werden müsste. Wenn ich so etwas sage, dann ist es wirklich dringend. Meine Mutter würde sofort Hautausschlag in einer solchen Umgebung bekommen. Ken selbst ist zum Glück ein bisschen appetitlicher als seine Behausung. Er ist groß, hat eine Stirnglatze, trägt den Rest der Haare aber lang. Und er hat ein Stirnband an. So ein langes Tuch, dessen Enden hinten über den Rücken fallen. Batik. Wahrscheinlich ist er in den Siebzigern nach Deutschland gekommen und hat sich modisch einfach nicht weiterentwickelt. Aber man soll ja nicht zu viel auf Äußerlichkeiten geben. Immerhin sind die Haare nicht fettig. Er trägt ein T-Shirt und dazu eine Jogginghose aus Ballonseide. Im Hintergrund wummern sphärische Klänge. Ken erscheint freundlich.

»Ich habe euch schon erwartet«, begrüßt er uns. »Tee?« Wir nicken.

Er führt uns in sein Wohnzimmer und kommt mit einer Kanne Tee hinterher.

»Setzt euch«, sagt er und schenkt Tee ein. Dann beginnt er seine theoretische Einführung: »Das Rebirthen kann einiges in euch auslösen. Durch eine spezielle Atemtechnik, die ich euch zeigen werde, verfallt ihr in Trance. Die kann euch zu eurer Geburt zurückführen, aber auch zu anderen Erlebnissen, die entweder traumatisch oder befreiend für euch waren. Eins ist wichtig: Lasst alles raus. Egal, ob ihr schreien, lachen oder weinen wollt – lasst euch gehen.«

Ein seltsamer Vorschlag: Ich soll mich hier vor einem Althippie in Jogginghose, den ich gerade erst kennengelernt habe, gehen lassen. Aber bitte. Ich werde ihn mit Sicherheit nie wiedersehen, insofern kann es mir ja egal sein. Annabelle scheint schon jetzt sehr ergriffen. Sie hört gar nicht mehr auf zu nicken. Ich hoffe nur, dass wir bald anfangen. Mein Zeitkorsett ist heute wirklich eng geschnürt. Nicht, dass ich noch im Uterus sitze, wenn ich eigentlich schon auf dem Weg zum Flughafen sein sollte! Wir trinken einen Schluck Tee, und dann zeigt Ken auf ein Paar Matten.

»Legt euch hin und entspannt euch. Rebirthing ist eine ganzheitliche Methode, die durch das Auflösen von Blockaden zu einer Harmonisierung von Körper, Geist und Seele führt. Rebirthing berührt alle vier Ebenen menschlichen Seins – die körperliche, die gefühlsmäßige, die verstandesmäßige und die spirituelle Ebene – und sorgt da für immense Veränderung. Es bringt euch weiter. Und nicht wundern, es kann beim Rebirthen Momente geben, die nicht so angenehm sind. Es gibt Menschen, die werden von Weinkrämpfen geschüttelt, manche verkrampfen, manche müssen kotzen. Alles ist möglich!«

Das klingt alles nicht wirklich lecker. Hoffentlich hat auf meiner Matte noch keiner gekotzt. Als wir liegen, startet er mit seinen Atemanweisungen.

»Lang, tief ein, flach, kurz aus. Dein Atem verteilt sich in deinem Körper. Er fließt.« Ich werde gelobt – ich sei ein Atemtalent –, Annabelle hingegen muss noch flacher atmen. Und runder, fließender.

»Ohne Pause einatmen, tief und sanft, und ohne Pause ausatmen.«

Wir atmen und atmen. Ein Geschnaube wie im Pferdestall. Nach einer Weile schlafen mir die Finger ein, dann die Hände. Ich atme weiter. Meine Beine kribbeln, aber ich atme weiter. Langsam werde ich etwas ängstlich. Ich fühle mich, als hätte eine Dampfwalze auf mir geparkt. Ich versuche keine Panik aufkommen zu lassen, schließlich hat Ken ja gesagt, dass es sein kann, dass der Körper komisch reagiert. Hauptsache, ich muss mich nicht übergeben. Auch Weinkrämpfe wären mir peinlich. Mittlerweile fühlt sich mein kompletter Körper dumpf an. Hoffentlich ende ich nicht im Rollstuhl. Wenn das die unangenehmen Gefühle sind, die ich im Mutterleib und beim Geborenwerden hatte, dann macht es wirklich Sinn, sie zu verdrängen. Angenehm ist was anderes. Als ich darüber nachdenke, wie lange das hier wohl noch dauern wird, und überlege, ob ich mal unauffällig auf die Uhr gucken kann, werde ich jäh unterbrochen. Ken rennt aus dem Raum und ruft dabei Annabelle »ruhig, ruhig« zu.

Ich schaue zu Annabelle hinüber und erstarre. Sie sieht grauenvoll aus. Sie hat sich hingesetzt, hält ihre Arme vor die Brust und hat ihren Mund merkwürdig gespitzt. Wie ein verkrampfter Kussmund. Als ich an ihr rüttele, erscheint auch schon Ken. Mit einer Plastiktüte. Will er die verkrampfte Annabelle schnell zum Lidl schicken oder was soll das?

»Sie hyperventiliert«, erklärt er mir nur, bevor er Annabelle die Tüte vor den Mund hält. »Zu wenig Kohlendioxid. So mit der Tüte atmet sie ihren eigenen Atem ein und nimmt wieder Kohlendioxid auf. Passiert leicht beim Rebirthen. Man kriegt Krämpfe, dann Panik und hyperventiliert dadurch immer stärker.« Annabelles Atmen klingt langsam besser.

»Jetzt müssten auch die Pfötchenstellung und das Karpfenmäulchen gleich wieder weg sein«, informiert er mich.

Sehr charmant von Ken, Annabelles Krampfmund Karpfenmäulchen zu nennen. Und dafür bezahlen wir auch noch. Als könnte er Gedanken lesen, redet er weiter:

»Nennt man so beim Hyperventilieren. Ist ganz typisch. Nichts Besonderes. Kann schnell passieren. Habe ich öfters.«

Ich bin verwirrt. Hat er das öfters oder seine Kunden? Sollte ich mit Annabelle in die Klinik fahren? Einen Notarzt rufen, oder kann ich einem, mehr oder weniger selbst ernannten, Rebirther vertrauen?

»Annabelle, geht es dir besser?«, frage ich meine Freundin und versuche, ganz ruhig und gefasst zu klingen. Sie lässt die Tüte sinken und sagt: »Ja, ich glaube, ja.«

»Willst du ins Krankenhaus oder so?«

»Nee«, sagt sie, »aber ich will gehen.«

Welch ein weiser Entschluss. Mir reicht es für heute auch. Ken will uns noch auf einen Tee einladen, meint, ich solle, weil ich so ein Atemtalent sei, unbedingt wieder-kommen, aber Annabelle schnauft noch ziemlich, und ich glaube, für heute langt es sogar ihr. Ken schenkt ihr die Plastiktüte für die Heimfahrt. Schon im Treppenhaus hält sich Annabelle wieder die Tüte vors Gesicht. Sie he-chelt ziemlich. Das klingt gar nicht gut. Überhaupt nicht gut. Kaum sind wir auf der Straße, sinkt sie aufs Trottoir. Die Plastiktüte vors Gesicht gepresst. So können wir auf keinen Fall nach Hause fahren. Vor allem sie kann nicht fahren.

»Gib mir den Autoschlüssel, ich fahr dich ins Kranken-haus«, übernehme ich jetzt das Kommando.

Mittlerweile sind schon die ersten Passanten stehen ge-blieben. Ein pickeliger Teenager, dessen Hosen fast an den Knien hängen, stößt seine Freundin an und sagt ungeniert: »Guck mal, jetzt schnüffeln die hier schon Klebstoff.«

Leider fehlen mir die Zeit und die Muße, um dem Kerl eine zu knallen. Ich sage mit fester Stimme: »Zieh Leine, wir geben nichts ab.«

Er schaut mich erstaunt an. Hat der gedacht, ich könnte nicht sprechen? Ich packe Annabelle unter den Achseln und zerre sie zum Auto. Der Junge ruft mir noch: »Reg dich ab Alte«, hinterher und brüllt dann noch: »Die ist ja voll fertig.« Reizende junge Menschen. Und so hilfsbereit.

Im Auto entspannt sich Annabelle ein bisschen, obwohl ich am Steuer sitze. Sie hat es nicht gern, wenn jemand anderes ihr Auto fährt, aber selbst ihr scheint klar zu sein, dass sie, mit der Tüte vor dem Gesicht, nicht hundertpro-zentig straßenverkehrstauglich ist.

»Fahr mich heim«, schnauft sie zwischen ihren hektischen Atemstößen.

»Nein«, sage ich. Schließlich bin ich eine Mutter und weiß, wann man streng sein sollte. »Annabelle, das geht nicht von zwei Kügelchen weg. Da sollte mal jemand gucken, der was davon versteht.« Ich glaube, meine Stimme macht deutlich, dass es keinen Verhandlungsspielraum gibt.

»Na gut«, sagt sie nur, »ich krieg so schlecht Luft.«

Noch nicht mal ein Kommentar wegen der Kügelchen. Annabelle ist ein Globuli-Freak. Sie nimmt Globuli und Bachblüten für fast alles.

»Atme in die Tüte, Annabelle, immer in die Tüte.«

Ich bekomme es langsam mit der Angst zu tun, weiß aber natürlich, dass ich das auf keinen Fall zeigen darf. Ich steuere die Uni-Klinik an. Von Alt-Sachsenhausen bis zur Klinik sind es nicht mal zehn Minuten. Aber mit der schnaubenden Annabelle an meiner Seite kommt es mir erheblich länger vor. Unterwegs versuche ich, zu Hause anzurufen, werde aber von Annabelle daran gehindert.

»Nicht beim Fahren«, hechelt sie mich an. Da ich sie nicht noch mehr aufregen will, verschiebe ich den Anruf auf später. In einer Stunde muss ich spätestens zu Hause sein. Eine gute halbe Stunde braucht man von der Uni-Klinik um diese Zeit allerdings mindestens. Ich hoffe, die Ärzte können das hier schnell regeln.

Wir gehen zur Notaufnahme und geben mit Sicherheit ein schrilles Bild ab. Zwei Frauen und davon die eine mit Plastiktüte vor Nase und Mund. Immer wieder versucht Annabelle, die Tüte runterzunehmen, fängt aber dann sofort wieder an, hektisch zu atmen. In der Notaufnahme geht nichts ohne Aufnahmeprozedur. Ich weiß nicht, wie schwer verletzt man sein muss, um diese Ausfüllarien zu umgehen. Hyperventilieren langt jedenfalls nicht. Wahrscheinlich muss mindestens ein Körperteil abgetrennt sein. Während ich Fragen zu Annabelles Person beantworte, wird sie erstversorgt. Eine Schwester hat sie mitgenommen und in den Behandlungsraum geführt. Ein Blick auf die Uhr sagt mir, dass ich theoretisch spätestens jetzt losfahren müsste, um rechtzeitig zu Hause zu sein. Ich verdrücke mich in eine Ecke und versuche zu telefonieren, was im Krankenhaus ja nicht besonders gerne gesehen wird. Mark geht ans Telefon.

»Hör mal«, frage ich, »ist der Papa schon da?«

»Nein«, sagt mein äußerst gesprächiger Sohn.

»Und der Opa, ist der da?«, will ich wissen.

Wieder ein knappes: »Nein.« Wo um alles in der Welt treiben die sich rum?

»Und Claudia, ist die da?«, starte ich einen letzten Versuch, jemanden über zehn ans Telefon zu bekommen. Wieder ein: »Nein.«

»Bist du etwa allein?«, werde ich nun so langsam doch ein wenig nervös.

»Ja.« Endlich ein Ja, aber ausgerechnet auf die Frage, bei der mir ein Nein bedeutend lieber gewesen wäre.

»Aber Mark, wo sind die denn alle hin?«, frage ich meinen Sohn.

»Weiß ich nicht. Mal kurz weg.« Geschwätzig kann man den wirklich nicht nennen.

»Kommen die denn bald wieder?«, bohre ich nach.

»Weiß nicht.« Ahnungslosigkeit und Wortkargheit hat einen Namen: Mark.

»Die haben sich doch wohl nicht in Luft aufgelöst, oder?«, rede ich auf meinen Sohn ein. Wenn er jetzt wieder

»Ich weiß nicht« sagt, weiß ich immerhin Eines, nämlich dass er mir kein bisschen zuhört. Tatsächlich: »Ich weiß nicht.«

»Kannst du auch noch was anderes sagen?«, beschwöre ich diese menschliche Bandansage.

»Hey, Sie da in der Eck, mer derf hier net telefoniere«, herrscht mich eine ältere Frau an. »Weiß ich, aber es ist dringend.« Ich versuche, nett zu bleiben.

»Wesche der Strahlung!«, blafft sie weiter.

»Ist ja gut«, sage ich, und zu Mark, »sag dem Papa, ich komme ein bisschen später. Ich hoffe, ich schaffe es rechtzeitig. Er soll sich melden. Ich muss Schluss machen.«

Meine Güte. Die Frau hat sich so aufgeregt, als hätte ich in einem Cockpit während der Landung telefoniert. Hier auf dem Gang sehe ich weit und breit auch keine Herz-Lungen-Maschine. Manchmal wäre es schön, die Leute würden sich einfach nur um ihren eigenen Scheiß kümmern. Obwohl ich auch manchmal solche erzieherischen Anwandlungen habe.

Ich mag es zum Beispiel nicht, wenn man an der Tankstelle telefoniert. Ich habe mal gehört, dass da die Zapfsäulen in die Luft fliegen können. Das hat weniger mit der Strahlung zu tun, sondern angeblich mit Funken, die entstehen können, wenn das Handy hinfällt. Habe neulich mal meinen netten Tankwart gefragt. Der hat gemeint, dass das mit den modernen Handys nicht mehr passieren kann. Beruhigend. Allerdings, weiß ich genau, ob nicht irgendjemand noch ein altes Modell benutzt?

»Mache Sie des ma ganz aus, Ihr Handy, wesche der Sicherheit, isch hab en Herzschrittmascher!«

»Frau Schnidt«, ruft es da aus dem Behandlungsraum. »Können Sie eben mal kommen?«

Als ich den Raum betrete, zucke ich zusammen. Es gibt Zufälle, die sind unglaublich. Ausgerechnet der Mett-Mischi steht vor mir. Sieht für seine Verhältnisse sogar nicht mal schlecht aus.

»Na, Andrea, Überraschung! Ich bin's. Wie geht's denn so?«, begrüßt er mich.

»An sich gut. Aber was machst du denn hier?«, antworte ich.

»Du wirst dich doch erinnern, Andrea. Ich bin Arzt. Das hier ist mein natürlicher Lebensraum«, lacht er doof.

»Ich erinnere mich, Mischi. Ich leide nämlich noch nicht an Alzheimer«, pariere ich die kleine Spitze und das dämliche Gelache.

»Ich meine nur, du hast doch in Höchst gearbeitet!«

Der Mann verfolgt mich. Kaum betrete ich ein Krankenhaus, ist auch schon Mett-Mischi da. Als gäbe es weltweit nur einen Arzt.

»Ich habe gewechselt. Die Manu auch. Wir sind beide jetzt hier in der Notaufnahme.«

Manu ist die nahezu minderjährige Krankenschwester, für die er Sabine, meine Freundin, hat sitzen lassen.

»Prima, freut mich für euch. Ist bestimmt interessant«, versuche ich normale Konversation zu machen. Ich bin wirklich froh, dass ich nicht die Patientin bin. Das hätte mir gerade noch gefehlt. Mit einem Karpfenmäulchen vor Mett-Mischi zu sitzen.

»Was ist jetzt mit Annabelle?«, lenke ich das Gespräch mal auf das wirklich Wichtige.

»Ich habe ihr was gespritzt. Valium. Die dämmert da drüben vor sich hin.«

Tatsächlich. Da liegt sie. Und sieht sehr zufrieden aus. Entspannt und glücklich.

»Kann ich sie mitnehmen? Ist jetzt alles okay?«, erkundige ich mich. »Mal langsam, Andrea, die ist jetzt ein bisschen lahmgelegt. Bleibt einfach noch ein Stündchen zur Beobachtung hier, danach soll sie sich zu Hause ausruhen«, gibt er mir Anweisungen.

»Das ist jetzt ungünstig«, wage ich einen kleinen Widerspruch. »Ich habe es total eilig, der Christoph muss zum Flughafen, und ich habe versprochen, ihn zu fahren.«

»Das hättet ihr euch mal überlegen sollen, bevor ihr diesen Quatsch veranstaltet habt. Jetzt geht es erst mal um die Gesundheit deiner Freundin. Es gibt ja schließlich auch Taxis!«, wird er ein bisschen streng.

Natürlich hat er im Prinzip recht – einerseits. Andererseits weiß ich, wie sauer ich wäre, wenn Christoph mir was versprochen hätte und es dann nicht halten würde.

»Ich kann ja schnell fahren, und dann komme ich zurück und hole Annabelle ab!«, kommt mir da eine glorreiche Idee. So wie die da vor sich hindämmert, sieht sie nicht aus, als bräuchte sie dabei unbedingt Gesellschaft. Mittlerweile bin ich schon knapp zwanzig Minuten zu spät. Aber zum Glück neigt Christoph nicht zur Zu-spät-komm-Panik, also könnte ich es gerade noch schaffen.

»Fahr ruhig«, stammelt Annabelle von der Liege aus. »Lass mich ruhig hier. Ist schön hier.« Die scheint aber ziemlich abgeschossen. Mein lieber Scholli.

Mett-Mischi zieht die Augenbrauen hoch, nickt aber dann gnädig und sagt: »Von mir aus. Wenn du meinst. Fahr halt.« Jetzt kann mich keiner mehr halten. Ich drücke Annabelle einen Schmatzer auf die Wange, streiche ihr über den Kopf und verspreche, sie ganz bald abzuholen.

Als ich fast aus dem Zimmer raus bin, hebt sie ihren Kopf und brabbelt: »Mein Auto, mein Auto.«

»Ich passe gut auf. Bis gleich«, sage ich und bin weg. Was ihr Auto angeht, ist Annabelle wirklich ein wenig speziell. Passt eigentlich gar nicht zu ihrer sonstigen Einstellung.

Ein bisschen schlechtes Gewissen habe ich, dass ich Annabelle da alleine liegen lasse. Aber erstens war das mit dem Rebirthing ja ihre Idee und zweitens liegt sie ja nicht blutend in der Gosse, sondern unter Aufsicht und Valium im Krankenhaus. Mett-Mischi wird es schon richten, und nachher hole ich sie ja ab. Und wenn das Valium ordentlich wirkt, vergisst sie vielleicht sogar, dass ich gar nicht die ganze Zeit an ihrer Seite war. Ein Gutes hat die Sache wenigstens: In nächster Zeit wird mich Annabelle sicher mit weiteren Seminarvorschlägen verschonen. Obwohl ich sagen muss, dass mir das Rebirthing bis auf den Hyperventilierzwischenfall schon besser gefallen hat als das Channeling. Wahrscheinlich vor allem, weil diesmal nicht ich diejenige war, die unangenehm aufgefallen ist. Das ist doch mal ein Fortschritt.

Als ich im Auto mein Handy wieder einschalte habe ich drei verpasste Anrufe. Ich höre meine Mailbox ab. Wie erwartet, ist es Christoph.

»Wo steckst du denn?«, lautet sein erster Anruf. »Ich warte hier, melde dich.«

»Bist du schon wiedergeboren oder noch im Uterus?«, der zweite. Und der dritte ist im Tonfall schon merklich kühler. »Andrea, Verlässlichkeit ist was anderes. Und was hat Mark da eben zu mir gesagt? Du musst Schluss machen? Wie soll ich das verstehen? Willst du mich loswerden oder was? Wenn du nicht bald hier bist, muss ich alleine losfahren. Bitte sehr, jeder setzt seine Prioritäten.«

Oh, da ist einer aber beleidigt. Und was hat Mark da wieder verstanden? Ich habe doch nur gesagt, ich muss

Schluss machen mit dem Telefonieren. Was hat der da bloß erzählt? Ich wäre über solche Nachrichten auch nicht erfreut und kann Christoph sogar ein bisschen verstehen. Missverständnisse kann man aufklären, wir sind erwachsen, rede ich mir selbst gut zu und wähle unsere Nummer. Ein wenig ärgere ich mich allerdings schon. Ich meine, Mark ist ein Kind. Da dürfte Christoph doch klar sein, dass seine Aussagen möglicherweise nicht hundertprozentig zuverlässig sind. Ich mag wankelmütig sein, aber ich sage doch nicht morgens, dass ich ihn zum Flughafen fahre, und mache abends dann plötzlich mit ihm Schluss. Ich unterliege durchaus Stimmungsschwankungen, bin aber doch nicht vollkommen gaga. Es geht niemand ans Telefon. Ich probiere es auf Christophs Handy. Auch nichts. Dazu ein klitzekleiner Stau an der Autobahnausfahrt. Ich könnte verrückt werden. Um runterzukommen, übe ich meine neuen Hauptstädte. Schon bei Aserbaidschan habe ich den ersten Hänger. Die Hauptstadt will mir einfach nicht einfallen. Mein Gedächtnis streikt. So was macht mich rasend. Eben gelernt – schon wieder vergessen.

Ich rufe die Auskunft an und frage nach Aserbaidschan. Die Frau am Telefon sagt nur: »Woher soll ich das denn wissen? Bin ich Ihr Telefonjoker oder was?« Ich erspare mir jeden Kommentar. Auch den Hinweis auf die Werbung, wo es doch heißt: »Wir helfen Ihnen weiter.« Oder jedenfalls so ähnlich. Leere Versprechungen. Wie so häufig. Als ich endlich in unsere Einfahrt biege, ist es Viertel vor acht. Fünfundvierzig Minuten Verspätung. Christophs Auto steht aber noch da. Ein gutes Zeichen.

Baku. Da fällt es mir ein. Noch ein gutes Zeichen. Die Hauptstadt von Aserbaidschan heißt Baku.

Unser Haus ist leer. Keiner da. Nicht mal eines der Kinder. Rätselhaft. Was nun? Direkt wieder ins Krankenhaus? Es klingelt. Das Telefon. Gleich wird sich alles aufklären. Pustekuchen. Es ist meine Mutter. Sie will ein bisschen plaudern. Hören, wie es ihrem Mann geht.

»Mama, ich bin in Hektik. Keine Ahnung, wo Papa ist. Christoph ist ohne mich zum Flughafen und die Kinder sind anscheinend ausgewandert. Mit anderen Worten: Ich habe keine Zeit. Ich melde mich morgen.«

Da macht man einen Nachmittag mal was für sich selbst, und schon bricht das gesamte, sorgfältig errichtete, häusliche Konstrukt in sich zusammen. Fair ist was anderes. Ich brauche eine Zigarette. Ganz schnell eine Zigarette. Ich bin ein schwacher Mensch. Nur, wo sind die Zigaretten? Im Abendtäschchen vom Ball müssten noch welche sein. Ich renne ins Schlafzimmer, schnappe das Täschchen und renne wieder raus zum Auto. Ich starte den Motor und überlege, während ich aus der Einfahrt stoße, wohin ich am besten fahre. Ins Krankenhaus oder zum Flughafen? Oder sollte ich einfach zu Hause bleiben und warten, ob sich die Dinge von selbst klären? Gut, Annabelle muss ich wohl oder übel abholen, sie kann ja schlecht nach Hause laufen. Schließlich habe ich ihr Auto. Aber so sediert wie die ist, wird sie gar nicht merken, wenn ich vorher noch schnell einen Schlenker über den Flughafen mache und versuche, Christoph vor dem Abflug noch zu erwischen. Immerhin läuft er seinen ersten Marathon, und da gehört es sich ja schon, wenigstens viel Glück zu wünschen. Was für ein grauenvoller Schlamassel das alles. Ich probiere wieder, Christoph zu erreichen. Der wird ja nicht ohne Handy verreisen. Niemand meldet sich. Nicht mal die Mailbox ist an. Hat die beleidigte Leberwurst wahrscheinlich ausgestellt. Na, der wird Augen machen, wenn ich gleich am Flughafen auftauche.

Jetzt rauche ich eine. Einfach so. Heimlich. Schließlich bin ich Nichtraucherin, da kann man ja mal eine rauchen. Ich lasse die Fensterscheibe ein gutes Stück runter, nicht, dass Annabelle nachher noch merkt, dass ich in ihrem geliebten Auto gepafft habe. Nach zwei Zügen, die, auch wenn das nicht schön ist, mir sehr gut getan haben – dieses leichte Schwindelgefühl, wenn man sonst nicht raucht, mag ich einfach –, fliegt ein bisschen Glut bis auf den Beifahrersitz. Annabelle hat leider keine Ledersitze, sondern Stoffpolster. Ich versuche dieses miese kleine Glutstückchen zu erwischen, aber es war schneller als ich und hat ein winziges Löchlein in das Polster gebrannt. Ich werde alles abstreiten. Immerhin bin ich Nichtraucherin. Da kann ich ja nicht die Schuldige sein, wenn es um Brandlöcher geht. Ich werfe die Zigarette aus dem Fenster (ich weiß, das ist eklig, aber Annabelle hat keinen Ascher im Auto und selbst wenn, könnte ich ihn ja nicht benutzen, da ich ja nicht rauche).

Nachdem die Zigarette weg ist, öffne ich trotz der wenig angenehmen Außentemperaturen alle Fenster und lüfte gut durch.

Zum Glück finde ich gleich einen Parkplatz und auch den Check-in-Schalter.

»Ich suche meinen Mann«, sage ich der Schaltertante, »der muss eingecheckt haben nach New York. Für die Maschine um zehn.«

»Möglich«, antwortet die mir nur.

»Können Sie mal nachschauen?«, frage ich so freundlich wie möglich und bin sicher, dass die Frau denkt, ich sei eine arme Irre. Immerhin habe ich noch meine legeren

Sportsachen vom Rebirthing an, trage dazu aber das glamouröse Abendtäschchen von Iris. Ich gebe zu, eine seltsame Kombination.

»Das darf ich Ihnen leider nicht sagen, Sie wissen schon, Datenschutz und so«, klärt mich die Lufthansa-Frau auf. »Sind Sie denn sicher, dass Ihr Mann mit Lufthansa fliegt?«, fragt sie nochmal nach. Wenn sie so fragt, bin ich nicht wirklich sicher. »Ich weiß, dass er um zehn fliegt. Gibt's da eine Lufthansa-Maschine?«

»Ja, die gibt es«, sagt sie freundlich. Ich muss bestimmt zehn Minuten bitten und betteln, dann schaut sie endlich nach und gibt mir die erlösende Antwort: »So. Also auf dieser Maschine hat ein Mann mit dem Namen eingecheckt, aber, falls Sie jemand fragt, ich habe Ihnen das nicht gesagt. Gate B zweiundfünfzig, vielleicht erwischen sie ihn noch an der Kontrolle.«

Es gibt ja immer diese wunderbaren Filme, wo Frauen, die es sich anders überlegt haben, sich in letzter Minute besonnen haben, lange Gänge in Flughäfen entlangrennen, meistens auf sehr unbequemen Schuhen, dann an Scheiben klopfen und ihr Schicksal nochmal rumreißen. In der Realität sind die Möglichkeiten allerdings sehr eingeschränkt. Der Frankfurter Flughafen macht einem solche romantischen Aktionen etwas schwer. Um nicht zu sagen – unmöglich. Man kann, selbst wenn man will, nicht bis ans Gate. Also haste ich zur Sicherheitskontrolle und hoffe, dass Christoph noch nicht durch ist. Eine Stunde vor Abflug gebe ich auf. Er muss längst durch sein. Schade. Mein Versuch, die Sicherheitskontrolleure zu beschwatzen scheitert kläglich.

»Und wenn Sie der Kaiser von China wärn, hier geht's nur mit em Ticket dörsch!«, wimmelt man mich ab.

Es ist gut zu wissen, wann man aufgeben sollte. Ich gehe zurück in Richtung Parkhaus, und als ich das Abendtäschchen aufmache, um nach meinem Parkhausticket zu suchen, fällt mein Blick auf meinen New-York-Gutschein. Ich schaue ihn mir genauer an. »Gutschein für einen Business-Class-Lufthansa-Flug Frankfurt–New York für eine Person.« In diesem Moment habe ich eine fabelhafte Idee. Hat nicht Sabine zu mir gesagt, sie könne gar nicht verstehen, dass ich Christoph nicht begleite? Warum fliege ich nicht einfach hinterher und überrasche ihn? Ich bin begeistert von meinem eigenen Geistesblitz und mache kehrt, um zurück zum Schalter zu laufen. Da ich Überraschungen liebe, ist schon der Gedanke an Christophs Gesicht, wenn ich ihn im Ziel erwarte und beklatsche, einfach grandios. Meinen Vater werde ich schon überreden können, nach den Kindern zu gucken. Die Frau am Schalter ist ein bisschen überrascht, mich so schnell wiederzusehen. Ich erkläre die Lage, und sie prüft meine Unterlagen.

»Das wird kompliziert!«, sagt sie nur.

»Wäre denn, rein theoretisch, morgen früh oder heute Nacht noch was frei?«, frage ich. Sie tippt auf ihrem Computer rum.

»Das wird nicht einfach!«, wiederholt sie ihre Bedenken.

»Aber eine Frau wie Sie kann das doch schaffen«, schleime ich ein wenig rum.

»Sie haben Glück, dass es ein Business-Voucher ist«, sagt sie, »da ist es vielleicht noch möglich.« Und tatsächlich: sie findet einen Platz für mich. »Morgen ganz früh, sechs Uhr dreißig hätte ich noch einen Sitzplatz.«

Lustig gesagt. Gerade so, als gäbe es auch Stehplätze nach Amerika.

»Wann wollen Sie zurück?«, fragt sie dann.

»Am liebsten mit derselben Maschine, mit der auch mein Mann zurückfliegt. Ich glaube Montagmorgen.«

»Okay«, sagt sie und tippt erneut auf ihre Tastatur ein. »Natürlich darf ich Ihnen auch nicht sagen, wann der zurückfliegt«, zwinkert sie mir zu.

»Natürlich nicht!«, sage ich sehr ernst und grinse sie dann an. »Danke! Echt nett«, ságe ich noch.

Sie reicht mir mein Ticket und bittet mich, zwei Stunden vor Abflug einzuchecken. Ich könnte sie küssen.

Jetzt heißt es Tempo, Tempo. Ich muss zu Hause alles organisieren und natürlich noch packen. Während ich vom Flughafen nach Hause fahre, freue ich mich. New York. Wie aufregend. Ich bin so fasziniert von meinen Reiseplänen, dass ich, erst kurz bevor ich zu Hause ankomme, bemerke, dass ich ja was vergessen habe. Um genauer zu sein, jemanden vergessen habe. Annabelle. Ich rufe meinen Vater an, bin froh, dass sich endlich jemand meldet, und erkläre ihm, so schnell wie möglich, die Lage.

»Entspann dich«, sagt er ganz gelassen, »ich habe alles im Griff. Die Kinder sind im Bett.«

Wie beruhigend. Das ist doch mal eine wirklich gute Nachricht. Ich verzichte darauf nachzufragen, was da eigentlich heute Nachmittag und am frühen Abend los war, und bedanke mich einfach nur. Alles andere kann auch später geklärt werden.

Annabelle ist ziemlich angesäuert, und dabei hat sie noch nicht mal das niedliche kleine Brandloch auf ihrem Autopolster gesehen.

»Wolltest du mich hier verrotten lassen?«, giftet sie gleich zur Begrüßung los.

»Ach, Annabelle«, antworte ich so ruhig wie möglich,

»man hat mir gesagt, dass du ein paar Stunden schlafen sollst. Die haben mich quasi weggeschickt.« Mal wieder eine klitzekleine Lüge. Aber das Valium scheint gewirkt zu haben. Sie hat keine Ahnung, was in den letzten Stunden los war, und erinnert sich auch nicht daran, dass mich Mett-Mischi nur sehr widerwillig hat ziehen lassen. Glück gehabt.

Sie besteht darauf, selbst zu fahren. »Es geht mir blendend.«

Ich lasse mich, so schnell wie möglich, auf den Beifahrersitz plumpsen, damit sie das Brandloch nicht entdeckt. Es wäre sicher nicht gut, wenn sie sich gleich wieder aufregt. Netterweise fährt sie mich heim und hat auch schon wieder so viel Atem, mir ein neues Seminar vorzuschlagen. Aura Soma.

»Ich bin doch schon wiedergeboren, das sollte erst mal reichen!«, wehre ich die Idee ab. »Außerdem fliege ich morgen nach New York und habe deshalb gar keine Zeit.«

»Wow«, ist sie beeindruckt, »wo wohnst du denn da?«

Eine interessante Frage. Vor allem, weil ich mir darüber noch keinerlei Gedanken gemacht habe.

»Ich weiß es noch nicht. Muss mir noch was buchen«, antworte ich und gerate direkt ein bisschen in Panik. Aber wozu gibt es Internet. Ich versuche mich daran zu erinnern, wo Christoph übernachtet. Hat er mir das überhaupt gesagt? Habe ich es wieder vergessen oder nie gewusst? Hoffentlich hat er irgendwo einen Zettel liegen lassen. Ich meine, das wäre ja das Mindeste. Schließlich sollte man als Ehefrau ja wissen, wo der Mann nächtigt.

Annabelle will, ehrlich gesagt zum Glück, nicht mehr mit reinkommen. »Ich muss über meine Geburtstraumata nachdenken«, und ich schaffe es, ins Haus zu huschen, bevor sie den Fleck bemerkt. Entkommen!

Mein Vater sitzt im Keller. Ich locke ihn mit einem Glas Rotwein nach oben und erkläre ihm meine Idee. Ich lasse allerdings zunächst weg, dass ich längst gebucht habe.

»Schaff ich. Mach nur«, sagt mein Vater. Er habe zwar Sonntag noch was vor – aber ansonsten kein Problem. Im Gegenteil. »Das ist eine sehr gute Idee, Andrea. Dein Mann war nicht gerade begeistert, dass du nicht da warst, um ihn zum Flughafen zu fahren. Und dann noch diese komischen Andeutungen von Mark. Ich habe mir auch schon leichte Sorgen gemacht. Ein Fall in der Familie langt doch wirklich. Nicht, dass wir hier in einer Männer-Wohngemeinschaft enden!«

»So ein Quatsch. Übrigens, wo wart ihr denn eigentlich alle?«, will ich wissen.

»Na ja«, antwortet er, »Claudia bei einer Freundin und ich bei Tamara. Die wollte unbedingt, dass ich ihre Käsetorte probiere. Da konnte ich doch nicht nein sagen. Ich meine, man will ja nicht unhöflich sein.«

Ich stimme zu und frage, was er denn Sonntag vorhabe. »Triffst du dich mit Mama?«, frage ich hoffnungsfroh.

Er antwortet nicht direkt, sieht aus, als müsse er erst überlegen. Dann sagt er: »Äh, nein, also ich treffe einen alten Freund. Von ganz früher. Den kennst du nicht.«

Das ist ja interessant. Einen alten Freund. Hoffentlich heißt der nicht Iris oder Tamara. Ich entscheide mich, einfach zu nachzufragen: »Papa, heißt dein Freund vielleicht Iris oder Tamara?«

Er ist entrüstet. »Also wo denkst du hin, Andrea? Natürlich nicht.«

Jetzt bin ich doch ein klein bisschen beruhigt. »Papa,

noch eine Frage. Weißt du vielleicht, in welchem Hotel der Christoph ist?«

»Ich glaube, der hat Marriott gesagt. Doch ja, Marriott. Irgendwo mittendrin in New York.«

»Du bist ein Segen«, freue ich mich und beschließe, das gleich mal zu googeln.

Wir verabschieden uns, schließlich muss ich mitten in der Nacht los und will meine Familie nicht um vier Uhr wecken, um Tschüs zu sagen.

»Kannst du es den Kindern erklären?«, bitte ich meinen Vater noch, bevor er ins Hochbett kriecht.

Zum Abschied gibt er mir ein weiteres Sprichwort mit auf den Weg: »Des Menschen Wille ist seine Hölle.«

Was er wohl damit sagen will? Ich frage nicht nach.

Es wird eine sehr kurze Nacht. Ich buche zwei Nächte im Marriott Hotel an der Vierzigsten Straße. Eine Art Roulett, denn es gibt mehr als sieben Marriotts in New York. Im Internet zu buchen, ist in der Theorie eine sehr praktische Angelegenheit. In der Praxis jedoch oft recht mühsam. Immer wenn man alles ausgefüllt hat, Kreditkartennummer und irgendwelche Codes eingegeben hat, stürzt irgendwas ab. Die Preise sind schockierend. Obwohl das Hotel nur zwei Sterne hat (wahrlich recht übersichtlich), kostet es für zwei Nächte knapp vierhundertfünfzig Dollar. Zum Glück steht der Dollar günstig, aber es bleiben trotzdem gut dreihundert Euro. Für zwei Nächte in einem Zwei-Sterne-Hotel. Die spinnen echt, die Amis! Aber immerhin fliege ich umsonst. Weil ich schon mal im Netz bin, buche ich noch einen Shuttle vom Flughafen in die Stadt für siebzehn Dollar. Wenn schon das Hotel solch eine Stange Geld kostet, kann ich ja wenigstens beim Taxi sparen. Nachdem ich gepackt habe, meinem Vater und den Kindern Zettel hingelegt habe, bleiben mir genau noch drei Stunden zum Schlafen.

Ich träume verrückte Sachen. Frau Rupps, die Lehrerin meiner Tochter, und Herr Lümmert von der Steuerfahndung lauern mir in New York auf. Ich flüchte aufs Empire State Building und sehe von oben, wie Christoph den Marathon gewinnt. Ich wache von meinen wirren Träumen auf, und mir fällt siedendheiß ein, dass ich vergessen habe, Frau Rupps anzurufen. Ich werde die Nummer mitnehmen und das morgen, von New York aus, erledigen. Ich habe noch eine Stunde Zeit, bis ich zum Flughafen muss. Also kann ich auch aufstehen. Wenn ich mich jetzt nochmal umdrehe, schlafe ich sowieso nicht mehr ein, aus Angst zu verschlafen. Außerdem kann ich ja im Flieger schlafen. Ich schaue nochmal mein Gepäck durch. Normale Klamotten, was zum Ausgehen, Turnschuhe, weil man ja viel läuft in New York, und Waschzeug. Mehr sollte man für ein langes Wochenende ja nicht brauchen. Und ein wenig Platz im Koffer kann auch nicht schaden, so wie der Dollar momentan steht, wäre es verrückt, nicht ein bisschen einzukaufen.

Das gestern Abend noch bestellte Taxi ist pünktlich, und es geht los zum Flughafen.

»Wo wolle Se denn mitte in der Nacht hin?«, fragt mich der Taxifahrer.

»Erst zum Flughafen und dann nach New York«, antworte ich stolz. New York. Das klingt wirklich großartig. So international. So chic. So großstädtisch.

»Ach«, brummt der Fahrer, »da hatt ich gestern schon einer. Auch hier aus der Straß. Der wollt aach nach New York, war abä net so gut gelaunt als wie Sie. Morz schlecht druff. Stinkisch.«

Ich kann mir gut denken, wer das gewesen sein könnte. Ich beschließe, es als ein gutes Omen zu werten. Derselbe Taxifahrer fährt erst Christoph und jetzt mich zum Flughafen. New York, ich komme! Wiedervereinigung im Big Apple!

4

Drei Stunden später sitze ich in der Maschine. Allerdings ist Sitzen fast untertrieben. Ich throne. Es ist mein erster Flug in der Business Class, und ich glaube, ich bin für immer verdorben für die hinteren Reihen. Was für ein Unterschied! Ich fühle mich wie eine Prominente. Eine Prinzessin. Eine schwerreiche Unternehmerin. Noch vor dem Abflug gibt's erst mal einen Champagner. Natürlich keinen schnöden Prosecco, sondern richtigen feinen Schampus. Ich trinke gleich zwei Gläser davon. Wann kriegt man schon mal Champagner!

Ich wähle mein Menü, esse wirklich lecker (ja im Flugzeug! Und zwar alles, was ich bekommen kann, auch die Pralinen!) und ziehe mir dann zwei Kinofilme rein. Auf meinem eigenen Monitor! Mein Verhalten ist sicherlich eindeutig. Menschen, die ständig Business Class fliegen, werden wohl kaum eine solch kindische Freude an dem ganzen Gedöns haben. Ich bin mehr als begeistert. Von mir aus könnten wir einmal rund um die Welt fliegen. Und wieder zurück! Nur an Schlafen ist nicht zu denken, obwohl bei der Business-Class-Ausstattung neben diversen Cremes, Zahnbürste, Haarbürste und Schlafmaske sogar ein Schlafanzug dabei ist. Gar nicht mal hässlich. Dunkelblau mit Aufdruck: »Business Class«. Sogar richtig liegen kann man hier. Man kann den Sitz so weit verstellen, dass man am Ende richtig flach liegt. Der Sitz lässt sich in eine Art Bett verwandeln. Ich probiere jede mögliche Position aus, bis ein Herr hinter mir wenig charmant fragt, ob ich Probleme mit der Einstellung habe. Ich verneine und nehme mal wohlwollend an, er meint die Einstellung des Sitzes.

Überhaupt – das Einzige, was auf diesem Flug ernüchternd ist, das sind meine Mitreisenden. Die habe ich mir doch aufregender vorgestellt. Glamouröser irgendwie. Der Großteil der Business-Class-Passagiere besteht aus älteren Männern, die kaum, dass wir in der Luft sind, ihre Schuhe ausziehen (auch Business-Class-Füße riechen übrigens!) und kurze Zeit später schnarchen. Ein Mann, der schnarcht, ist schwer zu ertragen – zwanzig sind die Hölle!

Trotzdem: lieber mit Geschnarche in der Business Class als ohne hinten.

Kaum in Amerika angekommen, werde ich, nach meinem Höhenflug, schnell wieder zurück auf den Boden geholt. Nicht nur, weil der Kerl an der Passkontrolle verschlagener guckt als der durchschnittliche Böse in jedem beliebigen James-Bond-Streifen, und ich einen Moment lang denke, ich wäre in Guantánamo gelandet, sondern weil er, obwohl ich freundlich »Hello« sage und sogar »How are you«, nicht ein Wort an mich richtet.

Ohne ein Bitte oder ein Danke, rein nonverbal, verlangt er meine Fingerabdrücke und scannt mein Auge. Dann, gerade als ich denke, dass die Amis richtig nett sind, weil sie einen Stummen hier arbeiten lassen – kein Wunder also, dass dieser Gebeutelte so streng schaut –, erlangt er seine Sprache wieder.

»What are you here for?«, fragt er in einem Ton, als wäre ich eine mehrfach Vorbestrafte. Ich stammle was vom Marathon und er mustert mich von oben bis unten.

»Are you a runner?«, drückt er sein offensichtliches Erstaunen dann auch aus.

»What do you guess?«, versuche ich, ihn ein ganz klein bisschen aus der Reserve zu locken. Keine gute Idee.

»This is not a game show! Do you run the marathon?«

Ich sage einfach ja und hoffe, dass der zu Hause freundlicher ist. Wahrscheinlich schon, denn er kann seine Aggressionen und seine ganze Stoffeligkeit ja hier perfekt ausleben und wird für diese Art auch noch bezahlt. Na ja, sonst sind die Amis bestimmt freundlicher. Schlimmer kann es ja kaum noch werden. Er winkt mich durch. Kein »Viel Glück beim Lauf« oder so. Eine kleine Nettigkeit hätte ihn doch nichts gekostet.

Die nächste Überraschung erwartet mich am Gepäckband.

Mein Koffer ist weg. Also nicht weg, sondern, wie sich nach längerer Diskussion mit einer Flughafenmitarbeiterin herausstellt, auf dem Weg nach Hawaii. Ich kann meinen Koffer sehr gut verstehen, bin aber dennoch ziemlich bedient. Ich habe den großen Wunsch, zu duschen und vor allem was Frisches anzuziehen. Das kann ich mir jetzt auf jeden Fall erst mal abschminken. Egal. Nichts wie ins Hotel, duschen und dann weitersehen. Die Flughafenfrau, Jenny, hat mir versprochen, dass mein Koffer, wenn er von Hawaii wieder zurück ist, mir sofort ins Hotel nachgeschickt wird. Die Frage, was ich so lange anziehen soll, hat sie allerdings nicht besonders interessiert.

»Your suitcase will be in your hotel before you even get there, honey!«, hat sie getönt.

Honey hin, honey her – so wirklich glauben kann ich ihr das nicht. Hawaii ist nun mal kein Stadtteil von New York, und auch wenn mein Koffer fliegt und ich Shuttlebus fahre, habe ich doch erhebliche Zweifel, dass er mich schlagen kann und vor mir ankommt.

Mittlerweile ist es in New York neun Uhr dreißig, also genau sechs Stunden früher als in Deutschland. Diese Umrechnerei ist für mich ein Graus. Ich stelle meine Handyuhrzeit um und lasse meine Armbanduhr auf deutscher Zeit, damit ich, sollte ich mal zu Hause anrufen, niemanden mitten in der Nacht rausklingele. Nach all dem Affenzirkus brauche ich erst mal einen Kaffee. Mit dem Becher in der Hand begebe ich mich auf die Suche nach meinem Shuttlebus. Es dauert ein bisschen, bis ich kapiert habe, dass ich zuerst irgendwo anrufen muss. Merkwürdiges Prozedere. Mit meinem Kaffeebecher in der einen Hand, meiner Handtasche über der Schulter, probiere ich die angegebene Nummer. Just in dem Moment, als eine Stimme antwortet, mache ich eine blöde Bewegung und schütte mir den Latte, fat free milk, über meine Jacke und meinen Pulli. Mein Aufschrei erschreckt den Mann am Telefon so sehr, dass er auflegt. Wahrscheinlich hat er gedacht, eine Irre sei am Telefon. Ich bin über und über voll mit dem Latte. Gut, dass ich den extra großen Becher genommen habe. Das habe ich nun von meiner Gier. Immer das Größte wollen!

Natürlich habe ich in meiner Handtasche die tollsten Sachen, aber leider kein Papiertaschentuch oder, wie normale Mütter, eine Packung Feuchttücher. Nur meinen schönen neuen Schlafanzug. Mein Pulli klebt mir am Körper, und meine sandfarbene Jacke sieht aus wie gebatikt. Ich gehe zur Toilette und ziehe mich um. Mit der Schmuddeljacke muss ich wohl leben, aber diesen klatschnassen, lauwarmen Pulli muss ich ausziehen. Wenn ich so raus, ins kalte New York, stolpere, werde ich mir bestimmt sofort eine Lungenentzündung holen. Zum Glück bin ich raffgierig und habe den Schlafanzug mitgenommen. Und zum Glück sieht der Schlafanzug, jedenfalls das Oberteil, nur ein ganz klein bisschen wie ein Schlafanzug aus. Richtig schick ist natürlich etwas anderes. Vor allem der Schriftzug »Business Class«, quer über meine Brust, hat etwas Peinliches. Wenn ich eine Frau mit so einem Teil sehen würde, ich würde mich kaputtlachen. Zumindest ist das Oberteil trocken und sauber.

Ich rufe erneut bei der Nummer an.

»Did you already call a few minutes ago?«, fragt der Mann.

»No!«, sage ich und probiere, in dieses kleine Wort einen Hauch von Verwunderung zu legen. Ich erkundige mich nach meinem Shuttlebus. Er ist weg. Der nächste fährt in einer guten Stunde. Na toll. Das auch noch. Aber ich füge mich in mein Schicksal. Auf diese eine Stunde kommt es nun auch nicht mehr an. Ich überlege, ob ich es bei Christoph versuchen soll. Aber wenn ich anrufe, ist meine Überraschung futsch. Ich nutze die Zeit, um zu Hause anzurufen. Es ist kurz vor vier deutscher Zeit, und ich erwische meinen Vater.

»Gut, dass du anrufst!«, begrüßt er mich. »Dieser Lümmert hat schon wieder angerufen und gesagt, er sei es bald leid, dir so hinterher zu telefonieren. Ich gebe dir jetzt seine Nummer, und du rufst ihn an. Das ist ja langsam peinlich, das Ganze. Ruf an, dann hast du es hinter dir. Oder sag mir, was los ist.«

Ich notiere mir lieber die Nummer und verspreche, mich bei dem Mann zu melden.

»Den Kindern geht's gut, die sind oben. Soll ich sie mal rufen?«, redet er weiter.

»Bitte, ja. Ruf sie doch mal!«, antworte ich. Als Erstes habe ich Claudia am Telefon. Wie so oft hält sie sich nicht mit langen Vorreden auf.

»Also das ist echt megagemein. Du bist nach New York ohne mich. Da musst du mir aber wenigstens was mitbringen.«

Was für ein schöner Satz. Megagemein und wenigstens was mitbringen. Ich sollte eigentlich direkt auflegen. Natürlich mache ich das nicht, und so bleibt mir die folgende Bestellliste nicht erspart:

»Ich will was von Abercrombie. Tops und Kapuzenpullis und den Schlafanzug mit der Schleifenhose. Dann was von Victoria Secret.« Als sie kurz Luft holt, nutze ich die Pause und sage: »Stopp. Ich weiß nicht, ob ich dafür Zeit habe. Und ob ich überhaupt Lust habe, für jemanden wie dich, der nicht mal fragt, wie es mir geht, einkaufen zu gehen, weiß ich auch nicht. Gib mir bitte mal den Mark.«

Sie schnaubt wütend und kreischt: »Zwerg, komm los, die will was von dir.«

In einem Satz zwei Leute beleidigen, das muss man erst mal schaffen. Mark ist besser gelaunt.

»Wie war das Flugzeug? Warst du im Cockpit?«, das sind die Sachen, die ihn interessieren. Anschließend kommt mein Vater nochmal an den Apparat.

»Ich bring der schon Manieren bei an diesem Wochenende, sorge dich nicht, Andrea. Und denke daran: Der hundertprozentige Amerikaner ist ein neunzigprozentiger Idiot.«

»Ist das von Busch?«, will ich wissen.

»Nein, von Shaw, aber es stimmt«, schließt mein Vater und wünscht mir ein schönes Wochenende.

Ich sage brav »Gleichfalls«, denke dabei an meine Tochter und habe das feine, aber auch unangenehme Gefühl, einem Vulkanausbruch entkommen zu sein und dafür einen anderen, nämlich meinen Vater, in die heiße Lava geschubst zu haben.

»Und denk dran, lass dich nicht ansprechen!«, schiebt er noch hinterher. Ich muss lachen. Das sagt ausgerechnet der Mann, der schon die halbe Nachbarschaft aufgerissen hat.

Kaum habe ich aufgelegt, ist es auch schon passiert. Ich werde angesprochen:

»Need a taxi?«, fragt ein kleiner Mann, der irgendwie komisch auf meine Handtasche guckt. Ich umklammere sie noch ein wenig fester und sage: »No, thank you.« Ich habe schon richtige Landpomeranzenparanoia. Diese latente Panik, dass man, sobald man einen Fuß in die große, natürlich schmutzige Stadt setzt, garantiert ausgeraubt wird oder dass zumindest jemand versucht, einen zu überfallen. Der kleine Mann macht keinerlei Anstalten, etwas in dieser Art zu tun. Wäre hier am Flughafen ja nun auch wirklich gewagt.

Ich hole mir einen neuen Kaffee und setze mich auf eine Bank. Die Shuttle-Treffpunkt-Bank. Da piepst mein Handy. Eine SMS. Lauter kryptisches Zeug. Bestellnummern – wie sich am Ende der SMS herausstellt. Abercrombie – Bestellnummern. Wie emsig meine Tochter sein kann. Und wie flott. Denkt die im Ernst, ich würde mit dieser Nummernliste ins Geschäft eilen, um Madam ihre Wünsche zu erfüllen! Ich glaube ja. Kurz überlege ich, ob ich die SMS löschen soll, entscheide mich dann aber dagegen. Vielleicht kann ich ja, sollte ich einen guten Tag haben, ein bis zwei Nummern abarbeiten. Vielleicht! Wenn sie beim nächsten Telefonat freundlich ist, werde ich das wohlwollend in Betracht ziehen. Wenn nicht – Pech gehabt.

In den nächsten zehn Minuten piepst es in unregelmäßigen Abständen immer wieder. Eine SMS nach der anderen. Wenn Nummer soundsoviel nicht da ist, dann Nummer XYZ, aber nicht in Grün, und so weiter und so fort. Dieses Kind denkt, ich wäre sein personal Shopper.

»Are you waiting for the shuttle?«, unterbricht ein großer, breitschultriger, dunkelhäutiger Mann meine Gedanken.

»Yes!«, freue ich mich, dass es endlich losgeht.

»Come on, the bus is outside«, dirigiert er mich nach draußen.

Nach dem exklusiven Flug ist der Shuttlebus eine gewisse Ernüchterung. Es ist ein Van, vollgestopft mit mindestens zehn Leuten.

»No luggage?«, fragt mich der Fahrer.

»No, my luggage prefered to go to Hawaii!«

Er grinst und scheint erleichtert. Kein Wunder, wenn man sich den Kofferraum des Wagens anschaut. Da wäre nicht einmal mehr Platz für einen Kinderrucksack. Auch im Inneren des Vans ist es proppenvoll. Ich quetsche mich neben eine unfreundlich guckende Asiatin, die offensichtlich nicht begeistert ist, dass ich auch noch mitfahren will. Ich erspare mir einen Kommentar. Schließlich sollten doch gerade die Asiaten diese Enge gewöhnt sein. Ich meine, man kennt doch die Bilder aus den U-Bahnen, wo die Menschen sich fast stapeln. Auf mein freundliches »Hi« antwortet jedenfalls keiner. Egal, ich suche keine Freunde fürs Leben, sondern will einfach nur in mein Hotel.

Etwa eineinhalb Stunden später bin ich immer noch nicht dort. Der Fahrer hat aber zwischenzeitlich getankt und immerhin schon die Hälfte der Busladung abgeliefert. Auch die Muffel-Asiatin bin ich los. Der erste Eindruck von New York ist, wie die Amis so schön sagen, breathtaking. Atemberaubend. Man hat das Gefühl, von den Häuserschluchten verschlungen zu werden. Unser Van wird immer leerer, und bei jedem Stopp hoffe ich, endlich dran zu sein.

»When are we reaching the Marriott?«, grabe ich wieder ein bisschen Schulenglisch aus. Leider antwortet der Fahrer nicht, was natürlich damit zu tun haben könnte, dass er die Stöpsel seines MP-3-Players in den Ohren stecken hat. Ein Fakt, den ich, bei dem hier herrschenden Verkehr, nicht gerade beruhigend finde. Aber da ich nicht seine Mutter bin und vor allem nicht möchte, dass er mich, einfach so, irgendwo ablädt, halte ich den Mund. Mittlerweile sind wir knapp zwei Stunden unterwegs, und ich habe den Eindruck, dass wir ständig durch dieselben Straßen kurven. Vielleicht sieht aber alles auch einfach nur so ähnlich aus. Ich nehme meinen Mut zusammen und schreie meine Frage nach vorne.

»The Marriott Hotel, are we there soon?« Kein tolles Englisch, aber so laut gebrüllt, dass es wahrscheinlich bis in die Bronx zu hören ist.

Der Fahrer dreht sich zu mir um und sagt nur: »It's not in the center. Wait.«

Das verstehe ich jetzt nicht so ganz. Was heißt, es ist nicht im Center? Genau darauf habe ich doch bei der Buchung geachtet. Nicht, dass der mich zum falschen Hotel fährt. Der Mann, der außer mir noch im Bus sitzt, spricht mich an. Er ist Holländer, kann aber wirklich prima Deutsch sprechen.

»Ich muss auch ins Marriott. Keine Angst.«

Angst habe ich auch keine, aber eben auch nur zwei Tage Zeit, und diese zwei Tage möchte ich ungern im Flughafen-Shuttle verbringen. Das kommt von meiner

Sparsamkeit. Mit einem Taxi wäre ich längst im Hotel und hätte wahrscheinlich schon den einen oder anderen Drink gekippt. Ich könnte mir selbst eine scheuern.

Jetzt geht es eindeutig raus aus der Innenstadt. Wo will der denn hin?

»Hey, excuse me«, versuche ich erneut in Sprachkontakt mit dem Fahrer zu kommen, »where are you going?«

Ich bin ziemlich froh, dass auch der Holländer noch im Bus sitzt. Ansonsten hätte ich jetzt gewisse Bedenken. Mit einem wildfremden Mann quer durch eine wildfremde Stadt – das ist mir doch etwas unheimlich. Man liest ja immer wieder solche Geschichten, und vielleicht ist der Holländer gar kein Holländer und ein Komplize des Fahrers und nur da, um mich in Sicherheit zu wiegen. Werde ich in wenigen Minuten meine Handtasche los sein und mitten in Harlem auf der Straße stehen? Mit nichts außer meinen Klamotten am Leib? Oder, noch schlimmer, werden sie mir die Tasche abnehmen und mich dann in einem finsteren Winkel des Central Parks entsorgen? Was kann ich tun? Den Fahrer zum Anhalten zwingen oder wenigstens noch jemanden anrufen, damit man nachher immerhin weiß, wer mich um die Ecke gebracht hat? Jetzt habe ich doch Angst. Vor allem, weil der Fahrer sich keinen Deut um meine scheue Anfrage geschert hat. Ich wende mich an den Holländer. Wenn der mich nett findet, kann mir das vielleicht helfen. Man bringt doch niemanden um, den man sympathisch findet, oder?

»Ich finde das hier ein bisschen komisch!«, sage ich zu dem Niederländer.

»Nervig ja, aber komisch wieso?«, fragt er zurück.

»Na ja, es dauert so lang!«, beklage ich mich und denke, wenn er ein Komplize ist, kann er sich aber verdammt gut verstellen. So ein freundlicher Mann kann kein Killer sein. Andererseits, sagt man nicht immer, die Holländer würden viele Drogen nehmen? Braucht er deshalb Geld?

»Du bist so gesund!«, sagt er zu mir.

Was soll denn diese Bemerkung? Wollen die beiden vielleicht was ganz anderes als meine Tasche? Meine Nieren?

»I have bad kidneys, very bad kidneys!«, sage ich absichtlich auf Englisch, damit mich beide verstehen, und bin verdammt froh, dass mir das Wort für Niere eingefallen ist. Obwohl, heißen nicht diese kleinen Bohnen kidneys? Habe ich jetzt etwa gesagt, ich hätte schlechte Bohnen? Jetzt fange ich an zu spinnen. Ich habe Wahnvorstellungen. Wahrscheinlich habe ich einfach zuwenig geschlafen und bin deshalb leicht hysterisch. Ich muss mich zusammenreißen. Sicherheitshalber rufe ich nochmal bei Christoph an. Keine Mailbox, kein Klingeln. Das Handy ist definitiv komplett aus. Als ich gerade überlege, wen ich sonst noch anrufen könnte, um meine Innereien zu retten, oder ob ich wenigstens eine behalten darf, fährt der Fahrer rechts ran.

»Here we are!«, sagt er und steigt aus. Zwischen Manhattan und uns liegt Wasser. Die Hochhäuser und die gesamte Skyline sind quasi gegenüber.

»Is this Brooklyn?«, frage ich besorgt.

»No, Marriott Bronx!«, antwortet der Fahrer.

Bronx. Oh, mein Gott. Ganz ruhig bleiben, Schnidt.

»This is wrong!«, reagiere ich panisch. Ich habe zwar meine Nierchen noch, aber die Aussicht, hier in der Bronx bleiben zu müssen, lässt erneut Angst in mir aufsteigen.

»Joking! It's Brooklyn of course! A little further down you can even see the Brooklyn bridge«, lacht da der Fahrer, und ich finde, es gibt bessere Witze. Er öffnet unsere Schiebetür und hält uns seine Hand hin. Was will er denn jetzt? Erst, außer einem doofen Witz, kein Wort sprechen und uns dann mit Handschlag verabschieden. Seltsamer Typ. Der Holländer kramt in seinem Portemonnaie, und schlagartig wird mir klar, was er will. Trinkgeld. Dafür, dass wir vom Flughafen bis hierhin über zwei Stunden gebraucht haben und dabei kreuz und quer durch New York gefahren sind? Ich zögere, denke dann an meine noch vorhandenen Nieren und meine Handtasche, fühle mich unsinnigerweise extrem dankbar und drücke ihm einen Fünf-Dollar-Schein in die Hand.

Der Holländer – er heißt Rouven, wie er mir erzählt – und ich betreten die Hotellobby. Ich bin ein wenig verwirrt, in Brooklyn zu sein. Ich meine, ich fahre doch nicht nach New York, um dann in Brooklyn zu wohnen. Manhattan ist das Zauberwort. Und ich habe doch eindeutig ein Hotel in Manhattan gebucht. Wahrscheinlich war unser Fahrer einfach nur faul und dachte, »Wenn ich den Käskopp hierherfahren muss, dann kann ich der Deutschen das Hotel auch gleich als ihrs verkaufen. Ein Tourist so dämlich wie der andere.«

Ich bin tatsächlich falsch hier. Und der Shuttle-Fahrer hat sich natürlich längst aus dem Staub gemacht.

Die Frau am Empfang ist nett, aber deutlich: »Misses Schnidt, you are here in Brooklyn East side and your reservation is for the Marriott Courtyard on fortieth street near New York Library.«

Mir liegt auf der Zunge, dass ich auch schon gemerkt habe, dass ich in Brooklyn bin, aber ich unterdrücke mir eine Bemerkung dazu. So wie die Sache aussieht, sollte ich mich besser zurückhalten.

Also sage ich nur: »And now?« Ich habe keinerlei Lust, nochmal loszuziehen. Ich will meine mit Kaffee versaute

Jacke ausziehen, und mein Körper schreit geradezu nach einer Dusche. Ich müffele dermaßen, dass höchstens noch ein aasfressendes Tier oder vielleicht Charlotte Roche Gefallen an mir finden könnte.

»I can get you a taxi or you take the subway. Or you walk«, schlägt mir Sandy, so heißt die Rezeptionistin laut Namensschild, vor.

»Can I stay here? This is a Marriott Courtyard too, isn't it?«, frage ich jetzt. Natürlich ist mir ein Hotel in Manhattan lieber, aber ich fühle mich, als wäre ich in diesen Klamotten einmal rund um die Welt gejettet.

»Sorry, Mam, we are fully booked.« Na, das war deutlich.

Ich beschließe zu laufen. Vielleicht tut mir ein bisschen frische Luft gut.

»Willst du bei mir duschen?«, fragt Rouven höflich. Ein verlockender Gedanke, abgesehen von der Tatsache, dass es sich um Rouvens Dusche handelt und ich den Mann ja gerade mal zwei Stunden kenne. Wobei kennen auch leicht übertrieben ist. Wir haben zwei Stunden in einem Shuttlebus zusammen verbracht, das allein ist aber leider keine Garantie dafür, dass Rouven kein durchgeknallter Serienmörder ist. New York setzt in mir merkwürdige Horrorphantasien frei.

Ich lehne ab. Immerhin habe ich kein Gepäck. Das hat mein Koffer schlau gemacht. Da hat er sich einiges erspart. Zum Glück hat Sandy einen kleinen Stadtplan zur Hand und zeichnet mir freundlicherweise den Weg zur Vierzigsten Straße rein. Als ich mich bei Sandy bedanke und bei Rouven für sein Angebot, sagt er nur »Schade« und grinst. War das eine Art Kompliment? Ich denke ja und freue mich.

Sandy verabschiedet mich mit den Worten: »It's quite a walk!«

Ein Kommentar, den ich nicht sonderlich ernst nehme, schließlich fahren die Amis, wie man bei uns ja weiß, jeden Meter mit dem Auto. Außerdem habe ich auf U-Bahn keine Lust. Ich habe mich heute schon genug gegruselt. Zwar ist U-Bahn schneller, aber so sehe ich immerhin was von der Stadt und dafür bin ich ja schließlich hier. Außerdem habe ich die Befürchtung, dass ich in der U-Bahn einschlafen könnte und wo ich dann versehentlich landen könnte, möchte ich gar nicht wissen. Ich habe kein Interesse an weiteren, entlegenen Stadtteilen von New York.

Als ich auf die Straße trete, fällt mir ein, dass meine Entscheidung, nicht hier zu bleiben, klug war. Sonst hätten mein Koffer und ich ja nie zueinander gefunden. Wenn er jemals auftaucht, wird er ja an das Hotel in der Vierzigsten Straße geliefert. Davon abgesehen, habe ich es, wenn man es genau betrachtet, ja gar nicht entschieden. Das war Sandy.

Es ist kalt in New York, aber immerhin trocken. Der eisige Wind zerrt an meinem kaffeebefleckten Kurzmantel und ich bin, wie meine Mutter so gerne sagt, mal wieder zu dünn angezogen. Mir ist kalt, aber ich fühle mich wacher. Das Laufen macht Spaß, jedenfalls die erste halbe Stunde. Ich laufe den Brooklyner Broadway entlang, und er hat wenig von dem, was ich mir unter einem Broadway vorgestellt habe. Es ist einfach nur eine sehr große Straße. Nach einer knappen Stunde habe ich endlich die Brücke überquert, die mich vom lockenden Manhattan getrennt hatte. Ich bin nicht über die Brooklyn Bridge, sondern, weil Sandy es mir empfohlen hat, über die Williamsburgh Bridge – eine gigantische Hängebrücke mit ebenso gigantischem Verkehr. Hier zieht es nochmal mehr und mir ist dermaßen kalt, dass ich das Gefühl habe, mehrere Stunden in einer Tiefkühltruhe verbracht zu haben. Nach über zwei Stunden habe ich mein Hotel erreicht. Meine Finger sind klamm, aber ich bin glücklich. Weil ich endlich angekommen und weil ich gelaufen bin. Bei allem Frieren – es war berauschend. Wenn man mit diesen Heerscharen von Fußgängern, die erstaunlich flott über die Pflaster eilen, gemeinsam durch diesen Moloch strebt, hat man das Gefühl, Teil dieser Stadt zu sein. Dazuzugehören.

Ich beschließe, nochmal zu Hause anzurufen. Mal hören, ob sich Christoph gemeldet hat. Mein Vater muss ihn unbedingt unauffällig fragen, in welchem Marriott er genau wohnt. Ich Dummbatz hätte eben in Brooklyn auch mal fragen können. Nicht, dass der zwei Stockwerke über mir in einem warmen, kuscheligen Zimmer gesessen hat! Habe ich glatt vergessen. Genau wie den Anruf bei der Rupps. Rufe ich eben erst die Rupps an. Hier mitten in New York, nach dieser Odyssee mit dem Shuttlebus und meinem Fußmarsch, kann mir auch eine Frau Rupps keine Angst einjagen. Ich habe sowohl noch meine Handtasche als auch meine Nieren – was kann diese Frau mir also tun? Zunächst aber checke ich ein. Diesmal klappt alles. Ich habe tatsächlich ein Zimmer hier. Das Zimmer hat eine feine Dusche, und obwohl ich nach dem Duschen wieder in die gleichen, dreckigen Klamotten muss, geht es mir doch viel besser.

Jetzt ist die Rupps dran. Ich pumpe mich vor dem Gespräch ein bisschen auf. Man soll sich ja wappnen. Wenn die mir jetzt doof kommt, kann sie was erleben. Ich lege mir eine Strategie zurecht.

»Claudia ist, wie die meisten Mädchen in diesem Alter,

schon pubertär, das sollten Sie als ihre Lehrerin auch schon gemerkt haben.« Vielleicht sollte ich den Nebensatz besser streichen. Wer weiß, wie lange die noch die Rupps hat, und aus eigener Erinnerung weiß ich noch sehr gut, wie nachtragend manche Lehrer sein können. Manche Dinge muss man sich noch beim zwanzigjährigen Abiturtreffen anhören. Von Verjährungsfristen scheinen Lehrer noch nie was gehört zu haben. Mutig wähle ich die Nummer. Es klingelt ziemlich lange, und ich bin schon kurz davor, aufzulegen, als endlich jemand antwortet.

»Hallo«, kommt eine tiefe Stimme an mein Ohr. Das ist definitiv nicht die Rupps. Außer, sie hat in den letzten Monaten gewagte Experimente mit hohen Dosen von Testosteron gemacht.

»Äh, entschuldigen Sie die Störung, könnte ich vielleicht kurz Frau Rupps sprechen?«

Der Mann antwortet nicht, aber ich kann deutlich ein Aufstöhnen hören, und dann ruft er so was wie: »Schuschu, eine Mutti am späten Samstagabend für die Frau Lehrerin!«

Hört man mir, ohne dass ich überhaupt schon etwas gesagt habe, an, dass ich nur eine Mutti sein kann? Das ist nicht wirklich schmeichelhaft. Mutter sein ist schön, aber aussehen und klingen wie eine, das will keine. Ich auch nicht. Das Mutti-Bild hat eben wenig Verlockendes. Muss ich auf eine meiner Listen schreiben, könnte lohnend sein: Kampagne, um Mutti-Image zu steigern.

Sehr interessant war auch, wie er sie gerufen hat. »Schuschu.« Offensichtlich der Kosename von Frau Rupps. Der hat eindeutig »Schuschu« gerufen. Ich habe keine Ahnung, was ein Schuschu sein könnte, aber der Name ist immerhin originell. Schade, dass es kein Bildtelefon gibt. Ich hätte zu gern gesehen, wie der Schuschu-Mann aussieht. Wäre herrlicher Mutti-Klatsch.

»Ja, Rupps«, meldet sich Claudias Klassenlehrerin.

»Hallo, Frau Rupps, hier Schnidt, Andrea Schnidt, die Mutter von Claudia«, sage ich freundlich. Wenn ich nett bin, so meine zaghafte Hoffnung, wird sie vielleicht auch nett sein. Aktion-Reaktion. Wie es in den Wald hineinruft und so weiter. Ein Irrtum.

»Ich weiß, dass Sie die Mutter von Claudia sind. Aber was, um alles in der Welt, wollen Sie am späten Samstagabend von mir?«

Später Samstagabend, diese Schuschu-Kuh. Es ist hell draußen. Bockmist, ich bin ja in New York. Ein schneller Blick auf meine Armbanduhr mit der deutschen Zeit informiert mich darüber, dass die Rupps recht hat. Es ist kurz vor zweiundzwanzig Uhr in Deutschland, und mit dem Samstagabend liegt sie auch nicht falsch. Ich gehe in die Offensive. »Upps, Frau Rupps, das tut mir leid, aber ich war so im Stress.«

Beim Wort Stress unterbricht sie mich. »Stress, wem sagen Sie das. Ich bin Lehrerin. Wollen Sie mir jetzt was von Stress erzählen?«

Ich würde furchtbar gerne sagen, »Nein, lieber was vom verbindlichen Umgang mit anderen Menschen«, lasse es aber. Außerdem haben Lehrer ja kein Stress-Monopol. Dieses Telefonat scheint unter keinem günstigen Stern zu stehen.

»Ich rufe nur an, weil meine Tochter gesagt hat, es wäre wichtig«, versuche ich eine weitere Annäherung.

»Meine Güte, Frau Schnidt, ich dachte, es wäre was passiert. Dafür holen Sie mich hier aus meinem Meeting«, verpasst sie mir noch einen.

Meeting! Am Samstagabend! Mit einem Mann, der Schuschu zu ihr sagt. Also ich mag ja naiv sein, aber blöd bin ich auch nicht.

»Soll ich Sie lieber nächste Woche anrufen? Oder wollen wir es jetzt klären, wo ich Sie eh schon gestört habe, was mir natürlich leid tut.« Hilfe, ich schleime. Wenigstens nicht für mich, sondern für meine Tochter. Das macht die Sache ein bisschen besser. Uneigennütziges Schleimen gilt fast nicht.

»Gut, Frau Schnidt, um es kurz zu machen, ich will Ihre Claudia ins Ausland schicken.« Um Himmels willen! Ist sie so renitent, dass nur noch eine Art Bootcamp für Aufsässige hilft?

»Wieso denn das? Ich meine, sie ist halt in der Pubertät, das ist anstrengend, ich weiß das, aber sie gleich des Landes zu verweisen, also ich finde, das ist vielleicht dann doch übertrieben«, werfe ich mich für mein Kind in die Bresche.

»Frau Schnidt, hören Sie doch erst mal zu. Claudia ist gut in Englisch, und ich wollte sie für ein Austauschprogramm vorschlagen. Nicht mehr und nicht weniger«, sagt Frau Rupps und klingt dabei so, als würde sie gleich loslachen. Sicherlich auch eine schöne Muttipanikgeschichte für eine Lehrerin. So wie wir mit Lehrergeschichten hausieren gehen, machen die das bestimmt auch mit Elterngeschichten.

»Oh, Entschuldigung, aber das ist ja großartig. Wann denn und wohin, und wie läuft das denn so?«, werde ich sofort neugierig. Von wegen Bestrafung. Eine Art Auszeichnung. Mein Kind ist gut in Englisch. Juchhu! Vielleicht kann sie später nach Harvard oder Stanford. Obwohl Stanford wahrscheinlich netter ist, Kalifornien ist ja so sonnig. Oxford geht natürlich auch, oder Cambridge. Vielleicht lernt sie einen aus der königlichen Familie kennen.

»Die Details, Frau Schnidt, können wir ja nächste Woche besprechen, zu einer normalen Tageszeit, am liebsten in meiner Schulsprechstunde, es ging erst mal nur um ein generelles Okay.«

»Zweimal Okay«, sage ich, »okay zum Austausch und okay zur Sprechstunde. Und es tut mir leid. Ich bin in New York und habe die Zeitverschiebung nicht bedacht.« Kleine Schleimeinlage zum Abschied. Außerdem habe ich ihr so nochmal aufs Brot geschmiert, dass ich in New York bin, also eine trendy Globetrotterin bin.

»Gut, bis dann, Frau Schnidt. Und viel Spaß in New York!«

Wenn alle gefürchteten Telefonate so problemlos wären, würde ich direkt noch Herrn Lümmert anrufen. Aber man soll sich positive Momente nicht wissentlich versauen. Das Gespräch hebe ich mir mal schön für morgen auf. Vielleicht sollte ich mir, wie meine Freundin Annabelle, Miss Karpfenmäulchen, immer empfiehlt, was beim Universum bestellen. Sie schwört darauf. Du musst es dir nur fest wünschen und es dann ordern, und dann klappt es! Sagt sie immerzu. Neulich hat sie sich, als wir uns in der Stadt getroffen haben, einen Parkplatz gewünscht und tatsächlich innerhalb kürzester Zeit einen gefunden. Natürlich war ich beeindruckt. Aber wenn das tatsächlich funktioniert, sollte man vielleicht sein Wunschkontingent nicht an Parkplätze vergeuden. Sie meint, das sei kein Problem. Man kann sich angeblich alles bestellen. Männer, Geld, Parkplätze und einen neuen Job. Man soll nur sehr konkret sein, es positiv formulieren und dran glauben, dann fluppt es, behauptet sie. Überhaupt geht es, so Annabelle, mehr um eine grundsätzlich positive Haltung. Vielleicht hat sie ja recht, und ich bin nur zu negativ eingestellt. Und dann gibt's nichts vom Universum. Da kennt das Universum keine Gnade. So wie man mit negativer Schufa-Eintragung auch nichts aus dem Katalog bestellen kann. Ich bin so gut drauf nach diesem erlösenden Telefonat mit Schuschu (ich muss darauf achten, diesen Namen nie vor Claudia zu erwähnen!), dass ich denke, es könnte einen Versuch wert sein.

»Liebes Universum«, wende ich mich direkt an die Bestelladresse, »bitte lass das Gespräch mit Herrn Lümmert auch so wunderbar ausgehen wie das mit Frau Rupps.« So, die Bestellung ist abgeschickt, jetzt heißt es entspannen und abwarten.

Entspannen ist eine schöne Idee. Ich hätte riesige Lust auf ein Nickerchen. Kein Wunder, dass ich saumüde bin. Immerhin ist es in Deutschland später Abend, ich bin seit Stunden unterwegs, habe im Flieger nicht geschlafen, und ich denke, das sind genug Entschuldigungen dafür, dass ich mich in einer Stadt wie New York, statt sie zu erkunden, aufs Ohr lege. Außerdem ist morgen ja auch noch ein Tag. Und wenn ich mich schön ausruhe, bin ich morgen auch wieder fit. Kurz vor dem Einschlafen überlege ich noch, ob ich für Christoph noch eine tolle Laufzeit bestellen sollte. Ich lasse es. Es ist mir zu riskant. Nachher hält mich das Universum für maßlos und streicht gleich beide Bestellungen.

5

Ich wache auf, weil ich einen Wahnsinns-Hunger habe. Mein Magen knurrt, und es ist stockduster draußen. Orts- zeit drei Uhr dreißig, das heißt, ich habe nicht, wie geplant, ein kurzes Nickerchen gemacht, sondern fast neun Stun- den durchgeratzt. Kein Wunder, dass ich Hunger habe, auch wenn ich alles, was es im Flieger gab, verschlungen habe. Angeblich ist New York ja eine Stadt, die nie schläft, aber halb vier erscheint mir für einen gemütlichen Stadt- bummel trotzdem auch hier nicht die richtige Zeit. Ich rufe bei der Rezeption an. So ein Hotel sollte doch einen Zimmerservice haben. Haben sie auch. Theoretisch. Aber nicht mitten in der Nacht.

»Is there a McDonald's or a Burger King near by?«, fra- ge ich ein wenig verschämt. Die freundliche Männerstim- me erklärt mir stolz, dass es nirgendwo sonst auf der Welt pro Quadratkilometer Fläche so viele McDonald's-Filialen gibt wie in New York, mir das aber auch nichts nützt, weil die meisten um Mitternacht schließen.

Ich plündere die Mini-Bar. Esse zwei Tüten Chips und eine Packung Erdnüsse. Dazu zwei Bier, und mein Glück ist nahezu vollkommen. Ich mache die Glotze an, und während mich eine amerikanische Talk-Tante bequatscht, plane ich den heutigen Tag und entscheide mich, auch noch die Tafel Vollmilch-Nuss zu öffnen. Sich so gehen lassen, kann man am besten allein oder allerhöchstens noch mit der besten Freundin.

Punkt eins meines Tagesplans: Rausfinden, wo Christoph steckt. Punkt zwei: Vielleicht doch ein oder zwei Bestellnummern der Claudia-SMS-Arie abarbeiten (immerhin ist das Kind ein Englischgenie!) und Punkt drei (kompatibel mit Punkt zwei): Shoppen. Punkt vier, und eigentlich der Hauptpunkt: Christoph im Zieleinlauf abpassen und beklatschen. Punkt fünf: Danach essen gehen, feiern und Spaß haben. In jeder Hinsicht!

Während ich einen weiteren Riegel Nuss-Schokolade anknabbere, begrüßt die Moderatorin der Fernsehsendung einen Mann, der mit betretenem Gesicht ins Studio kommt. Der arme Kerl sieht aus, als wäre ihm Schreckliches widerfahren. Und tatsächlich: Er hat fast seinen Penis amputiert bekommen. Als ob er sich schnell vergewissern müsste, dass er doch noch dran ist, greift er sich eben mal in den Schritt. Der Mann war, wie er dann, zum Glück in sehr verständlichem Englisch, erklärt, in Südamerika und hat in einen Fluss gepinkelt. Dummerweise hat ein sogenannter Candiru, ein kleiner Fisch, der es aber faustdick hinter den Kiemen hat, diese Botschaft missverstanden und ist ihm in die Harnröhre gesprungen. Normalerweise, wie die Moderatorin hilfreich erklärt, macht der Fisch das nicht. Er ist zwar ein mieser Parasit, schwimmt aber ansonsten in die Kiemen anderer Fische, hakt sich dort fest und saugt ihr Blut. Wie sich dieser welsartige kleine Fisch so irren kann, auch das erläutert die Moderatorin. Er verwechselte die Strömung des Pinkelstrahls mit der der Kiemenöffnungen und verhakt sich dann aufs Festeste in der Harnröhre. »Incredible pain!«, seufzt der Mann und greift sich, zum wiederholten Male, in den Schritt. Wahrscheinlich stöhnen in diesem Moment Millionen Amerikaner mit ihm auf. Eigentlich müsste man diese Geschichte einer noch größeren Öffentlichkeit zugänglich machen. Warum kann dieser nützliche Fisch nicht auch an der Luft leben? Allein das Wissen um den »Penisfisch« würde jegliche Eckenpinkelei garantiert sofort abstellen, denn das Risiko, ihr bestes Stück zu verlieren, würden Männer sicher nicht eingehen. Der Fisch musste dem Mann übrigens operativ entfernt werden. Unglaublich! Auch in einer Folge *Grey's Anatomy* gab es mal einen Penisfisch. Damals habe ich allerdings noch geglaubt, das wäre eine Erfindung der Seriendrehbuchschreiber. Zu Trainingszwecken und als Lehrmeister wäre auch ein Spuckfisch fantastisch. Wer auf die Straße rotzt, wird sofort von einem ekligen Wesen in die Eier gebissen.

Die frühe Uhrzeit führt zu skurrilen Gedanken. Ich mache einen Rotwein auf, um vielleicht doch noch die Chance auf ein, zwei Stunden Schlaf zu haben. Nachdem der Fast-Penis-Amputierte im Fernsehen nochmal betont, wie froh er ist, dass sein Penis noch dran ist, was ich übrigens nicht so wahnsinnig überraschend finde, mahnt die Moderatorin alle Männer davor, unbedacht irgendwohin zu pinkeln. Vor allem in südamerikanische Gewässer. Zwei Frauen, ein Gedanke. Allerdings hätte sie sich den Gewässer-Zusatz sparen sollen.

Ich mache den Fernseher aus und rufe meinen Vater an.

»Du glaubst nicht, wer angerufen hat!«, tönt es aus dem Hörer. »Schon wieder dieser Lümmert?«, frage ich ängstlich. »Nein«, sagt mein Vater, und man hört eine gewisse Genugtuung aus seiner Stimme.

»Deine Frau Mutter! Sie kommt morgen Nachmittag!« Das klingt nach einer guten Nachricht.

»Prima, Papa«, sage ich, »ich wusste doch, ihr seid vernünftig. Ihr seid doch meine Eltern. Wenn ihr euch erst trefft …«

»Moment«, unterbricht er mich, »in der Regel folgt auf wenn erst ein So und dann ein Denn.«

»Ja, ja, Papa«, bin ich ein bisschen genervt, denn es sollte doch auch mal einen Satz ohne Wilhelm Busch geben, »sei doch mal ein bisschen optimistisch.«

»Sie kommt her, um auf die Kinder aufzupassen, weil ich mich ja mit diesem alten Freund treffe.«

Wenn die zwei sich erst wiedersehen, wird schon alles werden. Ich hoffe, dass ich da nicht zu blauäugig bin. Ich beschließe, das Thema zu lassen und frage, ob Christoph sich gemeldet hat.

»Hat er, hat er. Und er war ein bisschen irritiert, dass du nicht da bist. Ich habe erzählt, du wärst joggen. Da war er noch erstaunter. Aber mir ist so schnell nichts anderes eingefallen«, entschuldigt sich mein Vater. Kein Wunder, dass Christoph bei der Ausrede erstaunt war.

»Hast du ihn gefragt, in welchem Hotel er ist?«, will ich wissen.

»Oh, das habe ich vergessen, tut mir leid, Andrea.«

»Hat er gesagt, wann er wieder anruft?«, frage ich. »Vielleicht heute Abend, sonst morgen vor dem Lauf. Soll ich dann sagen, dass du auch in New York bist?«, erkundigt er sich freundlich.

Ich zögere. Einerseits ist es albern, auf dem Überraschungseffekt zu beharren, andererseits habe ich jetzt so lange durchgehalten, dass es noch ärgerlicher wäre, kurz vor dem großen Moment aufzugeben. Deshalb entscheide ich mich zu sagen: »Nein, verrate es ihm nicht. Wenn er nach mir fragt, sag ihm, er soll mich unbedingt auf dem Handy anrufen und sein Handy bitte, bitte einschalten. Du kannst erzählen, Sabine hätte Liebeskummer, und ich müsste mich kümmern. Das glaubt er ganz sicher.« Mit einem »Danke, Papa. Du hast was gut bei mir! Und grüß die Kinder!«, verabschiede ich mich.

Mein Vater hat wie meistens (jedenfalls, solange meine Mutter nicht dabei ist), das letzte Wort: »Andrea, ich arbeite nur mein Wohngeld ab. Jetzt sind wir quitt. Sei vorsichtig und denk dran, New York ist eine Großstadt.« Meine Güte, der tut ja fast so, als wäre ich im Irak unterwegs. Aber gut – es ist nun mal ein Privileg der Eltern, sich zu sorgen.

Um sechs Uhr stehe ich endgültig auf und beschließe, die Stadt zu erkunden und meinen Tagesplan abzuarbeiten. Schade, dass ich keine frische Wäsche dabei habe. Das erinnert mich an meinen Koffer. Ich rufe am Flughafen an, um zu erkunden, ob er aufgetaucht ist. Sie sind »totally sorry«, aber er sei noch nicht aus Hawaii zurück. Liegt der in der Sonne, oder was ist da los? Lässt der sich Blumenkränze umbinden? Ich soll mir neue Kleidung kaufen, die Fluglinie bezahlt. Very sorry. Das hört sich doch nach einem schönen Vorschlag an. Ich hätte wenig Lust, heute Abend in dem Business-Class-Schlafanzugoberteil auszugehen. Jetzt wird mir nichts anderes übrigbleiben, aber der Gedanke, gleich vierhundert Dollar einfach so zur Verfügung zu haben, ist großartig. Da verzichte ich doch gerne mal für einen Tag auf meinen Koffer. Ich muss nur die Belege aufheben und dann einreichen. Das hört sich doch fast nach einem Geschäft an.

Da selbst in New York vor sieben morgens keine Geschäfte aufhaben, gehe ich erst einmal frühstücken. Auf die Chips, die Erdnüsse und die Schokolade kommt jetzt was Vernünftiges. Ein ordentliches amerikanisches Frühstück mit frisch gepresstem O-Saft, Eiern und einem Bagel mit Frischkäse.

In der Stadt wird eifrig abgesperrt. Um zehn Uhr soll der Marathon starten, und ich habe, langsam aber sicher, die Sorge, dass ich Christoph nicht finden werde. Schließlich rennt er nicht alleine, sondern mit etwa vierzigtausend anderen. Natürlich ist mein Mann außergewöhnlich, aber ob er aus einer Masse dieser Zahl heraussticht? Da habe ich doch leise Zweifel. Was also tun, wenn er sich nicht meldet? Vielleicht sollte ich die Überraschung Überraschung sein lassen, in sein Hotel gehen und ihm dort für den Lauf alles Gute wünschen.

Also mache ich mich nach dem Frühstück auf den Weg zurück in mein Hotel, und nach einer Viertelstunde hat die freundliche Frau am Empfang Christoph gefunden. Nicht ihn persönlich, aber seinen Aufenthaltsort. Er ist Luftlinie nicht mal fünfhundert Meter von mir entfernt. Ob ich ihn anrufen will, fragt mich die Rezeptionistin. Ich verneine. Ich werde direkt hinlaufen, mich vor sein Zimmer stellen und »Überraschung!« rufen. Was für ein schöner Gedanke.

Ich gehe sofort los. Wie lustig, da sind wir beide in dieser gigantischen Stadt und schlafen nur wenige Meter voneinander entfernt in getrennten Betten. Eigentlich schade. Aber irgendwie auch ulkig.

Ich laufe am Bryant Park entlang, an der New York Library vorbei, und an der Vierzigsten Straße Ecke Fifth Avenue sehe ich ihn. Etwa hundert Meter von mir entfernt leuchten seine Joggingschuhe. Wenn ich etwas oft gesehen habe, dann sind es seine Joggingschuhe. Die würde ich sogar am Geruch erkennen! Ich renne los und stürze mich von hinten auf ihn.

»Huhu, Überraschung«, schreie ich. Die Überraschung ist gelungen. Ein völlig geschockter Mann dreht sich zu mir um. Und es ist nicht Christoph, dem ich von hinten die Arme um den Leib geschlungen habe, sondern ein mir total fremder Läufer, der zufällig die gleichen Schuhe wie Christoph trägt. Auch die Statur und die Frisur kommen in etwa hin. Der Mann zittert. Ich entschuldige mich, versuche auf Englisch, die Situation zu erklären, und er fasst sich nur an den Kopf und brüllt irgendwas Unverständliches, wobei das Wort »Heart attack« vorkommt. Mehrfach. Darüber hinaus kann ich nichts verstehen. Reumütig sage ich immer wieder »Sorry, sorry« und gehe so schnell wie möglich weg.

Wie kann ich nur so dämlich sein – der arme Mann –, aber man sieht eben, was man sehen will, und ich will Christoph.

Immerhin finde ich das Hotel auf Anhieb, und man teilt mir sogar seine Zimmernummer mit. Sechster Stock, Zimmer einhundertvierunddreißig. Ich bin irrsinnig aufgeregt, freue mich auf sein erstauntes Gesicht und hoffe, dass mir die Überraschung gelingt.

Ich klopfe an die Tür, vor der jede Menge dreckiges Geschirr steht. Ein bisschen viel Geschirr für eine Person. Hat der hier ein Fressgelage veranstaltet? Und wenn ja – mit wem? Zwei Teller, mehrere Gläser und zwei silberne Abdeckhauben. Hmm. Wer wird mir wohl hier gleich die Tür aufmachen? Und was mache ich, wenn da in Christophs Bett irgendeine Marathonläuferin liegt? Eine drahtige, ausgezehrte Blondine mit ellenlangen Beinen und muskulösen Waden? Sie rauszerren, anbrüllen oder schweigend das Zimmer verlassen und sofort die Scheidung einreichen? Ich tendiere zur letzten Möglichkeit. Vielleicht sollte ich ihn vorher noch anspucken.

Ich nehme meinen Mut zusammen und klopfe nochmal.

Ich klopfe mehrfach. Keine Reaktion. Entweder ist keiner da, oder sie verstecken sich. Ich kann die Tür schlecht aufbrechen, also gehe ich. An der Rezeption frage ich erneut nach Christoph.

»He is not in his room«, sage ich und erfahre, dass Christoph längst seinen Zimmerschlüssel abgegeben hat.

»He already left for the run!«, bekomme ich die Information. Hätten die mir doch gleich sagen können. Da wäre mir auch der Geschirranblick erspart geblieben.

Inzwischen bin ich nahezu ratlos. Wie soll ich meinen Mann jetzt finden? Was bin ich bloß für ein naives Wesen. Was habe ich mir bei diesem Ausflug nur gedacht. Nichts. Oder besser gesagt, nicht genug.

Ich setze mich in die Hotellobby und grübele. Was tun? Zum Start gehen und hoffen, dass ich ihn finde? Oder mich ins Ziel stellen und einfach abwarten? Zuerst probiere ich erneut das Naheliegendste. Anrufen. Und immerhin, ein Fortschritt – die Mailbox geht an. Ich spreche drauf. Trotz oder gerade wegen meiner Geschirrbedenken.

»Wo bist du? Ich will dich sehen. Bin ganz nah bei dir. Drücke die Daumen. Melde dich. Bitte. Kuss.«

Auch eine E-Mail schreibe ich vom hoteleigenen Computer. So wie der seinen Blackberry liebt, besteht ja eine, wenn auch kleine Chance, dass er sie lesen wird.

Ich bin hier. Sehne mich nach dir. Hattest wohl großen Hunger! Ruf mich an!

Die Bemerkung mit dem Hunger konnte ich mir nicht verkneifen.

Ansonsten habe ich keine geniale Idee. Mein Hirn ist leer. Da fällt mir das Universum ein.

»Bitte, liebes Universum, lass mich meinen Mann möglichst schnell finden. Lass ihn seine Mail lesen oder seinen

Anrufbeantworter abhören. Bitte.« Schaden kann so eine Bestellung ja keinesfalls. Und ich bin inzwischen so weit, dass ich wirklich dran glauben will. Schon, weil mir sonst nichts mehr einfällt. Das sage ich dem Universum allerdings nicht. Es muss ja nicht alles wissen!

Inzwischen ist es halb acht, und ich verlasse das Hotel. Auf den Straßen überall Läufer. Wie die Ameisen streben sie alle in eine Richtung. Ich komme mir sofort extrem unsportlich vor. Ich habe mir im Hotel einen Plan mit der Laufstrecke besorgt und voller Entsetzen gesehen, dass die Läufer in Staten Island, also noch weit hinter Brooklyn, starten. Das wird knapp. Der Lauf geht durch Brooklyn, Queens, die Bronx und endet mit dem Zieleinlauf im Central Park. Da ich weiß, dass Christoph auf jeden Fall mehr als drei Stunden brauchen wird, er hat ja in den letzten Monaten über kaum etwas so oft gesprochen wie seine Laufzeiten, erscheint es mir am sinnvollsten, im Ziel auf ihn zu warten. Irgendwann muss er ja da durchkommen. Und vor dreizehn Uhr kann es nicht sein. Realistisch gesehen nicht vor dreizehn Uhr dreißig. Also habe ich noch eine ganze Weile Zeit.

Ich versuche, zu entspannen. Mehr kann ich nun definitiv nicht tun. Wir werden uns spätestens am Flughafen treffen. Schließlich fliegen wir in derselben Maschine zurück. Zwar in unterschiedlichen Klassen, aber immerhin. Das hätte zwar etwas Groteskes – ein Wochenende in New York, ohne sich zu sehen –, aber das soll uns erst mal einer nachmachen.

Meine gute Laune kehrt zurück. Ich versuche, die Geschirrgedanken zu verdrängen. Außerdem – vielleicht hat da jemand vom Service auch schon was zusammengestellt, suche ich mir eine schöne Ausrede für meinen Mann. Machen Frauen ja gerne. Selbst Frauen, die beschissen werden, dass es nur so kracht, wollen es oft einfach nicht merken. Auch wenn die Indizien sich meterhoch vor ihnen auftürmen.

Ich erinnere mich an meinen Tagesplan. Punkt eins, Christoph finden, ist erledigt. Zwar nicht zufriedenstellend, aber erledigt. Punkt zwei: Claudias Bestellzettel abarbeiten. Ich frage eine hip aussehende Passantin nach dem Abercrombie-Laden, und sie weiß sofort Bescheid. Ich scheine wohl die Einzige zu sein, die noch nie was davon gehört hat. Meine Pechsträhne hat ein Ende. Der angesagte Laden ist auf der Fifth Avenue, und vor allem hat er heute, am Sonntag, wegen des Marathons früher auf. Das ist ein Zeichen. Es geht bergauf. Dabei habe ich die Öffnungszeiten noch nicht einmal beim Universum bestellt.

Schon als ich mich dem Laden nähere, sehe ich die Schlange, die sich um einen Häuserblock schraubt. Da muss es ja ganz was Dolles geben. Vielleicht eine Autogrammstunde oder irgendeine Promiaudienz. Das würde mir Spaß machen. Ein kleiner Zusammenstoß mit Carrie von *Sex and the City*, oder, noch erheblich besser, mit Robert de Niro. Auch Bill Murray soll in New York wohnen, ein Schauspieler, den ich ganz wunderbar finde. Ich sage nur »Lost in Translation«. Das Letzte, was ich von ihm gehört habe, ist, dass er in den Straßen von Stockholm verhaftet wurde, weil er betrunken mit einem Golf-Caddy rumgefahren sein soll.

Ich nähere mich dem Auflauf, und als ich näher komme, sehe ich, worum es sich handelt. Es ist tatsächlich eine Menschenmenge, die ansteht, um bei Abercrombie reinzukommen. Das ist ja unglaublich. Verschenken die heute ihre Ware? Oder ist Spezialausverkauf? Das wäre ja dann perfektes Timing. Ich reihe mich brav ein und frage die Frau vor mir, ob heute »special sale« ist.

Sie schaut erstaunt. »No, it's usually like that.«

Wie, das ist normal? Das heißt, in diesen Laden kommt man nur, wenn man ansteht? Meine Aufregung legt sich schlagartig. Das ist doch bescheuert.

Gerade als ich überlege, aus der Schlange auszuscheren und Claudia zu erzählen, dass der Laden leider zu hatte, stellt sich ein kleines Männchen mit Hut hinter mich. Er sieht aus wie Woody Allen. So was von ähnlich. Ich drehe mich nochmal um, und er senkt den Blick. Es ist Woody Allen. Mein erster New-York-Promi. Die Frage ist jetzt nur, wie kann ich ein Foto von ihm machen, ohne ihn darum zu bitten. Die goldene Regel beim Promitreffen lautet: Keine Regung zeigen. So tun, als wäre das das Normalste der Welt. Gerade so, als würde man rund um die Uhr mit VIPs verkehren. Außerdem, so liest man ja immer, haben auch diese Menschen ein Anrecht auf Privatleben. Es sieht aus, als wäre er ohne Begleitung da. Muss er auch für seine Kinder einkaufen? Oder für seine Frau? So klein wie er ist, könnte er sicher auch selbst Kinderklamotten tragen. Er ist höchstens dreißig Zentimeter von mir entfernt, und ich habe das Gefühl, seinen Atem in meinem Rücken spüren zu können. An sich mag ich, ehrlich gesagt, Woody Allen nicht besonders. Nicht wegen seiner Filme, die sind gut, sondern weil er Mia Farrow verlassen hat. Das ist nichts Ungewöhnliches, dass prominente, kleine, unattraktive Männer ihre Frauen verlassen, selbst wenn die zehnmal hübscher als sie selbst sind, es ist geradezu die Regel. Aber dass sie ihre Frau verlassen, um mit ihrer Adoptivtochter zusammenzukommen, das ist schon was Besonderes. Und ich finde es besonders widerlich. Christoph konnte meine Aufregung damals gar nicht so verstehen. »Na ja«, hat er gesagt, »schön ist es nicht, aber so schlimm finde ich es auch nicht. Ich meine, sie ist halt jung.« Das langt heutzutage anscheinend als Qualifikation.

Langsam nähern wir uns dem Eingang, und ich denke immer noch darüber nach, wie ich unauffällig ein Foto von Woody Allen kriegen könnte. Da habe ich die Eingebung. Ich tippe die Frau vor mir in der Reihe an und sage ihr, dass ich ein Beweisfoto brauche für meine Tochter. Damit die sieht, was ich auf mich genommen habe, um für sie einzukaufen. Dann bitte ich sie, mich in der Schlange zu knipsen. Da Woody Allen direkt hinter mir steht, probiere ich so geschickt zu stehen, dass der Kleine mit auf dem Foto drauf ist. Ich freue mich schon auf die Gesichter meiner Freundinnen. Die Frau ist nett und tut mir den Gefallen. Vor der Eingangstür des Ladens, die jetzt nur noch zwei Meter von uns entfernt ist, post ein junger Mann, nur mit einer Jeans bekleidet. Sein Oberkörper ist nackt und sehr ansehnlich. Männer würden sagen, man sähe deutlich, dass ihm kalt sei. Wäre Claudia sieben bis acht Jahre älter, wäre der Typ sicherlich das Beste, was man ihr von hier mitbringen könnte. Die Frauen vor mir, vor allem aber die Teenies, lassen sich reihenweise mit ihm fotografieren.

»You want one too?«, fragt die Frau, die schon eben die getarnten Woody-Fotos gemacht hat. Warum nicht? Claudia jedenfalls wäre von einem solchen Foto sicherlich beeindruckter als von dem mit Woody Allen.

»Yes, thank you!« Er nimmt mich in den Arm und fühlt sich wirklich gut an. Ausgesprochen gut.

Im Laden ist es stockduster. Anscheinend aber kein Stromausfall, sondern Konzept. Soll man die Waren ertasten? Statt knackigen Waschbrettbauchkerlen sollten sie lieber Blindenhunde zur Verfügung stellen. Claudias diverse Bestell-SMSe kann ich hier drin jedenfalls nicht lesen. Und ich gehe auf keinen Fall nochmal raus. Nachher muss ich mich wieder hinten in der Schlange einreihen. Ich bin nur kurz hier und möchte nicht meine komplette New-York-Zeit in einem Klamottengeschäft verbringen. Egal wie trendy es auch sein mag. Dass man wenig sieht ist das eine, das andere, dass wahnsinnig laute Musik durch das Geschäft dröhnt. Sorgen die so dafür, dass man auf keinen Fall zu viel Zeit hier verbringt, oder ist die Lautstärke auf Schwerhörige abgestimmt? Ich will eigentlich nichts als raus hier. Auch Woody ist mir entwischt. Mist – ich hätte zu gerne gesehen, was er einkauft. Wäre doch auch eine nette Geschichte für daheim. Nach dem Motto: Ja, der Woody Allen und ich, wir wollten beide dieses T-Shirt, und dann hat er es mir netterweise überlassen, und dann haben wir noch ein bisschen geredet, und dann …

Ich überlege, ob ich nach einer Taschenlampe fragen soll. Zu viel Aufwand, entscheide ich, und greife mir einen Kapuzenpulli in irgendeiner dunklen Farbe. Könnte Schwarz sein, Dunkelgrau oder Dunkelblau. In riesigen Lettern steht der Markenname drauf. Schon bekloppt – da läuft man freiwillig Reklame für ein Unternehmen, das einem dafür nicht einen Euro zahlt. Aber ohne Aufdruck wissen die anderen ja nicht sofort, was man da anhat, und dann könnte man ja auch irgendeinen No-Name-Kapuzenpulli anziehen. Ein Pulli und ein Top. Das muss reichen. Obwohl meine Tochter erst zwölf ist und kein Moppel, entscheide ich mich gegen XS. Das sieht so winzig aus, das passt, wenn überhaupt, nur Woody Allen. Für mich nehme ich XL und bin im Zweifel, ob das reicht. Für Menschen jenseits Größe 38 ist dieser Laden keine Fundgrube. Ich laufe noch einmal durch dieses dunkle Etwas, um zu gucken, wo der kleine Woody steckt, entschließe mich dann aber, aufzugeben und den Laden zu verlassen.

Nicht nur meine Ohren freuen sich, als ich wieder draußen bin. Ich erkunde die Fifth Avenue, schlendere durch diverse Geschäfte und bin begeistert. Ich weiß nicht, ob ich hier leben wollte, diese Stadt ist einfach hektisch, aber so zum Gucken und Staunen einfach wunderbar. Und zum Einkaufen auch. Die meisten Läden auf der Fifth sind zwar sauteuer, aber wenn man sucht, findet man doch immer was. Einiges sogar. Ich kaufe mir eine Jeans, für jeden aus der Familie ein I-love-New-York-T-Shirt, den Klassiker mit dem Herz drauf, Unterwäsche mit niedlichen Spitzen und einem Schleifchen über dem Po und für meinen Vater eine Kappe fürs Golfspielen.

Nachdem ich mich im Hotel umgezogen habe, der Kapuzenpulli passt tatsächlich und die neue Jeans sieht richtig gut aus, starte ich zum Highlight des Tages. Jetzt werde ich unter vierzigtausend Läufern meinen Mann finden. »Ich bin Pessimist für die Gegenwart, aber Optimist für die Zukunft«, mit diesem Zitat von Wilhelm Busch mache ich mich auf den Weg, den Marathonstreckenplan in der Hand.

Ich werde zu verschiedenen Punkten gehen, schauen, ob ich ihn erwische, und ansonsten eben im Ziel ausharren, bis er auftaucht. Mein erstes Ziel ist die Fünfundzwanzig-Kilometer-Marke, auf der Queensboro Bridge. Diese Brücke verbindet Queens mit Manhattan. Am liebsten würde ich mit dem Taxi fahren, aber der erste Fahrer, den ich erwische – ich habe mich, wie man das in Filmen immer sieht, auf die Straße gestellt, mit erhobenem Arm ein Taxi herangewinkt und mich dabei wie eine waschechte New Yorkerin gefühlt – sagt mir, dass heute mit dem Taxi, wegen des Marathons, kaum ein Durchkommen ist. Er empfiehlt mir die U-Bahn. Zum Glück ist der Hauptbahnhof nicht weit weg von meinem Hotel, und ich schaffe es, mich durchzufragen.

Als ich mir eine Tageskarte kaufen will, klingelt mein Handy. Ich will mich schon beim Universum bedanken, da sehe ich auf dem Display, dass es Sabine ist. Wahrscheinlich mit dem Bericht von ihrem Date.

»Hallo Sabine, du rätst nie, wo ich gerade bin!«, sage ich zur Begrüßung.

»O doch«, antwortet meine Freundin, »in New York. Beim Marathon.«

Das erstaunt mich jetzt schon. Woher weiß die das? Hat sie erst bei mir zu Hause angerufen?

»Wer hat das verraten?«, will ich wissen.

»Na, dein Vater, den habe ich gerade getroffen!«, lacht sie. Mein Vater ist doch gar nicht zu Hause. Der hat doch eine Verabredung mit seinem alten Freund.

»Aber meine Mutter ist doch jetzt zu Hause bei den Kindern!«, stehe ich total auf dem Schlauch.

»Habe ich was von bei dir zu Hause gesagt?«, fragt mich Sabine. »Nein«, sage ich nur. Das ist ja eine ziemlich verworrene Geschichte. »Also, Andrea«, klärt sie mich auf, »ich hatte doch heute mein Internet-Date, du weißt schon, mit dem klugen Mann mit der guten Rechtschreibung.«

»Stimmt«, fällt es mir wieder ein, und ich will natürlich sofort wissen, wie es war.

»Sehr nett, bis auf die Tatsache, dass es dein Vater war.«

Verabredung mit einem alten Freund. Ha! Mein Vater hat wohl nicht mehr alle Tassen im Schrank. Wie peinlich ist das denn? Was denkt der sich? Ich entschuldige mich sofort für meinen Vater. Sabine findet das unnötig, außerdem erzählt sie mir, dass er einen knallroten Kopf bekommen hat, als er gemerkt hat, wen er da trifft. Schließlich kennen sich die beiden durch mich schon einige Jahre.

»Der hat sich total geschämt und sich tausendmal entschuldigt. Ich fand's eigentlich ziemlich lustig, habe ihm aber gleich gesagt, dass die Vorstellung, deine Stiefmutter zu sein, mir nicht besonders gefällt und er auch nicht ganz meine Altersklasse ist. Übrigens, Andrea, ich musste ihm hoch und heilig versprechen, es dir nicht zu sagen. Also ich habe nichts gesagt, ist das klar!«

Ich weiß nicht, ob ich das schaffe, und das sage ich ihr auch.

»Du musst, sonst erzähle ich dir nie mehr was!«, insistiert sie. Zähneknirschend verspreche ich es.

Unglaublich, der Mann verbringt seine ersten Stunden im Internet, und dann so was. Hoffentlich erfährt meine Mutter das nicht! So langsam sind die beiden quitt.

Sabine kichert noch ein bisschen rum, und wir verabreden uns für nächste Woche.

»Viel Glück!« wünscht sie mir noch, und ich glaube, das kann ich sehr gut brauchen.

Zwei Stunden später habe ich die Queensboro Bridge erkundet, Tausende von Läuferwaden gesehen, immer mal wieder gedacht »Ja, da ist er« und immer wieder enttäuscht feststellen müssen, dass er es nicht war. So langsam schwinden meine Hoffnungen. Obwohl die Stimmung an der Strecke phänomenal ist, lässt meine merklich nach. Wie soll ich Christoph hier bloß finden? Läufer sehen sich irgendwie ähnlich. Und sie sind, obwohl sie ja schon einige Kilometer in den Schuhen stecken haben, noch verdammt flott unterwegs. Eine Zuschauerin gibt mir den Tipp, in die Bronx zu fahren. Da wären nicht ganz so viele Menschen an der Strecke und die Chance, einen bestimmten Läufer zu sehen, deshalb größer. Außerdem wäre es eine gute Gelegenheit, einen Eindruck von der Bronx zu bekommen, einem Stadtteil, der ansonsten von den Touristen eher vernachlässigt wird.

»Warum nicht«, denke ich und mache mich auf den Weg. Am helllichten Tag und mit solchen Menschenmengen kann die Bronx ja nicht weiter gefährlich sein. Meine Füße brennen, und ich habe das Gefühl, fast schon selbst eine Marathonstrecke hinter mich gebracht zu haben. Aber immerhin ist das Wetter gut. Und ich kann mittlerweile sehr gut verstehen, dass Christoph unbedingt hier seinen ersten Marathon laufen wollte. Die Zuschauer sind richtiggehende Animateure. Sie rufen, schreien und feuern an. Überall an der Strecke ertönt Musik, und die Läufer, die stehengeblieben sind und sich krampfende Körperteile halten, werden angespornt, weiterzulaufen. »You can do it! You'll make it! Go run … Daddy, you will win …« Auch ich fühle mich gleich mitmotiviert. Ich haste die Strecke entlang und versuche, das Läuferfeld im Auge zu behalten. Manche sehe ich immer wieder. Nur der Mann, nachdem ich mich so sehne, ist nicht dabei. Immer wieder denke ich darüber nach, ob das alles nicht doch eher eine Schnapsidee war. Schlicht Blödsinn. Ich wate durch Schwämme und Becher, weggeworfene Bananenschalen und beobachte Läufer, die inzwischen gehen, sich unterhalten oder in Ruhe einen Energy-Riegel essen, und dann plötzlich passiert es.

Als ich schon fast aufgegeben habe und auch nicht mehr darauf hoffe, ihn im Ziel zu treffen, sehe ich etwas Seltsames. Einen Läufer mit Kappe, tief im Gesicht, der auf seinem Handy rumtippt. Wie bescheuert ist der denn? Und da piepst es auch schon. Mein Handy. Eine SMS.

»Du Verrückte – wo bist du?«

Ich könnte tanzen und singen – so glücklich bin ich. Er ist es! Mit neuer New-York-Kappe! Vergessen das doppelte Geschirr und alles andere.

»Hier, hier bin ich, selber verrückt!«, schreie ich, und er hebt seinen Kopf und sieht mich. Wir rennen aufeinander zu, und ich küsse einen völlig verschwitzten, klebrigen Mann und bin nur froh. So froh.

»Lauf weiter, ich will dir deine Zeit nicht ruinieren. Ich warte im Ziel auf dich!«, sage ich und bin so beschwingt, dass ich direkt mitlaufen könnte.

»Moment mal, Andrea«, sagt er da. »Dein Vater hat mir so komische Sachen von diesem Lümmert erzählt, was ist da los?«

Schlagartig verliert sich meine gute Stimmung, und ich sehe Horrorszenarien vor meinem inneren Auge aufsteigen. Klickende Handschellen, wenn ich in Frankfurt lande. Steuerbehörden, die nur auf mich warten. Was habe ich nur gemacht? Wahrscheinlich ruiniere ich auch noch Christophs Laufbahn. Ein Anwalt mit krimineller Ehefrau. Was wird aus den Kindern? Kommt man dafür in den Knast oder werden wir nur finanziell ausbluten?

»Es tut mir alles so schrecklich leid«, sage ich mit leiser Stimme, und auf einmal fange ich an zu weinen. Der Lümmert, das Gerenne, mein Koffer, die Suche nach Christoph – irgendwie ist mir gerade alles zu viel! »Lauf weiter«, schnüffele ich.

»Andrea, was auch immer da los ist, wir rufen jetzt diesen Lümmert an und klären das. So geht es doch nicht weiter. Los, trau dich, wir kriegen das hin.« Er umarmt mich und macht keinerlei Anstalten weiterzulaufen.

»Aber der Marathon«, sage ich, »deine Zeit.«

»Es ist nur ein Lauf, Andrea, beruhige dich, du bist es, die mir wichtig ist. Ich kann nicht laufen, wenn ich weiß, du stehst hier und weinst.«

Das ist so süß, dass ich direkt noch mehr weine. Diese Szene könnte man eins zu eins in jeden beliebigen Kitschfilm einfügen. Selbst Rosamunde Pilcher würden die Tränen kommen. Es ist lange her, dass ich so etwas gehört habe. Und so romantisch aufgeladen, wage ich es dann wirklich.

»Gut«, greife ich beherzt zum Handy, »kannst du für mich drangehen, ich wähle.«

»Leg los«, antwortet er, während Läufer für Läufer an uns vorbeizieht. Ich hole den Zettel, den mein Vater mir noch mitgegeben hat, aus meiner Jacke und tippe die Nummer ein. Ein Freizeichen ertönt. Schnell reiche ich den Hörer an Christoph weiter. Es dauert. Dann scheint jemand abzuheben. Christoph erklärt, wer er ist und warum er anruft. Dann kann ich dem Gespräch nicht mehr folgen, schließlich höre ich nur die eine Seite. Christoph sagt immer wieder »interessant« und »erstaunlich«, und ich finde, das klingt weniger bedrohlich als ich dachte. Zwischendrin streckt er den Daumen nach oben. Was heißt das: Kein Knast, keine Anzeige oder keine Geldstrafe? Dann sagt er: »Ich gebe sie Ihnen einfach mal selbst.« Ich schüttele den Kopf, aber er drückt mir den Hörer ans Ohr und zischt mir zu: »Ich laufe weiter, wir sehen uns im Ziel.« Weg ist er, und ich stehe da und habe Herrn Lümmert am Telefon.

»Sie sind mir ja eine Hartnäckige«, beginnt er das Gespräch. Ich kann mir ein »danke gleichfalls« nicht verkneifen.

Dann erklärt er mir, warum er so penetrant hinter mir her ist. Wegen meiner Texte. Meiner eBay-Texte. Seine Frau sei mal auf einen reingefallen und ein bisschen ernüchtert gewesen, als die Ware angekommen sei, und habe ihm daraufhin meinen Anpreisungssermon gezeigt. Ich erinnere mich dunkel. Es ging um einen Schal. Herr Lümmert war sehr beeindruckt, denn er hat eine große PR-Agentur und sucht händeringend gute Texter.

»Sie sind nicht vom Finanzamt?«, frage ich, nachdem mir ganz allmählich dämmert, dass ich auf dem völlig falschen Dampfer war. »Nee, wieso denn das? Ich will Sie einstellen. Ich brauche unbedingt eine gute Texterin. Und Sie, Sie haben es drauf.«

»Liebes Universum, ich weiß nicht, ob du das warst, aber wenn ja – ich bin beeindruckt.«

Herr Lümmert und ich unterhalten uns noch richtig nett und machen aus, uns nächste Woche zu treffen. Die Welt ist herrlich. Meine Müdigkeit ist weg. Davongeflattert. Da muss ich erst nach New York, um zu merken, dass der Lümmert mir nichts Böses will. Im Gegenteil. Er bietet mir einen Job an. Eine Stelle. Und das in Frankfurt. Also gut erreichbar. Ich werde Texterin. Darf das, was ich bei meiner jetzigen Arbeit am liebsten tue, ausschließlich tun. Wir werden nicht verarmen, und ich lande nicht im Frauengefängnis. Ich fühle mich, als hätte mich jemand aus der mentalen U-Haft entlassen.

So euphorisiert, mache ich mich auf in Richtung Central Park, zum Ziel des Marathons.

Ich schaffe es gerade so, kurz vor Christoph da zu sein. Schließlich muss ich auch fast den gesamten Park entlang laufen.

Schon von weitem kann ich ihn sehen. Er sah schon mal besser aus. Ob man das, was er da macht, noch rennen nennen kann, darüber bin ich im Zweifel. Er humpelt ein bisschen. Ich klatsche und rufe, und er rafft sich nochmal auf und läuft durchs Ziel. Seine Zeit: vier Stunden und zwölf Minuten. Ich weiß, das wird ihm nicht gefallen. Er wollte so gerne unter vier Stunden laufen. Jetzt habe ich ihm die Zeit versaut. Er bekommt seine Medaille und eine riesige Alufolie umgeworfen.

»Du bist der Tollste«, rufe ich und küsse ihn ab. Er ist völlig ermattet.

»Ich will ins Hotel!«, sagt er nur. »Das war eines der irrsten Erlebnisse meines Lebens.«

Drei Stunden später, in seinem Hotel (ich habe aus meinem ausgecheckt und meine wenigen Sachen mitgenommen), sitzen wir zusammen in der Badewanne und trinken Sekt aus der Minibar. Ich massiere seine Oberschenkel und den Rest seines strapazierten Körpers. Es ist grandios, denn zu meiner großen Überraschung regt sich noch einiges Leben in ihm. Leben, das ich in letzter Zeit sehr vermisst habe!

Der Abend wird insgesamt einer der schönsten, den wir je hatten. Er besteht darauf auszugehen, obwohl schon das Wort gehen seine Beine ächzen lässt. Er führt mich in den Rainbow Room, einen Ort, den ich bisher nur aus dem Fernsehen kannte. Aus einer Filmszene. In *Schlaflos in Seattle* trifft sich Meg Ryan dort mit Walther, um dann, als sie das rote riesige Herz am Empire State Building aufleuchten sieht, zu entscheiden, dass sie nicht mit Walther zusammen sein kann. Im Gegensatz zu Meg Ryan sitze ich mit dem absolut richtigen Mann hier oben im fünfundsechzigsten Stock des Rockefeller Centers. Die Aussicht ist umwerfend schön. Ganz New York liegt uns zu Füßen, und nach Langem haben wir Zeit nur für uns. Ich entschuldige mich noch einmal für die Laufunterbrechung, und Christoph gesteht, dass er an dieser Stelle sowieso so fix und foxi gewesen sei, dass er am liebsten aufgegeben hätte und sehr froh über die unfreiwillige Pause war.

Der Abend hat etwas Magisches. Was sicher auch mit der Kulisse zu tun hat. Wir trinken, lachen, und würde ich ihn nicht schon lieben, hätte ich mich an diesem Abend sicherlich in ihn verliebt. Er ist heute all das, was ich an einem Mann mag. Witzig, charmant, liebenswürdig und klug. Ich genieße es, frage mich aber, warum diese Momente so rar sind. Ist das eben so? Ist das der Preis für eine lange Beziehung? Haben manche Frauen das immerzu, und muss nur ich mich bescheiden und von solchen Abenden monatelang zehren? Oder geht es allen so? Muss man einfach öfters raus aus dem Alltag? Kann ich nicht für immer hier sitzen bleiben mit diesem Traum von einem Mann? Kann ich nicht einen Teil dieses Zaubers mitnehmen, hinüberretten in unseren Alltag? Oder verderbe ich mir jetzt noch den Augenblick, nur weil ich darüber nachgrübele, warum Augenblicke wie dieser nicht die Norm sein können.

Es wird eine lange Nacht, in der er nicht einmal seinen Blackberry zückt, und ich bewundere sein Durchhaltevermögen. 42,2 Kilometer gerannt und abends noch so wach! Mein Marathonmann! Selbst die Geschirrgeschichte klärt sich. Er hat gemeinsam mit einem Javier gegessen. Javier ist ein Spanier, den er beim Abholen der Startnummern am Nachmittag vor dem Marathon kennengelernt hat. Javier wohnt im gleichen Hotel, hatte auch keine Begleitung, und da haben die Männer beschlossen, gemeinsam zu essen und die Route sowie die Strategie durchzusprechen. So einfach ist es manchmal. Und ich glaube ihm die Javier-Geschichte. Christoph ist ein wesentlich schlechterer Lügner als ich, und vor allem nicht schnell im Lügenausdenken.

6

Wir schlafen tief und fest. Am nächsten Morgen allerdings herrscht ein gewisses Chaos. Wir wachen zu spät auf und müssen schon in vier Stunden am Flughafen sein. Kurz nachdem er die Augen offen hat, greift Christoph nach seinem Blackberry. Es ist wie bei Aschenputtel, denke ich. Die Kutsche ist wieder ein Kürbis!

Als wir ohne Frühstück abgehetzt im Taxi sitzen, fällt mir mein Koffer ein.

»Halt«, rufe ich, »Christoph, mein Koffer. Der ist im anderen Hotel. Hoffe ich. Also, der war nämlich in Hawaii und müsste jetzt eigentlich angekommen sein. Gestern Abend haben sie das jedenfalls behauptet.«

Christoph zieht die Augenbrauen hoch und sagt: »Ich muss diesen Flieger kriegen, sonst habe ich ein echtes Problem mit der Kanzlei. Der Langner war eh nicht begeistert von meinem Ausflug. Ich muss Dienstag wieder arbeiten.«

Wo ist der Mann von gestern hin? Schon abgeflogen oder über Nacht mutiert?

»Bitte es ist wichtig. Wir haben noch mehr als dreieinhalb Stunden. Ich will meinen Koffer nicht hierlassen!«

»Dann sag doch dem Fahrer, wo er hin soll, aber mach schnell!«

Der Fahrer ist wesentlich entspannter als mein Mann. »No problem, madam«, sagt er.

Mein Koffer ist tatsächlich angekommen, und der klitzekleine Umweg hat uns nicht einmal eine Viertelstunde unserer wertvollen Zeit gekostet. Christoph ist beruhigt.

»Wenn wir am Flughafen sind und eingecheckt haben, gönnen wir uns erst mal ein schönes Frühstück«, schlägt er vor.

Daraus wird leider nichts, denn als wir am JFK-Flughafen einchecken wollen, schüttelt die Schalterfrau den Kopf. Unser Flug geht ab Newark, erklärt sie uns. Blöderweise ist das nicht etwa ein Seitenterminal vom JFK-Flughafen, sondern ein komplett anderer Flughafen. Wir sind entsetzt. Panisch. Christoph wird sauer und versucht, der Frau klarzumachen, dass wir diesen Flieger unbedingt kriegen müssen. Sie bleibt freundlich.

»You better hurry up then!«, sagt sie nur. Wir schnappen unser Gepäck und sitzen keine zehn Minuten später wieder in einem Taxi. Newark liegt genau auf der anderen Seite von New York, und das bedeutet für uns, dass wir nochmal die doppelte Strecke zurücklegen müssen. Ich fange an zu schwitzen.

»Wie konnte das passieren, Andrea?«, fragt mich Christoph vorwurfsvoll. »Warum hast du nicht auf dein Ticket geguckt?« Habe ich, aber dieses kleine andere Kürzel ist mir einfach nicht aufgefallen. Man geht ja davon aus, dass man da wieder wegfliegt, wo man auch angekommen ist. Davon abgesehen hätte er ja genauso gut auf sein Ticket schauen können.

»Du hast es doch auch nicht gemerkt«, gebe ich die Schuldzuweisung zurück. Wenn überhaupt, waren wir beide doof. Wir sitzen schmollend, ohne ein weiteres Wort miteinander zu reden, im Auto, und keiner, der uns so sehen könnte, würde uns mit dem Paar von gestern Abend in Verbindung bringen. So schnell kann's gehen! Alle fünf Minuten frage ich angstvoll beim Fahrer nach, ob er glaubt, dass wir es schaffen.

»Hope so!«, sagt er immer nur knapp.

Seine und unsere Hoffnungen erfüllen sich. Wir zahlen fünfundsiebzig Dollar – zusätzlich zu den fünfzig Dollar, die wir bereits für die Strecke zum JFK-Flughafen gezahlt haben. Das Geld hätten wir wahlweise auch verbrennen können.

Beim Check-in begrüßt uns die Frau mit den Worten: »You are late.«

Als ob wir das nicht wüssten. Wirklich eine schlaue Bemerkung! Aber sie nimmt unsere Koffer entgegen, das heißt ja wohl, dass wir auf der Maschine mitkommen. Immerhin. Auch Christophs Gesicht wird wieder freundlicher. Er ist extrem schlecht zu Fuß und sagt, dass seine Oberschenkel sich anfühlen, als gehörten sie nicht zu ihm, sondern zu einem Hundertjährigen. Ich habe eine selbstlose Eingebung und bitte die Frau, unsere Plätze zu tauschen. Christoph kapiert zunächst gar nicht, was das soll.

»Willst du mir den Fensterplatz überlassen, oder warum machst du das?«, fragt er verwirrt.

»Nein«, sage ich, »du fliegst Business Class und ich hinten!«

Er steht auf der Leitung, die Bodenstewardess hingegen versteht sofort, was ich will. Ich bin eine selbstlose, großherzige Person und fühle mich seelenverwandt mit Mutter Teresa, hoffe aber insgeheim, dass die Schalterfrau ein Herz für mich hat und mich auch in die Business Class steckt. Tut sie aber nicht. Als bei Christoph doch noch der Groschen fällt, will er mein Angebot nicht annehmen.

»Keine Diskussion«, lehne ich ab und fühle mich noch heroischer. Er gibt erstaunlich schnell auf.

Zum Glück kommen wir schnell und, für amerikanische Verhältnisse, unproblematisch durch die Sicherheitskontrollen und sitzen fünfundvierzig Minuten später total geschafft im Flieger. Ich hinten, er vorne. Kurz nach dem Start klappt mein Vordermann seine Lehne zurück, und ich bereue meinen Großmut schon jetzt bitterlich. Als ich eine Stunde nach Abflug mal in der Business Class nach meinem Mann schauen will, schickt mich die Stewardess freundlich, aber bestimmt wieder weg. Denn im Flugzeug herrscht strenge Klassentrennung. Die vorne dürfen, wenn es sie überkommt, mal nach hinten zum Flugpöbel, aber umgekehrt geht gar nichts. Christoph scheint kein gesteigertes Bedürfnis zu haben, mich zu sehen, denn ich warte vergebens auf einen Besuch. Gott sei Dank bin ich, obwohl mir sein Verhalten stinkt, hundemüde und schaffe es, bevor ich eine Thrombose bekomme, einzuschlafen.

Wir landen pünktlich in Frankfurt, und ich habe den Großteil des Fluges verpennt. Und keine Thrombose bekommen. Christoph ist richtiggehend euphorisch und schwärmt mir von dem tollen Service in der Business Class vor.

»War ja auch eigentlich mein Gewinn, das Los vom Juristenball!«, schmälert er auch noch meine gute Tat. »Ich habe übrigens mal nach dir gesehen, wollte dir ein Glas Champagner bringen, aber du hast so tief geschlafen, da bin ich wieder zurück.« Immerhin – der Wille war da.

Wir nehmen uns ein Taxi nach Hause. Es ist Abend. In unserem Haus brennt kein Licht mehr. Wir schleichen uns rein, um keinen zu wecken, schließlich haben die Kinder morgen Schule, und mein Vater ist vom Wochenende garantiert ordentlich geschafft. Als wir im ersten Stock leise einen Blick in Claudias Zimmer werfen, hören wir von nebenan, aus Marks Zimmer, ein Geräusch. Ein komisches

Knarren. Und ein Kichern. Wälzt sich mein Vater im Schlaf und träumt von herrlichen Verabredungen mit sehr jungen Frauen? Gerade als Christoph sagt »Lass uns doch vorsichtig nachsehen«, tut es einen grauenvollen Schlag, und wir stürmen ins Zimmer. Der Anblick, der sich uns bietet, ist, um es gelinde auszudrücken, überraschend. Das Hochbett ist durchgekracht, der Lattenrost hat seinen Geist aufgegeben, unten sitzen mein Vater und meine Mutter auf der Matratze, und beide lachen und lachen und können sich gar nicht mehr einkriegen. Ich weiß kaum, wo ich hinschauen soll, denn die zwei sind splitterfasernackt.

»Hallo, ihr New Yorker«, kichert mein Vater, und meine Mutter hält sich die Hände vor die Brüste. Christoph steht mit offenem Mund in der Tür und starrt die beiden an.

»Was ist denn hier los?«, frage ich nur, obwohl ich insgeheim eine leise Ahnung habe, was hier losgewesen ist. Mein Vater schnappt sich die Decke und wirft sie über meine Mutter und sich.

»Ja, die Erika und ich, wir waren auf einmal sehr müde vom Babysitten, und da haben wir uns kurz aufs Ohr gelegt«, sucht er nach einer plausiblen Erklärung.

Nach Streit oder gar Scheidung sehen die beiden nicht aus. Auch nicht, als hätten sie sich nur mal kurz aufs Ohr gelegt. Meine Mutter hat zerwühltes Haar und ziemlich rote Wangen.

»Hattet ihr hier etwa Sex?«, platzt es aus mir heraus. Natürlich fragt man so was seine Eltern eigentlich nicht, aber in diesem besonderen Fall würde es doch einiges klären. Und meine Neugier befriedigen. Ich freue mich schon auf das Gesicht meiner Schwester, wenn ich ihr das hier erzähle. Meine Eltern – die Lattenrostkiller!

»Wir sind deine Eltern, Andrea«, drückt sich meine

Mutter um die Frage herum. »So was fragt man seine Eltern nicht!«

Ich sage nicht, dass es auch nicht üblich ist, dass Großeltern sich im Hochbett ihres Enkels vergnügen – und zwar so doll, dass der Lattenrost durchbricht. Und dazu noch mit zwei schlafenden Kindern nebenan.

»Seid ihr wieder zusammen, habt ihr euch vertragen?«, wenigstens diese Frage sollte ja wohl erlaubt sein.

»Mal sehen, ich weiß es noch nicht«, sagt mein Vater, und meine Mutter sagt nur: »Der Franz kann Dinge, da kann der Fred nur von träumen.« Mein Vater strahlt wie ein soeben gekürter Sexgott, sagt aber kein weiteres Wort.

»Lass deine Eltern doch besser schlafen, wir können doch morgen drüber reden!«, schlägt Christoph vor.

»Also hier ist es mit dem Schlafen ja jetzt schlecht«, moniert mein Vater den Lattenrost. Gerade so, als hätte er ihn nicht selbst auf dem Gewissen.

»Komm halt mit heim, Franz«, turtelt meine Mutter, »was man anfängt, muss man doch zu Ende bringen!« Ihr albernes Gekicher macht deutlich, wovon sie spricht.

Mein Vater aber zögert. »Ich könnte vielleicht allein hier auf der Matratze schlafen«, setzt er an und lenkt dann ein und sagt: »Ach was soll's, wir lernen aus Erfahrung, dass die Menschen nichts aus Erfahrung lernen. Nur zur Info, Andrea – nicht Busch, sondern mal wieder Shaw.«

»Wir gehen heim, Erika!«, teilt er meiner Mutter mit. »Ich komme mit dir. Vorläufig.« Das klingt nach Probezeit für meine Mutter. Den Fred-Trumpf wird mein Vater sicher noch eine Weile ziehen.

»Schönen Gruß von Sabine an euch beide, besonders an dich, Papa!«, ziehe ich einen Gegentrumpf. Mein Vater guckt mich ängstlich an. Ich zwinkere kurz und hoffe,

Sabine wird nie erfahren, dass ich mein Versprechen leider brechen musste, um bei meinen Eltern für eine gewisse Ausgewogenheit zu sorgen.

Ich begleite meine Eltern zur Haustür, und bevor sie fahren, erzählt mir mein Vater so nebenbei, dass Annabelle hier war.

»Die war irgendwie sauer und hat dir was in die Küche gelegt. Zur Ansicht. Ach, und Andrea, wegen der eBay-Agentur. Ich würde das gerne weitermachen. Wenn es dir recht ist.«

»Wäre toll, Papa«, antworte ich begeistert, denn hier löst sich unvorhergesehen ein kleines Problem. Ich kann ja schlecht beim Lümmert arbeiten und weiterhin meine Agentur betreiben.

Als die beiden die Haustür hinter sich zuziehen, fängt Christoph an zu lachen und zieht mich an sich.

»Wir sollten uns ein Beispiel an deinen Eltern nehmen!«, schmachtet er mich an. Das klingt gut, aber zuerst will ich doch sehen, was Annabelle da für mich abgegeben hat.

Es ist eine Radaraufnahme. Von mir in Annabelles Auto. Mit Handy am Ohr und Kippe im Mund. Mist – der Brandfleck! Daneben ein Zettel:

Aura Soma Therapie – Mittwoch 16.00 Uhr. Du fährst!

Liebe Silke, danke für deine Geduld und dein Zutrauen. Danke der liebenswürdigen, gar nicht mehr so kleinen Robbe für deine wunderbare gute Laune, die mich immer wieder aufrichtet. Meiner Mama, meinem Papa, meinen Schwestern, meinen Freundinnen und Leonie – danke, dass ihr jederzeit für mich da seid.

Und danke an Gert. Für die New-Yorker-Momente im Leben.

Susanne Fröhlich
Familienpackung
Roman
Band 15735

Wie kriegt man die drei großen Ks – Kinder, Küche und
Karriere – mit den drei großen S' – Spaß, Spitzenfigur und
Supersex – unter einen Hut? Bestsellerautorin Susanne
Fröhlich weiß Bescheid: mit Witz, Humor und einer extra-
großen Portion Selbstironie!

»Amüsant, sexy und gnadenlos ehrlich!«
Für Sie

Fischer Taschenbuch Verlag

fi 15735 / 1

Susanne Fröhlich
Treuepunkte
Roman
Band 16812

Was tun, wenn der Ehemann plötzlich so ganz anders ist als
sonst? Und was, wenn man fühlt, dass es somit höchste Zeit
ist, auch mal ganz anders zu sein?

Andrea Schnidt geht in die Offensive ... Pointiert und puppen-
lustig erzählt Susanne Fröhlich vom alltäglichen Ehe- und
Beziehungschaos.

»Susanne Fröhlich spielt bewusst und intelligent
mit den Klischees des Genres. Genau die richtige Balance,
um schlau zu unterhalten.«
Bücher

»Irgendwie verdammt sympathisch,
diese Fröhlich ...«
Bild

Fischer Taschenbuch Verlag

Susanne Fröhlich
Constanze Kleis
Alles über meine Mutter

256 Seiten. Leinen gebunden

Was Sie Ihre Mutter schon immer mal fragen wollten – was Sie Ihren Kindern schon immer mal erzählen wollten. In diesem Buch geben uns Susanne Fröhlich und Constanze Kleis die Möglichkeit, unsere Mütter viel besser kennenzulernen. Autobiographische Texte der Autorinnen, humorvolle Mütter-Betrachtungen, Anekdoten, Listen und viel Platz, um eigene Antworten und Erinnerungen festzuhalten, machen das liebevoll gestaltete Buch zu einem wahren Familienschatz.

Krüger Verlag

Susanne Fröhlich
Constanze Kleis
Alles über meinen Vater

256 Seiten. Leinen gebunden

Väter können für ihre Kinder so vieles sein: Superheld, Mitverschwörer, Mentor, höchste Autorität, bester Freund, aber auch Tyrann und biographischer Spielverderber. Eines aber ist allen Vater-Erscheinungsformen gemeinsam: Man vergisst darüber oft, dass der Vater im Nebenberuf immer auch und vor allem Mensch ist. Diesem Menschen ist dies Buch mit seinen 300 Gelegenheiten, Väter endlich einmal von einer ganz anderen Seite kennenzulernen, gewidmet.

Krüger Verlag

Laura Ruby
Familienbetrieb
Roman
Aus dem Amerikanischen von Birgit Schmitz
Deutsche Erstausgabe
Band 17593

Patchworking Mum

Als Lu Klein einen geschiedenen Mann mit Kindern heiratet,
ahnt sie nicht, dass sie seine schreckliche Exfrau Beatrix dazu-
bekommt. Beatrix stellt dafür fest, dass ihre neue Ehe eben
auch die freche Tochter ihres Mannes einschließt. Albtraum-
hafte Teenager, gestresste Stiefmütter und rudernde Ehemänner – in diesem witzigen Patchworkchaos finden sich
garantiert alle wieder.

»Ruby macht auf urkomische und herzzerreißende
Weise deutlich, dass Scheiden weh tut.«
People Magazine

Fischer Taschenbuch Verlag

fi 17593 / 1